ATLAS INTERMÉDIAIRE NELSON

CARTOGRAPHE ▪ Geoffrey J. Matthews

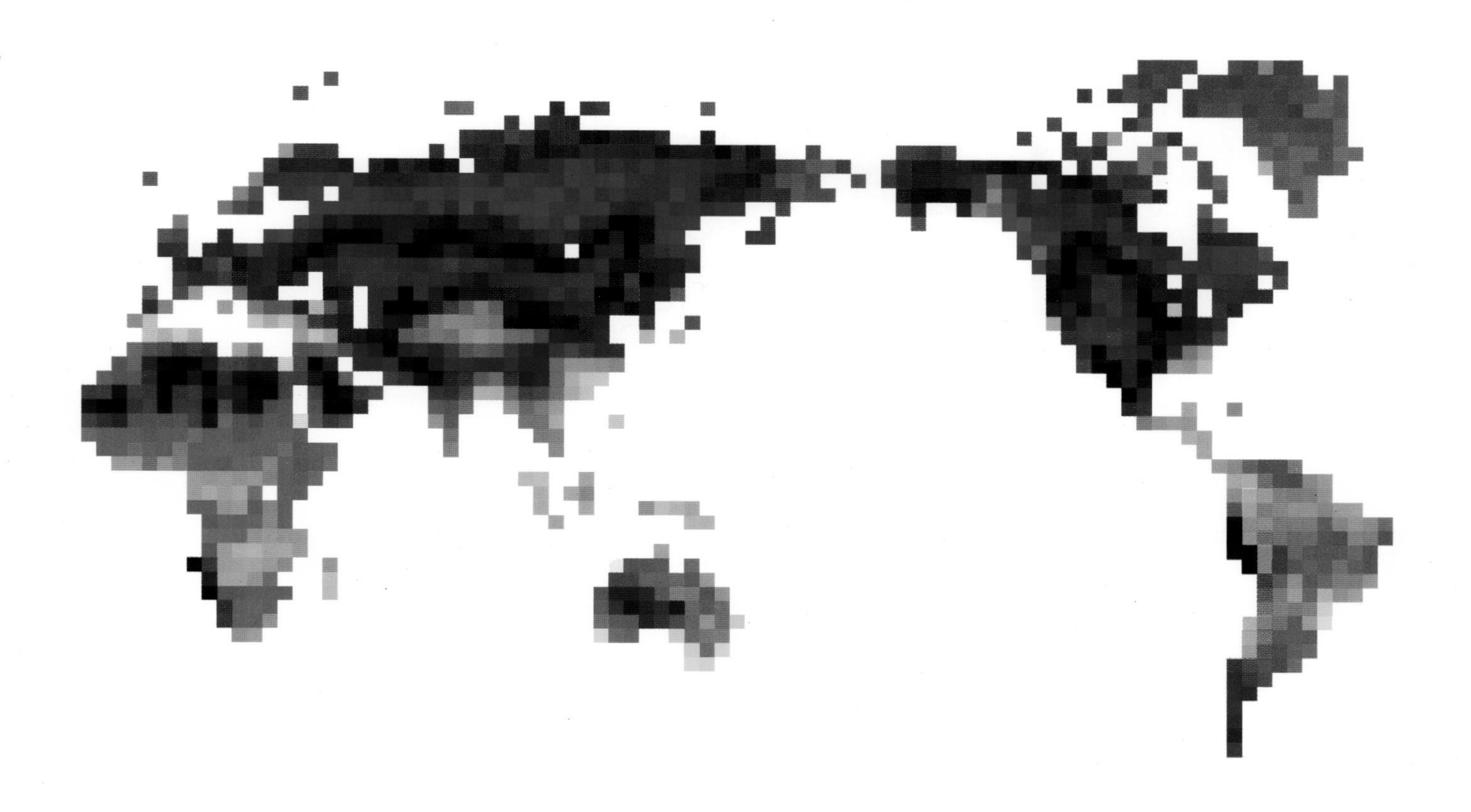

Nelson Canada
A Division of International Thomson Limited
1120 Birchmount Road
Scarborough, Ontario M1K 5G4

Données de catalogage avant publication (Canada)

Matthews, Geoffrey J., 1932-
Atlas intermédiaire Nelson

Traduction de: Nelson intermediate atlas.
Comprend un index.
ISBN 0-17-602342-9

1. Atlas canadiens. I. Title.

G1021.M38614 1989 912 C89-093495-9

TABLE DES MATIÈRES

COMMENT UTILISER TON ATLAS

Un atlas contient une foule de renseignements importants et intéressants sur les lieux et les gens. Une fois que tu auras pris connaissance du type de renseignements que tu peux trouver dans un atlas, il te faudra apprendre comment utiliser ces renseignements. Tu sauras mieux utiliser ton atlas si tu lis les renseignements contenus dans cette page et les suivantes.

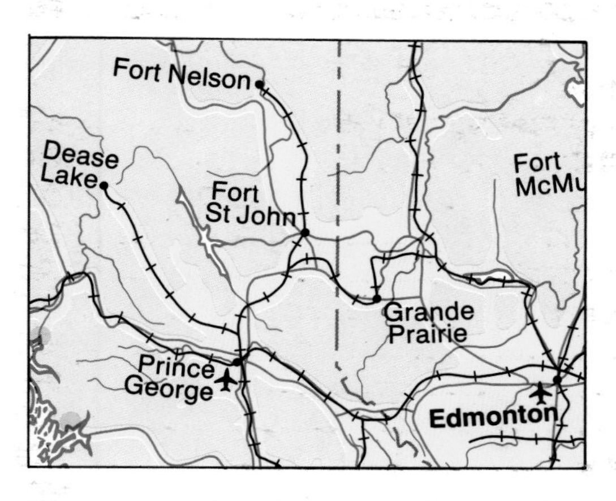

Cartes thématiques

Une carte thématique est une carte qui illustre un thème particulier comme la végétation, les transports ou la population. Les informations sont habituellement décrites à l'aide de formes ou de couleurs. Pour lire une carte thématique, il faut d'abord lire le titre puis la légende. Cela t'aidera à comprendre les renseignements donnés sur la carte. On trouve au centre d'une carte du monde soit l'océan Pacifique ou l'océan Atlantique. Cet atlas comprend les deux types de cartes pour te donner deux points de vue différents. Tu verras que la forme de quelques-uns des continents diffère légèrement d'un point de vue à l'autre. C'est qu'il faut «étirer» des parties différentes de la carte pour la mettre à plat lorsqu'on change le lieu de «coupure» sur la sphère terrestre.

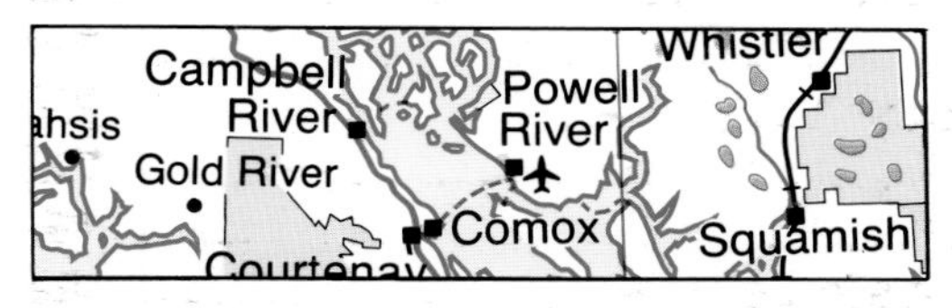

Cartes régionales

Une région est un territoire étendu qui possède des caractéristiques distinctes. Les cartes régionales sont plus détaillées qu'une carte du monde entier. La superficie de la région est plus petite et l'échelle est plus grande que sur les cartes du monde entier.

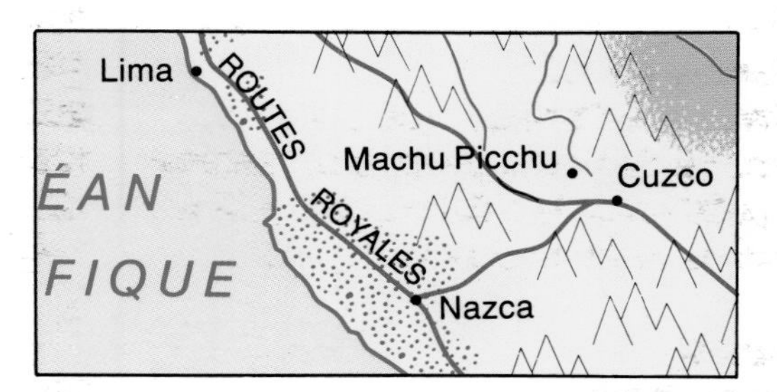

Cartes historiques

Les cartes historiques donnent des renseignements sur le passé. Elles représentent, soit des cités antiques découvertes à une époque relativement récente, soit des régions qui étaient autrefois sous la domination d'un certain groupe de gens. Une carte historique est en réalité une carte thématique sur le passé. Il est intéressant de comparer la carte historique et la carte actuelle d'une région pour voir comment les villes, les routes et les frontières se sont modifiées.

Photographies transmises par Landsat

Les satellites Landsat sont en orbite autour de la Terre. Ils sont munis d'instruments spécialisés qui peuvent capter l'énergie qui provient de la Terre. Ces satellites captent des signaux énergétiques des régions qu'ils survolent puis ils transmettent ces signaux aux stations terrestres. Ces stations enregistrent ces signaux sur bande. Ensuite, un ordinateur convertit l'information en une photographie en couleurs. Certaines données comme les endroits où se trouvent des villes, des fermes ou des forêts, vont apparaître dans une couleur particulière.

statistique: ensemble de données co
et des endroits.

steppe: grande plaine sans arbres da

Glossaire

Tu y trouveras la signification de nombreux mots que tu rencontreras en consultant les cartes de cet atlas. Si tu connais la signification d'un mot, tu sauras comment l'utiliser à ton tour.

Fushun, Chine **103** 2L
Fuzhou, Chine **103** 5K

G

Gabarone, Botswana **97** 7F
Gabon **96** 5E
Gagnon, Qué. **47** 2F
Gairdener, lac, Australie **112** 5E
Galapagos, îles, (Équateur) **117** 4G

Index

Comment trouver un nouvel endroit dans cet atlas? La façon la plus facile, c'est de chercher le nom de cet endroit dans l'index. L'index se trouve à la fin de l'atlas. Cherche le nom de ta ville ou de la grande ville la plus proche. Quels renseignements y donne-t-on? Cela te suffit-il pour trouver où se situe l'endroit dans l'atlas? Essaie de repérer d'autres endroits que tu as visités ou dont tu as entendu parler.

Avant de lire une carte, tu dois acquérir quelques notions...

Vue d'en haut

Imagine que tu regardes le terrain d'une foire du siège d'un manège très haut. Que vois-tu? Maintenant, imagine-toi juste au-dessus de la foire dans un téléférique. Peux-tu voir autre chose en regardant directement en bas? Pourquoi ne voyais-tu pas la tente rayée dans le premier exemple? Une carte est l'illustration du terrain vu d'en haut. Tu peux voir plein de choses en regardant directement en bas. Parce que la carte est plus petite que le terrain réel, on n'y voit que les éléments importants, par exemple, les rues mais pas les trottoirs.

Quadrillages

On a tracé des lignes sur cette illustration pour diviser le terrain de la foire en carrés. Ces lignes s'entrecroisent pour former un quadrillage. Ce quadrillage porte des lettres en haut et des chiffres sur le côté. On identifie chacun des carrés par sa lettre et son chiffre, par exemple, C3. En nommant un ou plusieurs carrés du quadrillage, on peut facilement décrire où se trouvent les éléments de l'illustration. Nomme les carrés dans lesquels se trouvent les objets suivants: la tente rayée, la grande roue, les montagnes russe. Dans cet atlas, les lignes de latitude (parallèles) et les lignes de longitude (méridiens) forment le quadrillage des cartes. Consulte l'index pour trouver les carrés de quadrillage de l'endroit que tu cherches.

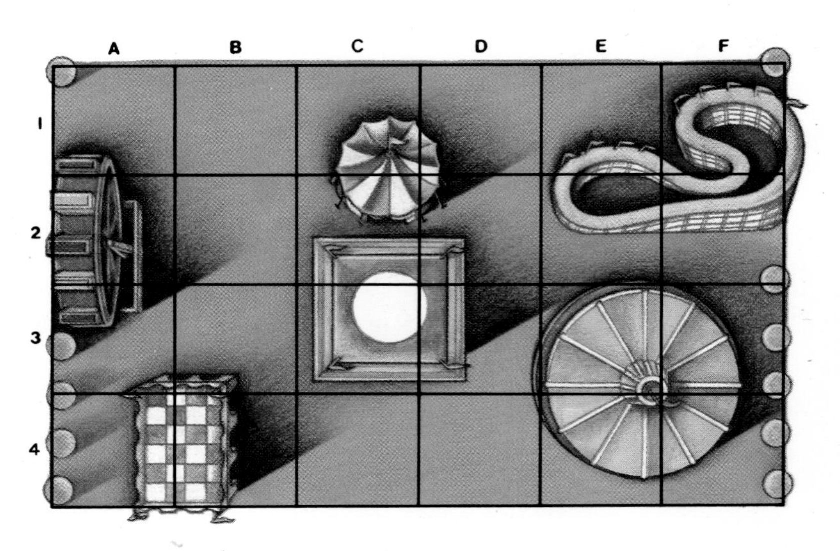

Laisses de vase
Marais
Barrage
Route
Mine
Ligne de transmission électrique
Plage
Cimetière
C
60
30
10

Symboles

Les symboles sont des formes ou des couleurs qui représentent des éléments très connus. La liste des symboles et de leur signification apparaît sur chaque carte. Ce type de liste s'appelle une légende.

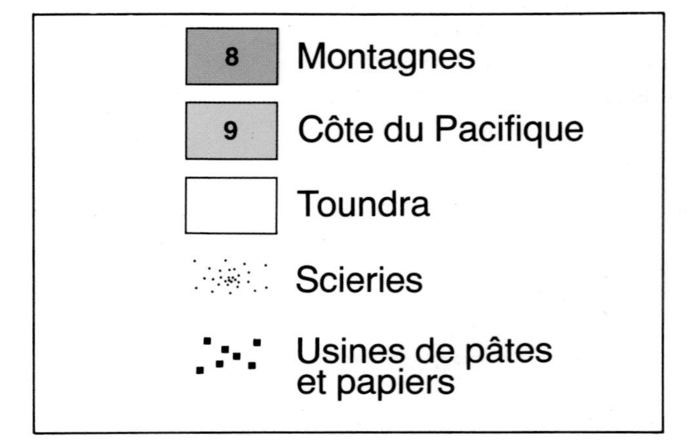

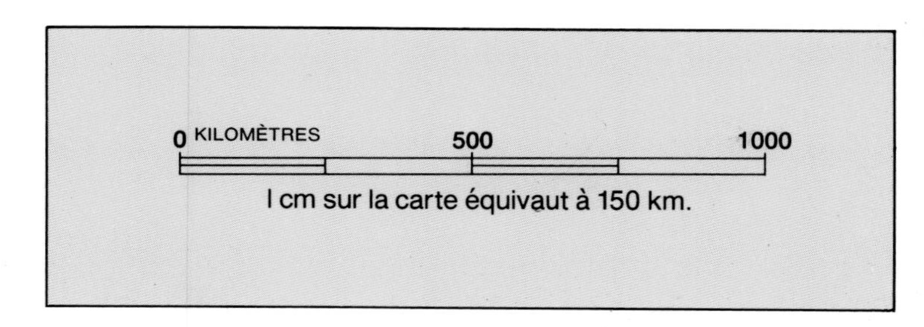

Échelle et mesure

L'échelle est la relation entre la distance mesurée sur une carte et la distance réelle sur la surface de la Terre. Sur une carte, on représente l'échelle par un énoncé ou par une règle. Tu peux mesurer la distance sur la carte à l'aide d'une règle ou d'une ficelle puis calculer la distance réelle en consultant l'échelle qui se trouve sur la carte.

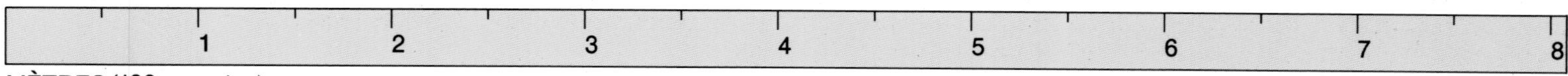

MÈTRES (100 cm = 1 m)

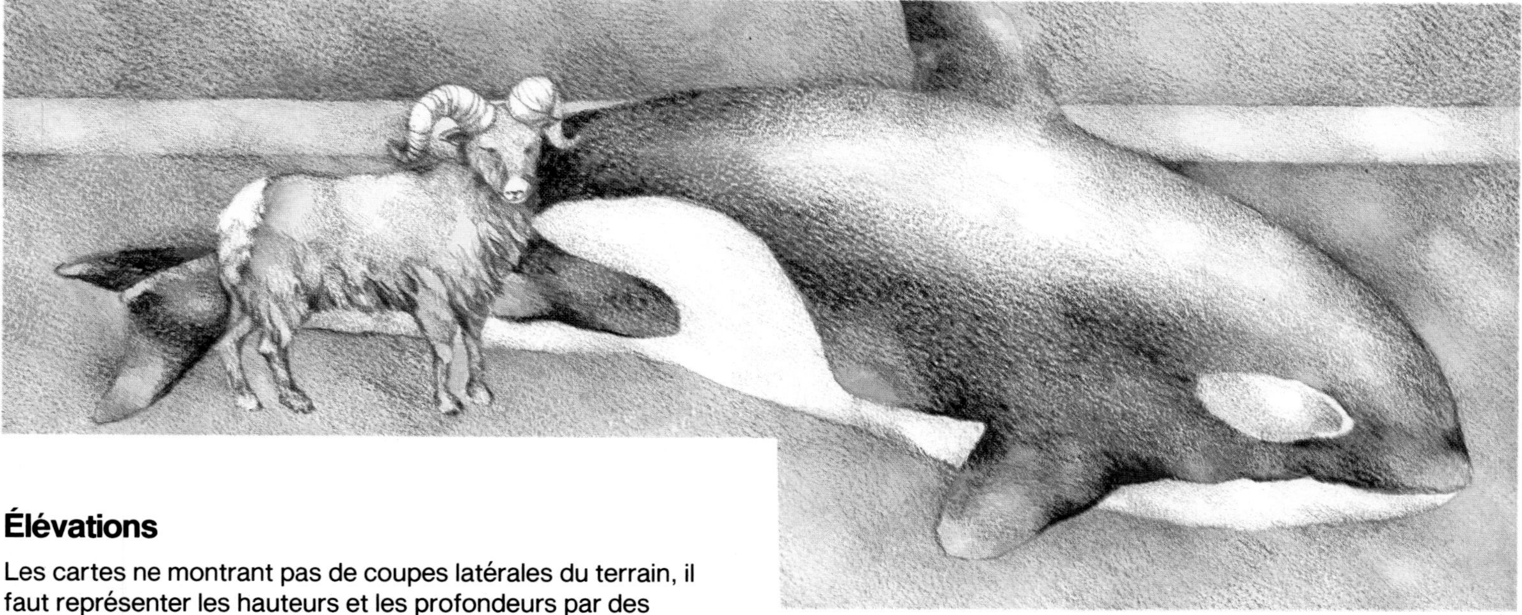

Élévations

Les cartes ne montrant pas de coupes latérales du terrain, il faut représenter les hauteurs et les profondeurs par des couleurs. On explique dans la légende les couleurs qui représentent les élévations.

Directions

Sur la plupart des cartes, on indique la direction par l'aiguille d'une boussole pointant vers le nord et par les parallèles et les méridiens. Ces lignes sont identifiées par un chiffre et un point cardinal qui apparaissent sur les bords de la carte. Les parallèles mesurent les directions nord-sud de l'Équateur. Les méridiens mesurent les directions est-ouest du méridien d'origine.

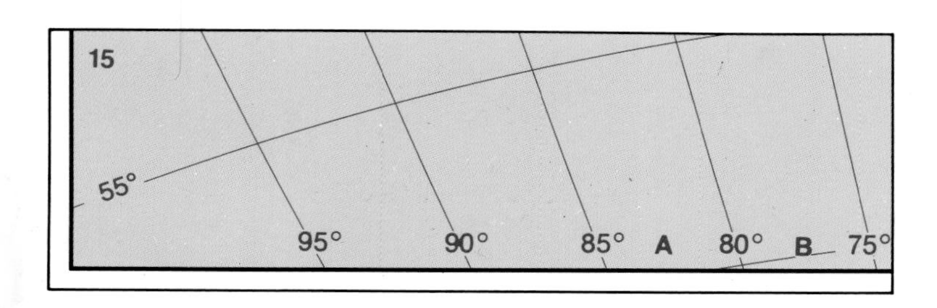

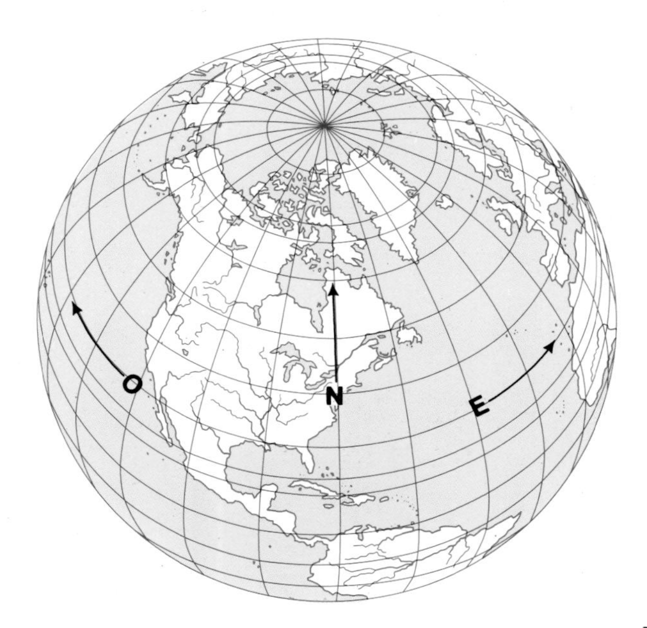

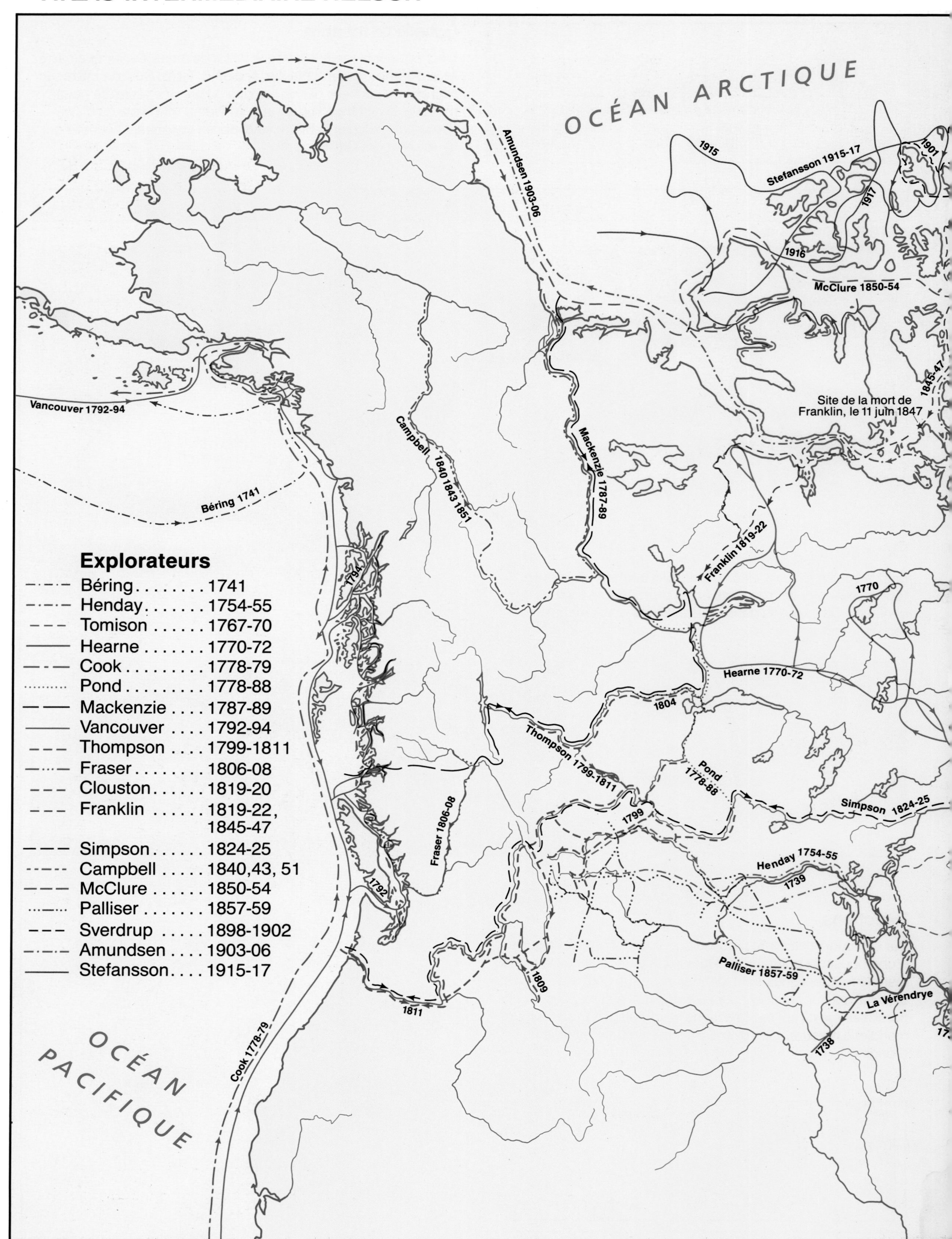
OCÉAN ARCTIQUE
OCÉAN PACIFIQUE
Explorateurs
Béring 1741
Henday 1754-55
Tomison 1767-70
Hearne 1770-72
Cook 1778-79
Pond 1778-88
Mackenzie 1787-89
Vancouver 1792-94
Thompson 1799-1811
Fraser 1806-08
Clouston 1819-20
Franklin 1819-22, 1845-47
Simpson 1824-25
Campbell 1840,43, 51
McClure 1850-54
Palliser 1857-59
Sverdrup 1898-1902
Amundsen 1903-06
Stefansson 1915-17
Amundsen 1903-06
Stefansson 1915-17
1915
1916
1917
1901
McClure 1850-54
1845-47
Site de la mort de Franklin, le 11 juin 1847
Vancouver 1792-94
Campbell 1840 1843 1851
Mackenzie 1787-89
Béring 1741
Franklin 1819-22
1770
Hearne 1770-72
1804
Thompson 1799-1811
Pond 1778-88
Simpson 1824-25
1799
1794
Fraser 1806-08
Henday 1754-55
1739
1792
Palliser 1857-59
La Vérendrye
1809
1811
1738
Cook 1778-79

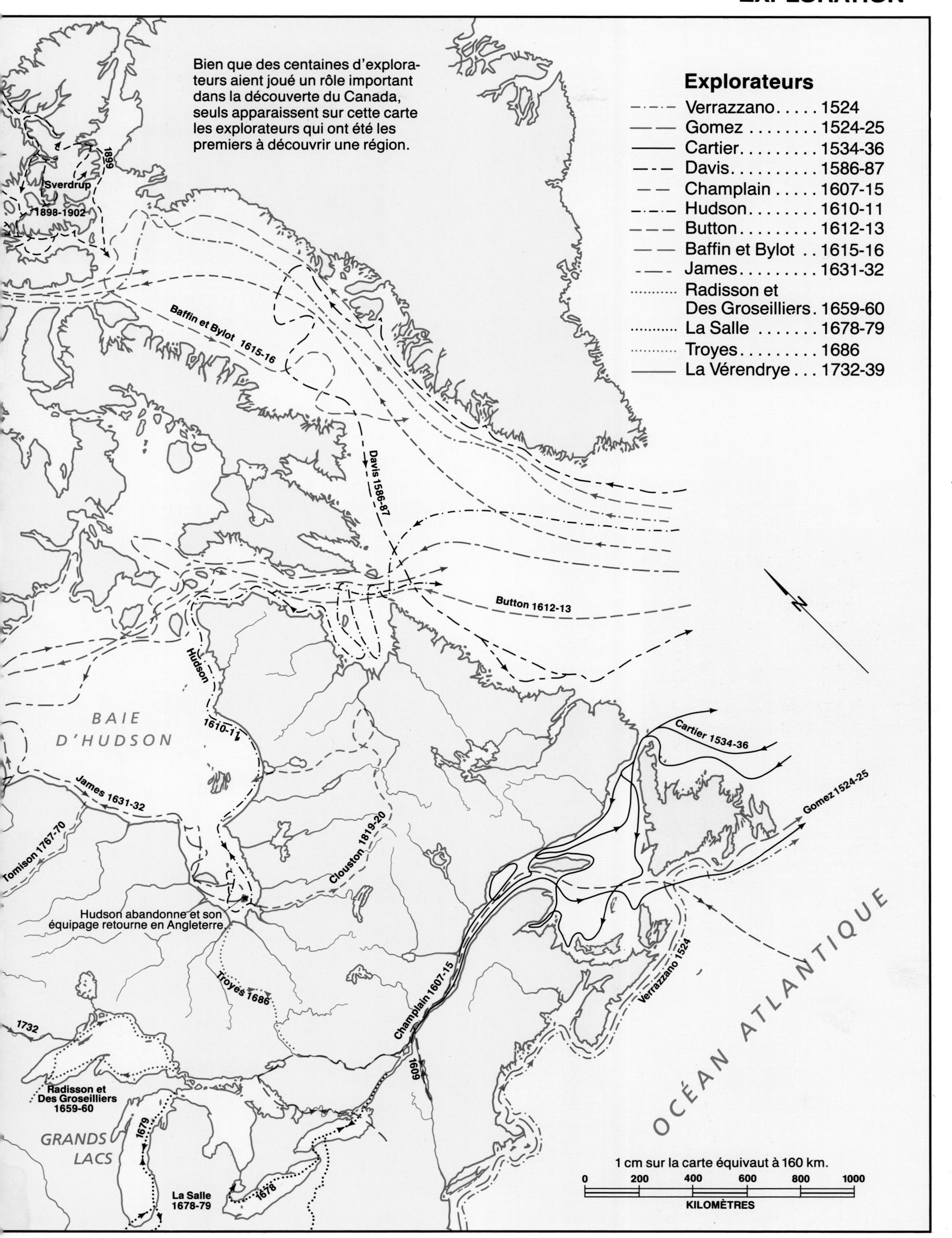
Bien que des centaines d'explorateurs aient joué un rôle important dans la découverte du Canada, seuls apparaissent sur cette carte les explorateurs qui ont été les premiers à découvrir une région.
Explorateurs
Verrazzano 1524
Gomez 1524-25
Cartier 1534-36
Davis 1586-87
Champlain 1607-15
Hudson 1610-11
Button 1612-13
Baffin et Bylot . . 1615-16
James 1631-32
Radisson et Des Groseilliers . 1659-60
La Salle 1678-79
Troyes 1686
La Vérendrye . . . 1732-39
Sverdrup
1898-1902
1899
Baffin et Bylot 1615-16
Davis 1586-87
Button 1612-13
Hudson
1610-11
BAIE D'HUDSON
James 1631-32
Tomison 1767-70
Clouston 1819-20
Hudson abandonne et son équipage retourne en Angleterre.
Cartier 1534-36
Gomez 1524-25
Troyes 1686
Champlain 1607-15
Verrazzano 1524
1609
1732
Radisson et Des Groseilliers 1659-60
GRANDS LACS
1679
La Salle 1678-79
1678
OCÉAN ATLANTIQUE
N
1 cm sur la carte équivaut à 160 km.
0 200 400 600 800 1000
KILOMÈTRES

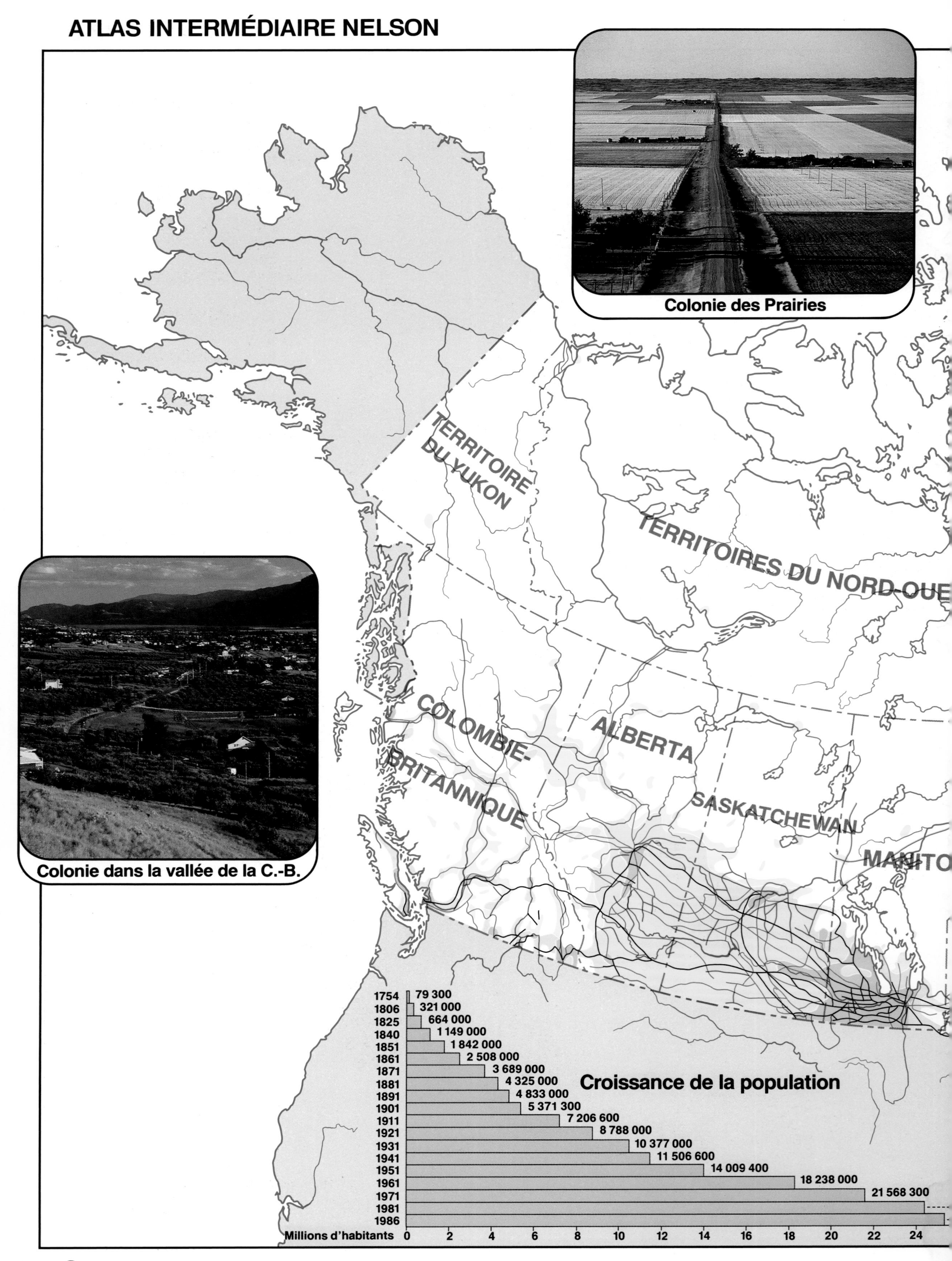

Colonie des Prairies

Colonie dans la vallée de la C.-B.

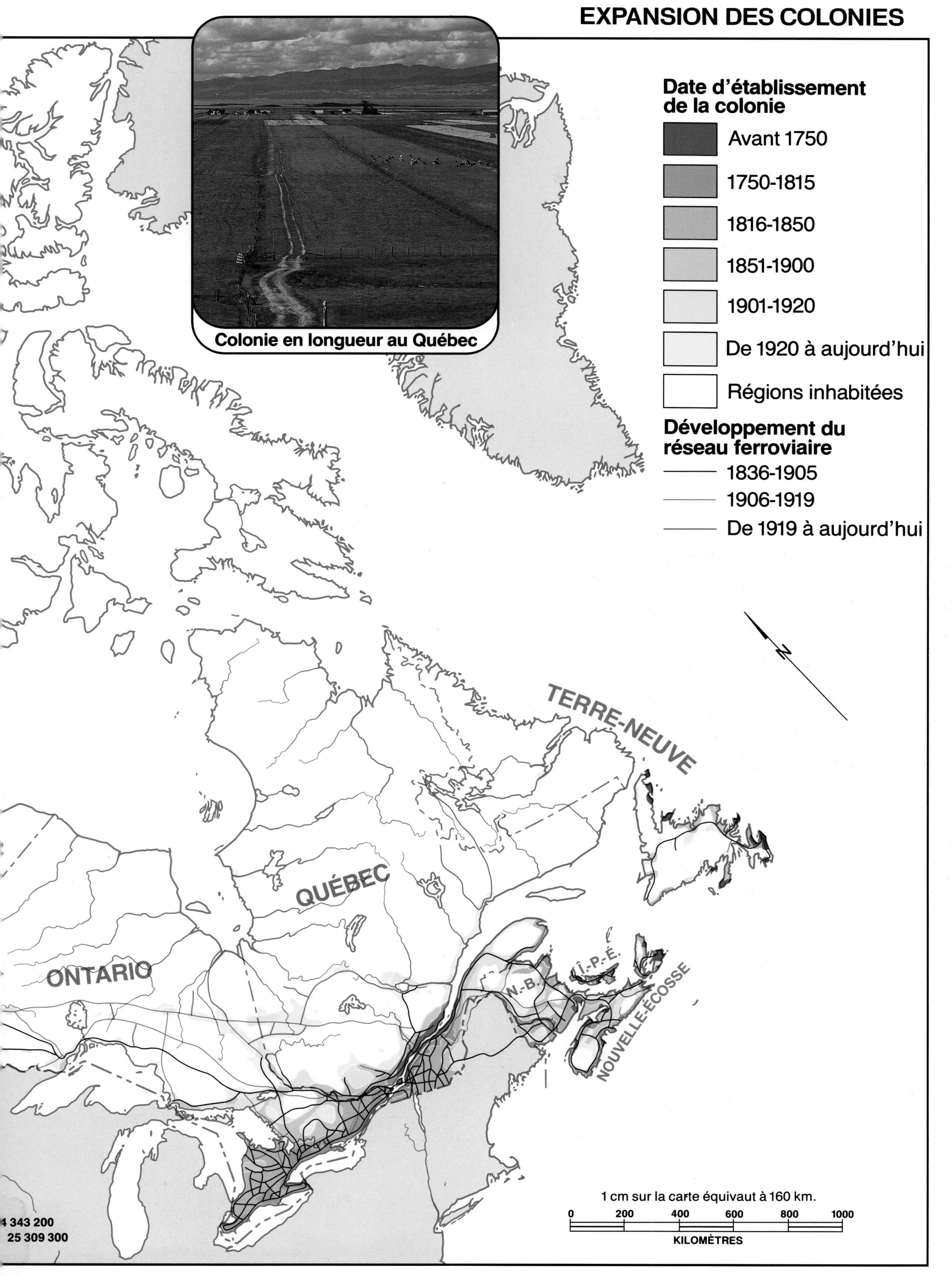

Colonie en longueur au Québec

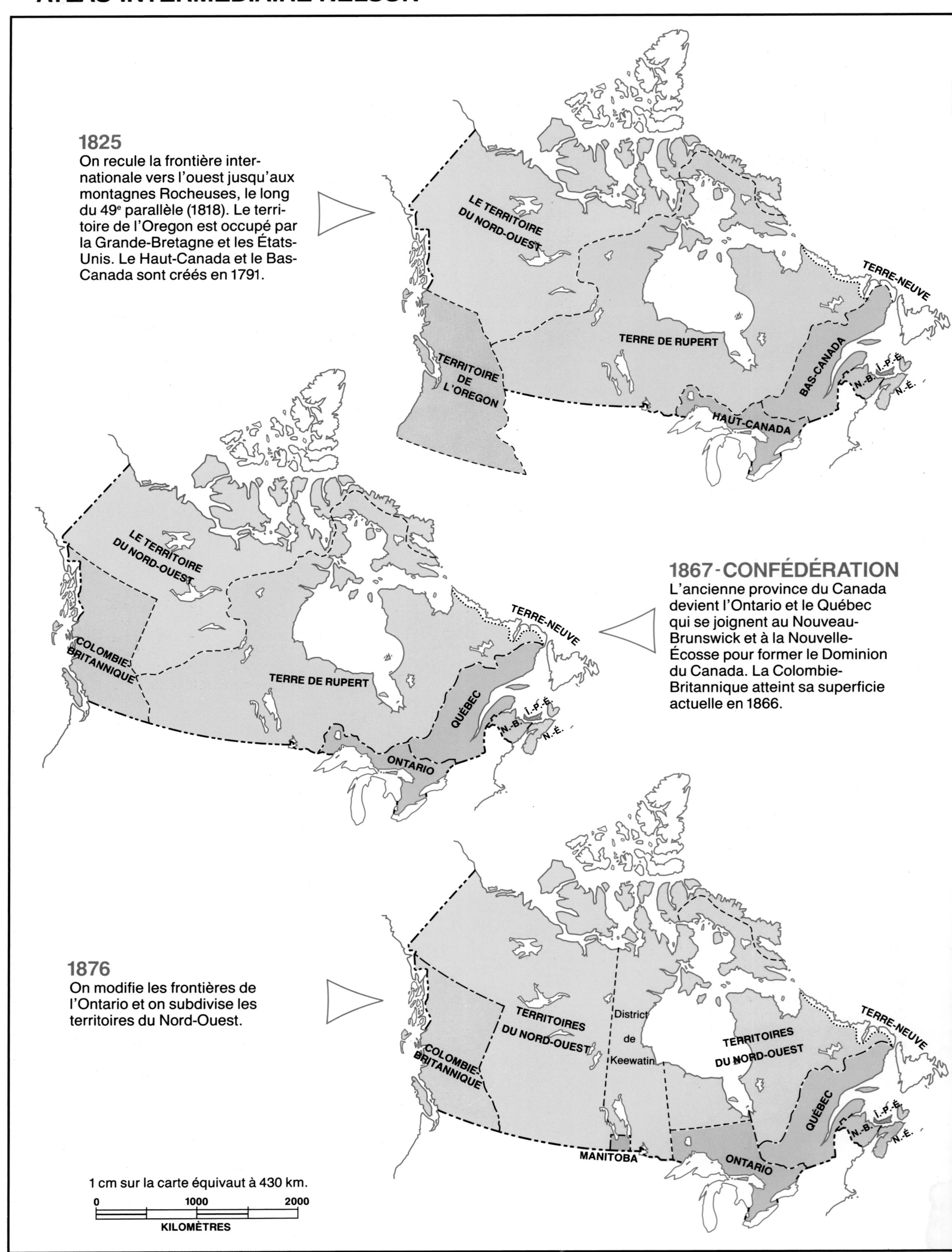

1825

On recule la frontière internationale vers l'ouest jusqu'aux montagnes Rocheuses, le long du 49e parallèle (1818). Le territoire de l'Oregon est occupé par la Grande-Bretagne et les États-Unis. Le Haut-Canada et le Bas-Canada sont créés en 1791.

1867 - CONFÉDÉRATION

L'ancienne province du Canada devient l'Ontario et le Québec qui se joignent au Nouveau-Brunswick et à la Nouvelle-Écosse pour former le Dominion du Canada. La Colombie-Britannique atteint sa superficie actuelle en 1866.

1876

On modifie les frontières de l'Ontario et on subdivise les territoires du Nord-Ouest.

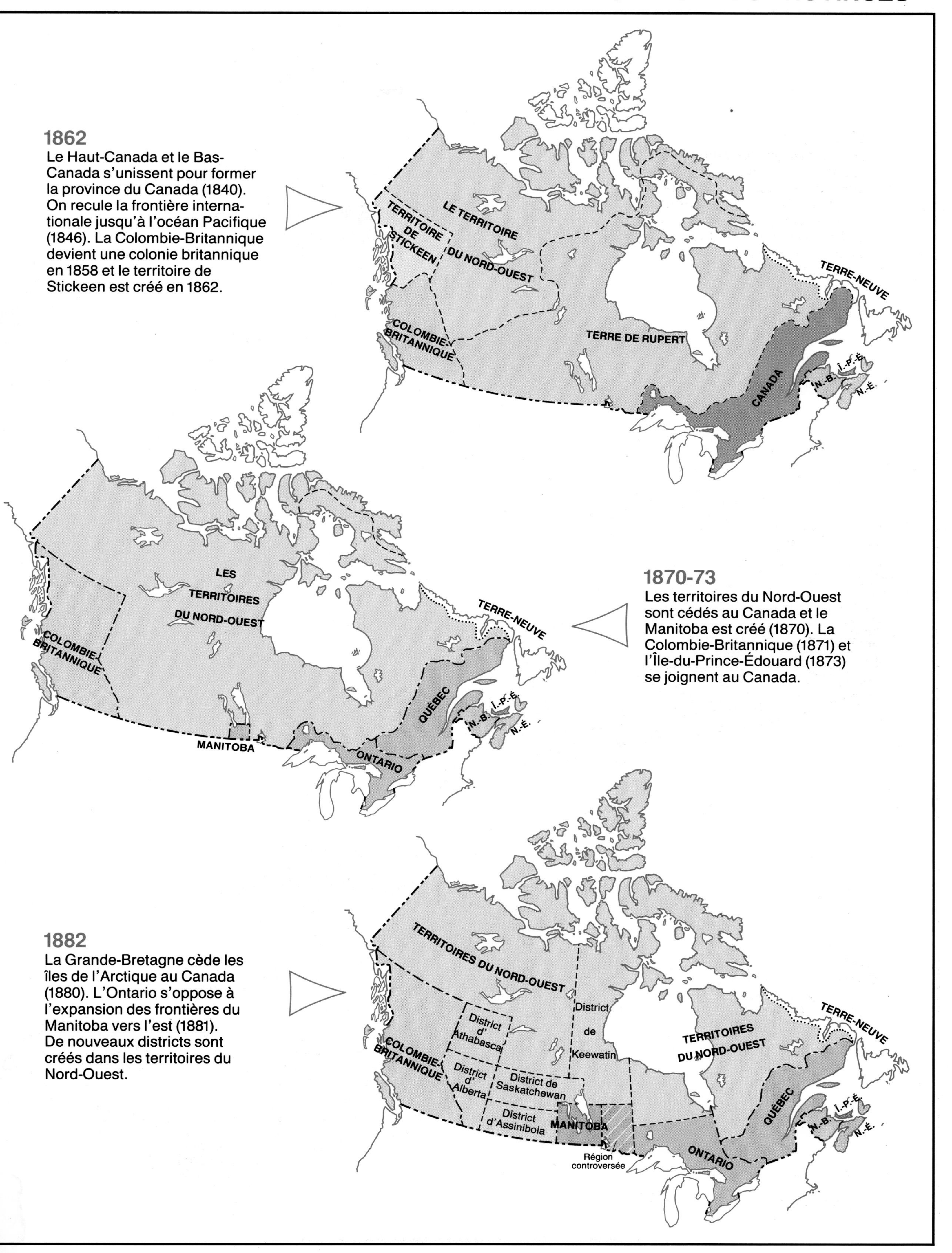

1862

Le Haut-Canada et le Bas-Canada s'unissent pour former la province du Canada (1840). On recule la frontière internationale jusqu'à l'océan Pacifique (1846). La Colombie-Britannique devient une colonie britannique en 1858 et le territoire de Stickeen est créé en 1862.

1870-73

Les territoires du Nord-Ouest sont cédés au Canada et le Manitoba est créé (1870). La Colombie-Britannique (1871) et l'Île-du-Prince-Édouard (1873) se joignent au Canada.

1882

La Grande-Bretagne cède les îles de l'Arctique au Canada (1880). L'Ontario s'oppose à l'expansion des frontières du Manitoba vers l'est (1881). De nouveaux districts sont créés dans les territoires du Nord-Ouest.

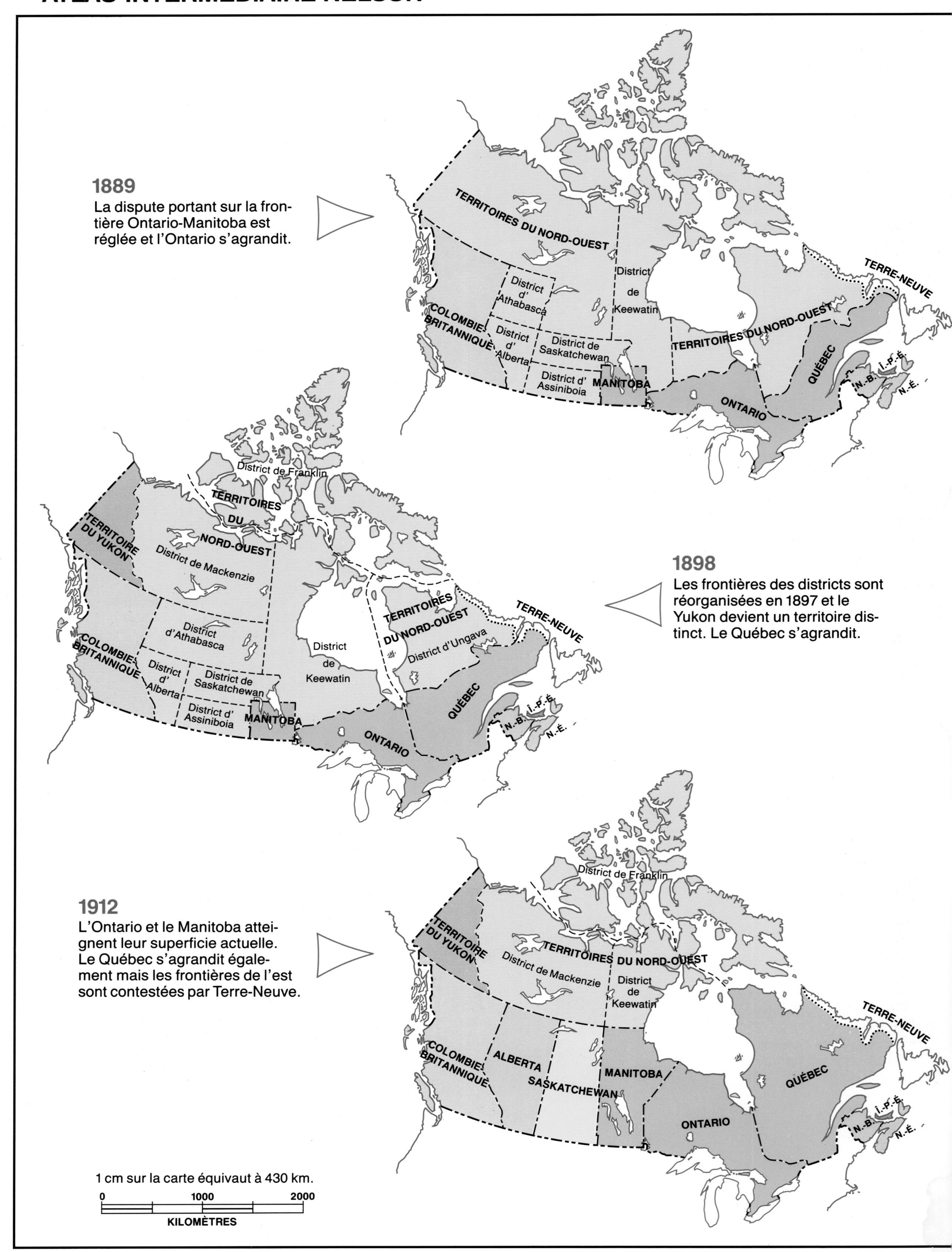
1889
La dispute portant sur la frontière Ontario-Manitoba est réglée et l'Ontario s'agrandit.
TERRITOIRES DU NORD-OUEST
District de Keewatin
District d'Athabasca
COLOMBIE-BRITANNIQUE
District d'Alberta
District de Saskatchewan
District d'Assiniboia
MANITOBA
TERRITOIRES DU NORD-OUEST
TERRE-NEUVE
QUÉBEC
ONTARIO
N.-B.
Î.-P.-É.
N.-É.
1898
Les frontières des districts sont réorganisées en 1897 et le Yukon devient un territoire distinct. Le Québec s'agrandit.
District de Franklin
TERRITOIRES DU NORD-OUEST
TERRITOIRE DU YUKON
District de Mackenzie
District d'Athabasca
COLOMBIE-BRITANNIQUE
District d'Alberta
District de Saskatchewan
District d'Assiniboia
MANITOBA
District de Keewatin
TERRITOIRES DU NORD-OUEST
District d'Ungava
TERRE-NEUVE
QUÉBEC
ONTARIO
N.-B.
Î.-P.-É.
N.-É.
1912
L'Ontario et le Manitoba atteignent leur superficie actuelle. Le Québec s'agrandit également mais les frontières de l'est sont contestées par Terre-Neuve.
District de Franklin
TERRITOIRE DU YUKON
TERRITOIRES DU NORD-OUEST
District de Mackenzie
District de Keewatin
TERRE-NEUVE
COLOMBIE-BRITANNIQUE
ALBERTA
SASKATCHEWAN
MANITOBA
QUÉBEC
ONTARIO
N.-B.
Î.-P.-É.
N.-É.
1 cm sur la carte équivaut à 430 km.
0
1000
2000
KILOMÈTRES

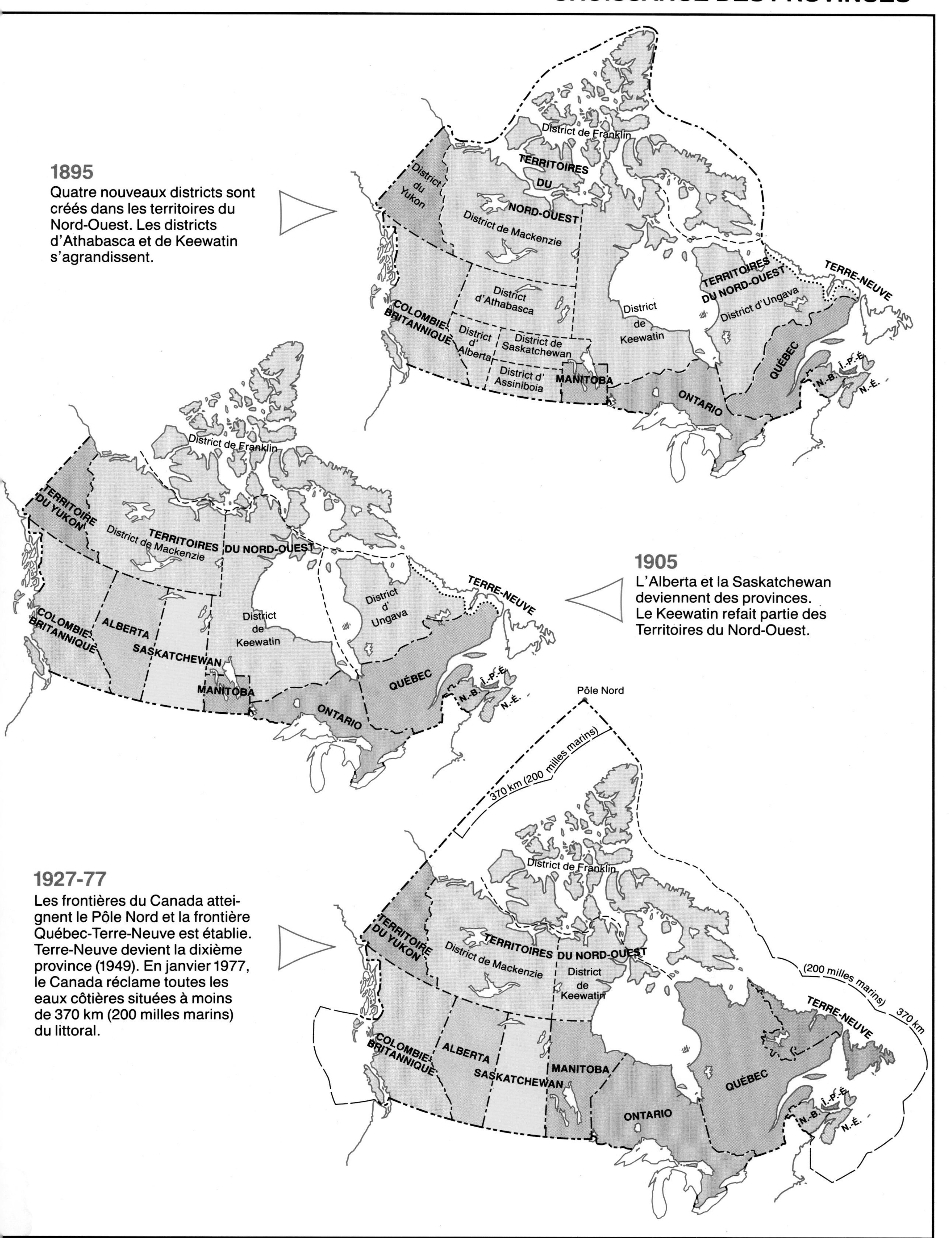

1895
Quatre nouveaux districts sont créés dans les territoires du Nord-Ouest. Les districts d'Athabasca et de Keewatin s'agrandissent.

1905
L'Alberta et la Saskatchewan deviennent des provinces. Le Keewatin refait partie des Territoires du Nord-Ouest.

1927-77
Les frontières du Canada atteignent le Pôle Nord et la frontière Québec-Terre-Neuve est établie. Terre-Neuve devient la dixième province (1949). En janvier 1977, le Canada réclame toutes les eaux côtières situées à moins de 370 km (200 milles marins) du littoral.

OCÉAN ARCTIQUE
OCÉAN PACIFIQUE
ALASKA
(États-Unis)
CERCLE ARCTIQUE
MER DE BEAUFORT
ÎLES DE LA REINE-ÉLIZABETH
ÎLE MELVILLE
ÎLE BANKS
Kaujuitoq
ÎLE DU PRINCE-DE-GALLES
ÎLE VICTORIA
Cambridge Bay
Coppermine
Tuktoyaktuk
Old Crow
Inuvik
Fort McPherson
Dawson
TERRITOIRE DU YUKON
Norman Wells
Whitehorse
Faro
Fort Franklin
TERRITOIRES DU NORD
Atlin
Watson Lake
Yellowknife
Baker Lake
Fort Nelson
CANADA
ÎLES DE LA REINE-CHARLOTTE
Fort Vermilion
COLOMBIE-BRITANNIQUE
Fort St John
Prince Rupert
Kitimat
Fort McMurray
Churchill
Ocean Falls
Prince George
Peace River
Brochet
Grande Prairie
ALBERTA
SASKATCHEWAN
MANIT
ÎLE DE VANCOUVER
Thompson
Edmonton
Red Deer
Prince Albert
The Pas
Kamloops
North Battleford
Vancouver
Kelowna
Calgary
Saskatoon
Victoria
Lethbridge
Medicine Hat
Moose Jaw
Regina
Brandon
Winnipeg
ÉTATS-UNIS D'AMÉRIQUE
1 cm sur la carte équivaut à 160 km.
0 200 400 600 800 1000
KILOMÈTRES
Latitude nord
Longitude ouest
60° 70° 80° 160° 150° 140° 130° 120° 110° 170° 50° 40° 100°

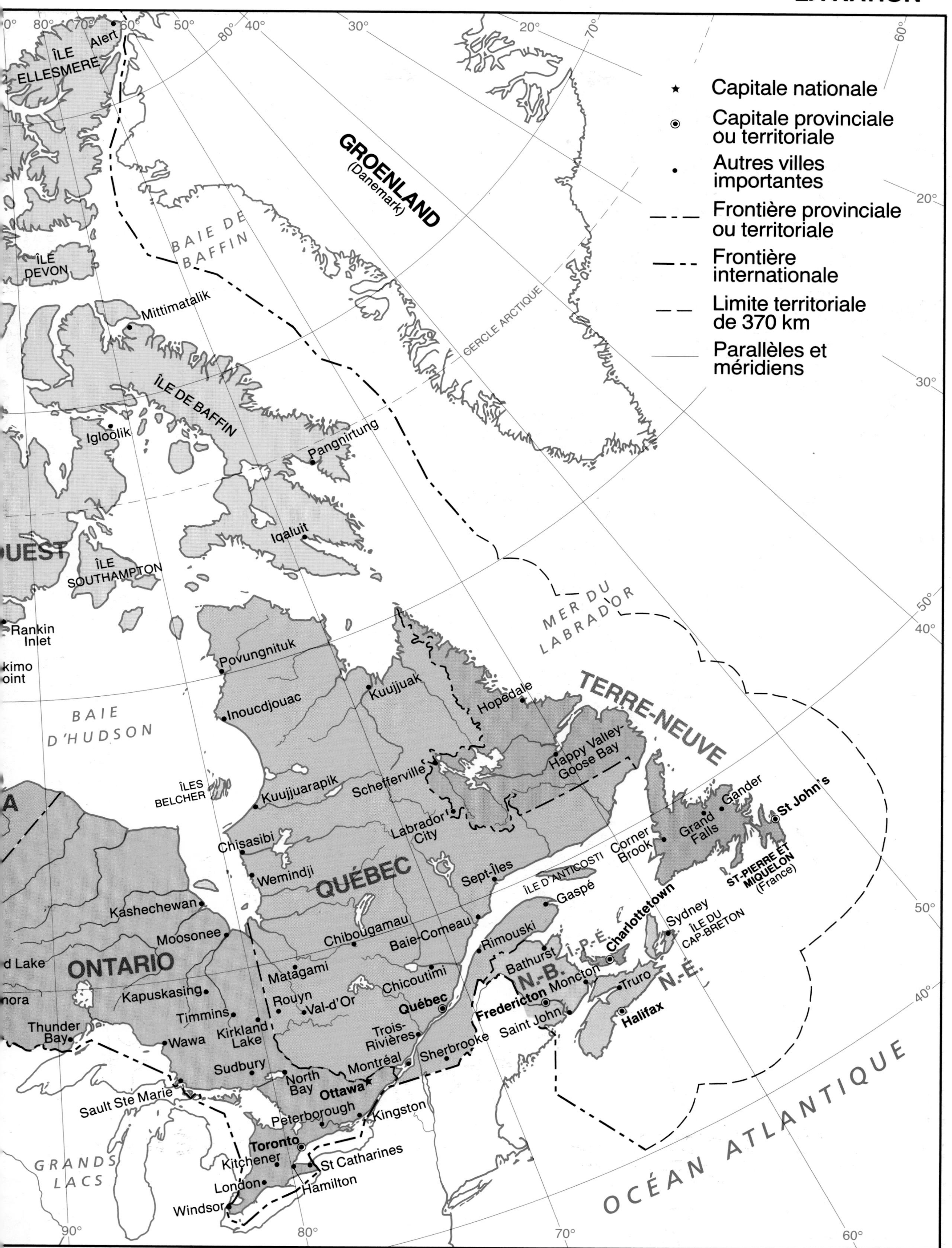
Capitale nationale
Capitale provinciale ou territoriale
Autres villes importantes
Frontière provinciale ou territoriale
Frontière internationale
Limite territoriale de 370 km
Parallèles et méridiens
GROENLAND
(Danemark)
ÎLE ELLESMERE
Alert
ÎLE DEVON
BAIE DE BAFFIN
Mittimatalik
ÎLE DE BAFFIN
Igloolik
Pangnirtung
Iqaluit
ÎLE SOUTHAMPTON
CERCLE ARCTIQUE
MER DU LABRADOR
Rankin Inlet
Povungnituk
Kuujjuak
Hopedale
TERRE-NEUVE
BAIE D'HUDSON
Inoucdjouac
ÎLES BELCHER
Kuujjuarapik
Schefferville
Happy Valley-Goose Bay
Labrador City
Chisasibi
Wemindji
QUÉBEC
Sept-Îles
Corner Brook
Grand Falls
Gander
St John's
ST-PIERRE ET MIQUELON
(France)
ÎLE D'ANTICOSTI
Gaspé
Kashechewan
Moosonee
Chibougamau
Baie-Comeau
Rimouski
Charlottetown
Sydney
ÎLE DU CAP-BRETON
Î.-P.-É.
ONTARIO
Matagami
Chicoutimi
Bathurst
N.-B.
Moncton
Truro
N.-É.
Kapuskasing
Rouyn
Val-d'Or
Québec
Fredericton
Halifax
Timmins
Kirkland Lake
Trois-Rivières
Saint John
Thunder Bay
Wawa
Sudbury
North Bay
Montréal
Sherbrooke
Sault Ste Marie
Ottawa
Peterborough
Kingston
Toronto
GRANDS LACS
Kitchener
St Catharines
London
Hamilton
Windsor
OCÉAN ATLANTIQUE
90°
80°
70°
60°
50°
40°
30°
20°

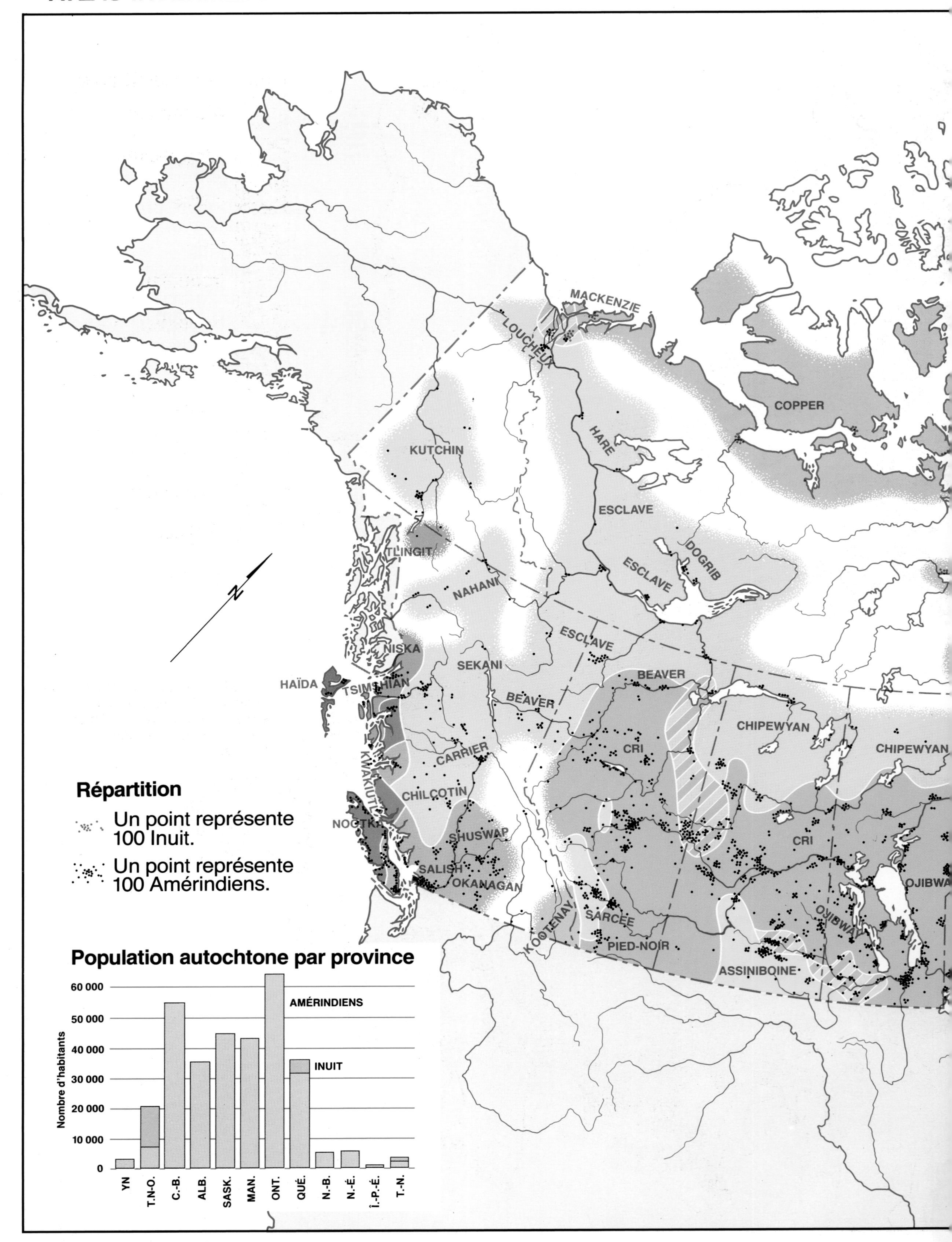
MACKENZIE
LOUCHEUX
COPPER
HARE
KUTCHIN
ESCLAVE
DOGRIB
ESCLAVE
TLINGIT
NAHANI
ESCLAVE
NISKA
SEKANI
HAÏDA
TSIMSHIAN
BEAVER
BEAVER
CHIPEWYAN
CHIPEWYAN
CRI
CARRIER
KWAKIUTL
CHILCOTIN
NOOTKA
SHUSWAP
CRI
SALISH
OKANAGAN
OJIBWA
OJIBWA
KOOTENAY
SARCEE
PIED-NOIR
ASSINIBOINE
Répartition
Un point représente 100 Inuit.
Un point représente 100 Amérindiens.
Population autochtone par province
Nombre d'habitants
60 000
50 000
40 000
30 000
20 000
10 000
0
AMÉRINDIENS
INUIT
YN
T.N-O.
C.-B.
ALB.
SASK.
MAN.
ONT.
QUÉ.
N.-B.
N.-É.
Î.-P.-É.
T.-N.

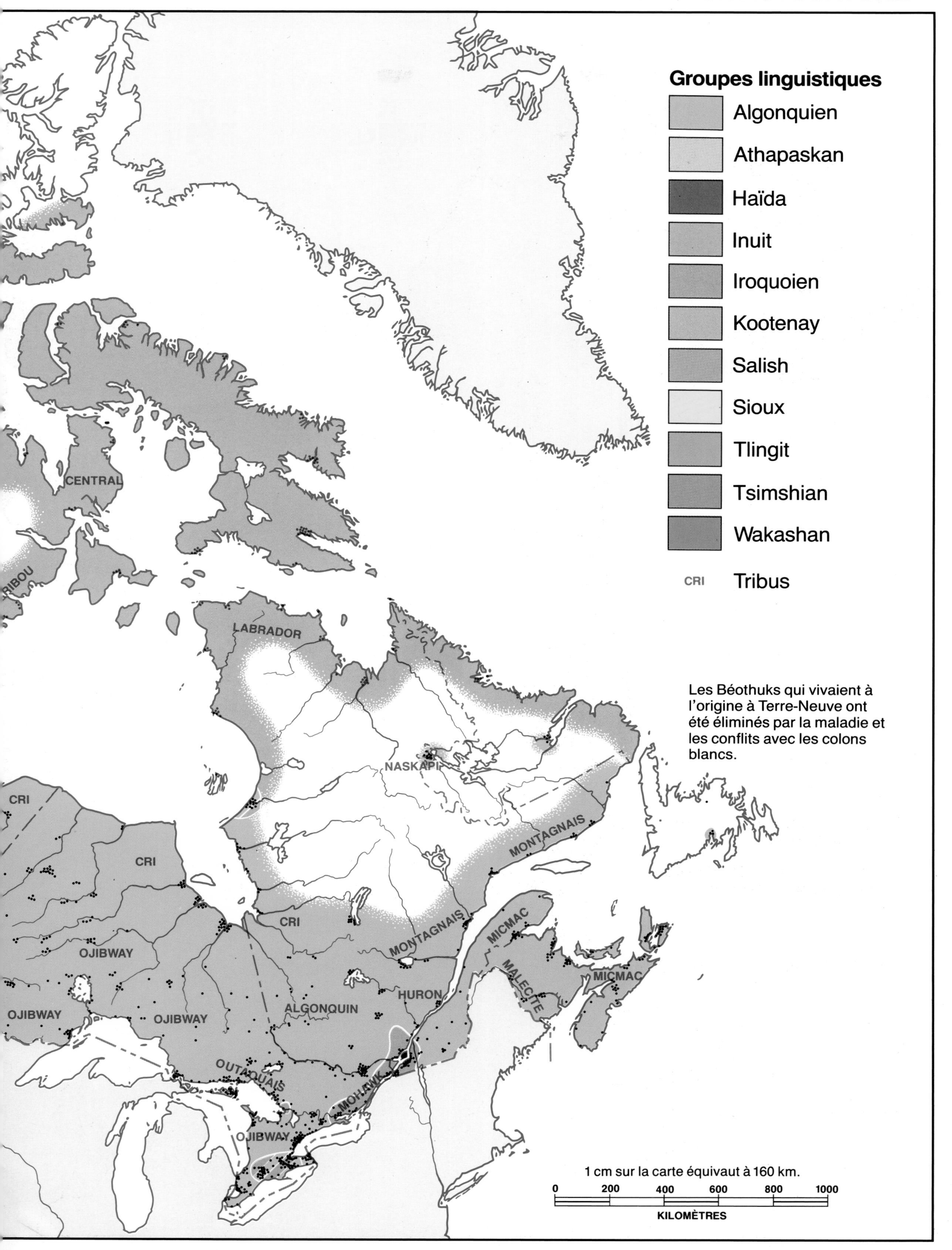

Les Béothuks qui vivaient à l'origine à Terre-Neuve ont été éliminés par la maladie et les conflits avec les colons blancs.

OCÉAN ARCTIQUE
MER DE BEAUFORT
Détroit de McClure
Golfe d'Amundsen
ARCTIQUE
Yukon
Tanana
Peel
Grand Lac de l'Ours
Mackenzie
Pelly
Coppermine
Nahanni
Back
Grand Lac des Esclaves
Liard
Dubawnt
Kazan
Hay
R. des Esclaves
R. de la Paix
Lac Williston
Lac Athabasca
Skeena
Athabasca
Lac Reindeer
OCÉAN PACIFIQUE
PACIFIQUE
Détroit de la Reine-Charlotte
Fraser
Churchill
Nord
Saskatchewan
Red
Deer
Bow
Sud
Qu'Appelle
Assiniboine
Lac Winnip
Columbia
Milk
Rouge
Yellowstone
Snake
Missouri
GOLFE DU MEXIQUE

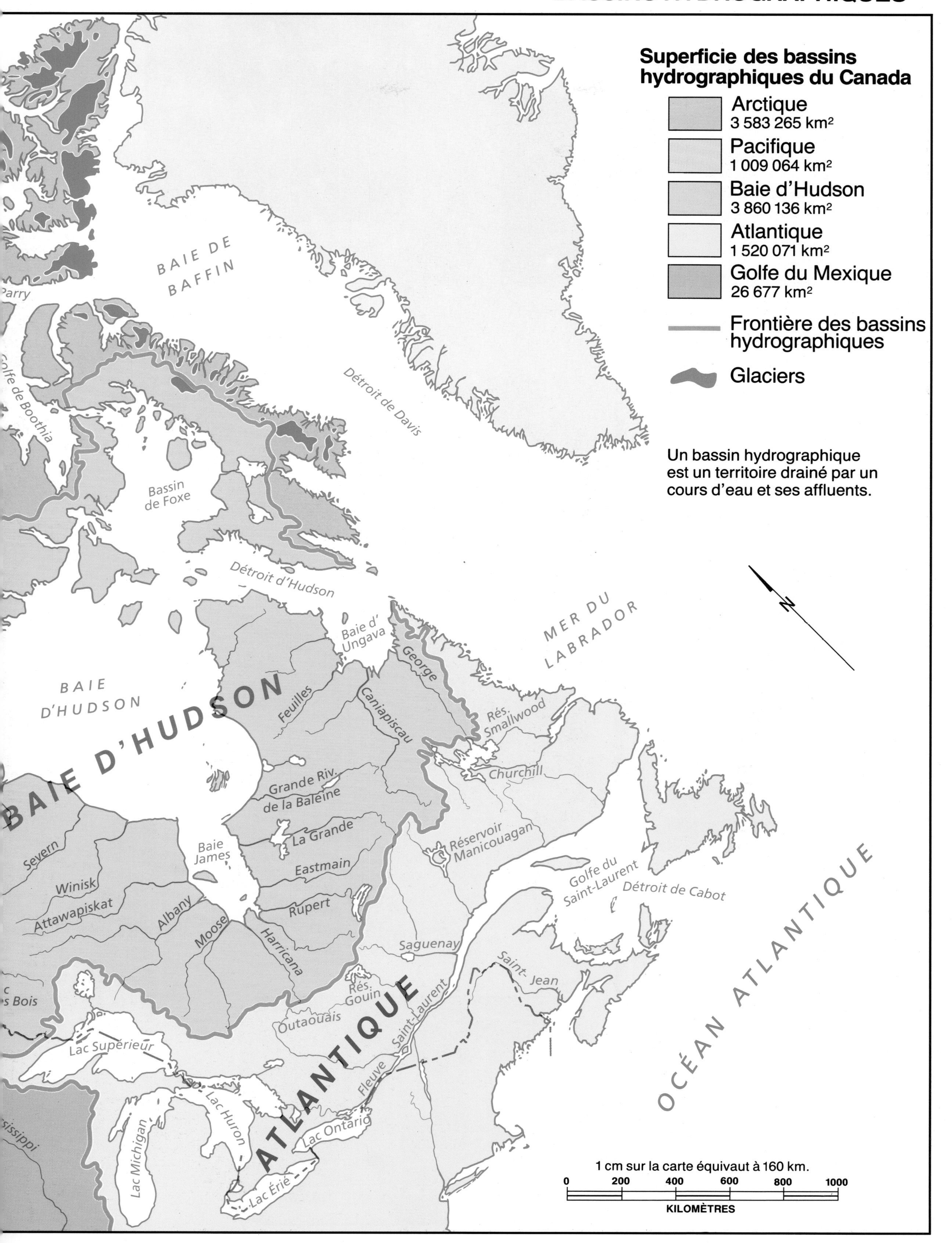

Superficie des bassins hydrographiques du Canada
Arctique
3 583 265 km²
Pacifique
1 009 064 km²
Baie d'Hudson
3 860 136 km²
Atlantique
1 520 071 km²
Golfe du Mexique
26 677 km²
Frontière des bassins hydrographiques
Glaciers
Un bassin hydrographique est un territoire drainé par un cours d'eau et ses affluents.
BAIE DE BAFFIN
Parry
Golfe de Boothia
Détroit de Davis
Bassin de Foxe
Détroit d'Hudson
Baie d' Ungava
MER DU LABRADOR
N
BAIE D'HUDSON
BAIE D'HUDSON
Feuilles
George
Caniapiscau
Rés. Smallwood
Churchill
Grande Riv. de la Baleine
La Grande
Réservoir Manicouagan
Baie James
Eastmain
Severn
Winisk
Attawapiskat
Albany
Moose
Rupert
Harricana
Golfe du Saint-Laurent
Détroit de Cabot
Saguenay
Saint-Jean
Rés. Gouin
Outaouais
ATLANTIQUE
Fleuve Saint-Laurent
Lac Supérieur
Lac Huron
Lac Michigan
Lac Ontario
Lac Érié
OCÉAN ATLANTIQUE
1 cm sur la carte équivaut à 160 km.
0
200
400
600
800
1000
KILOMÈTRES

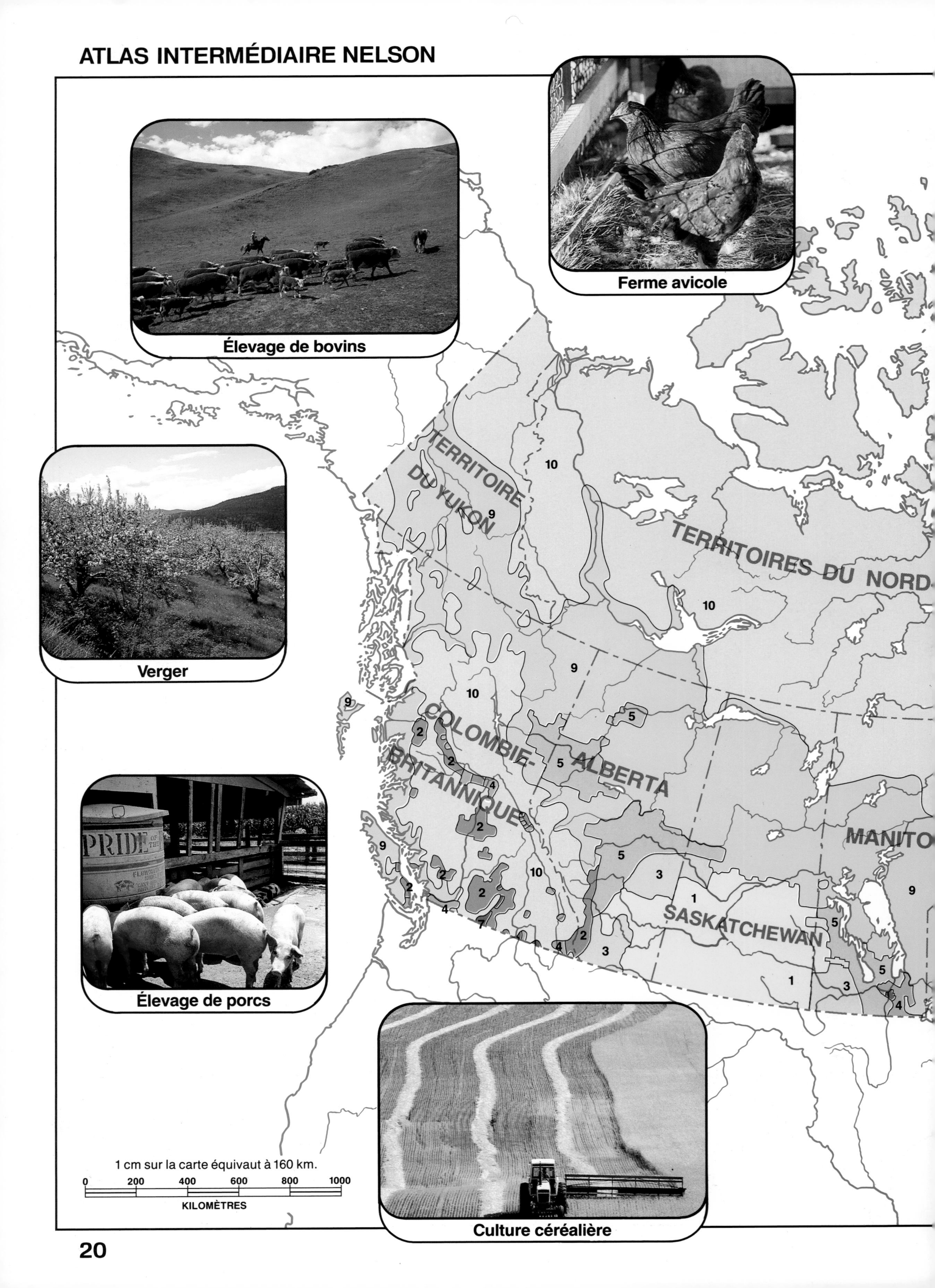

Élevage de bovins
Ferme avicole
Verger
Élevage de porcs
Culture céréalière
TERRITOIRE DU YUKON
TERRITOIRES DU NORD-
COLOMBIE-BRITANNIQUE
ALBERTA
SASKATCHEWAN
MANITO
10
9
10
10
9
10
9
5
2
2
4
5
2
9
5
3
1
10
2
2
2
4
7
2
4
2
3
5
9
5
1
3
5
4
1 cm sur la carte équivaut à 160 km.
0
200
400
600
800
1000
KILOMÈTRES

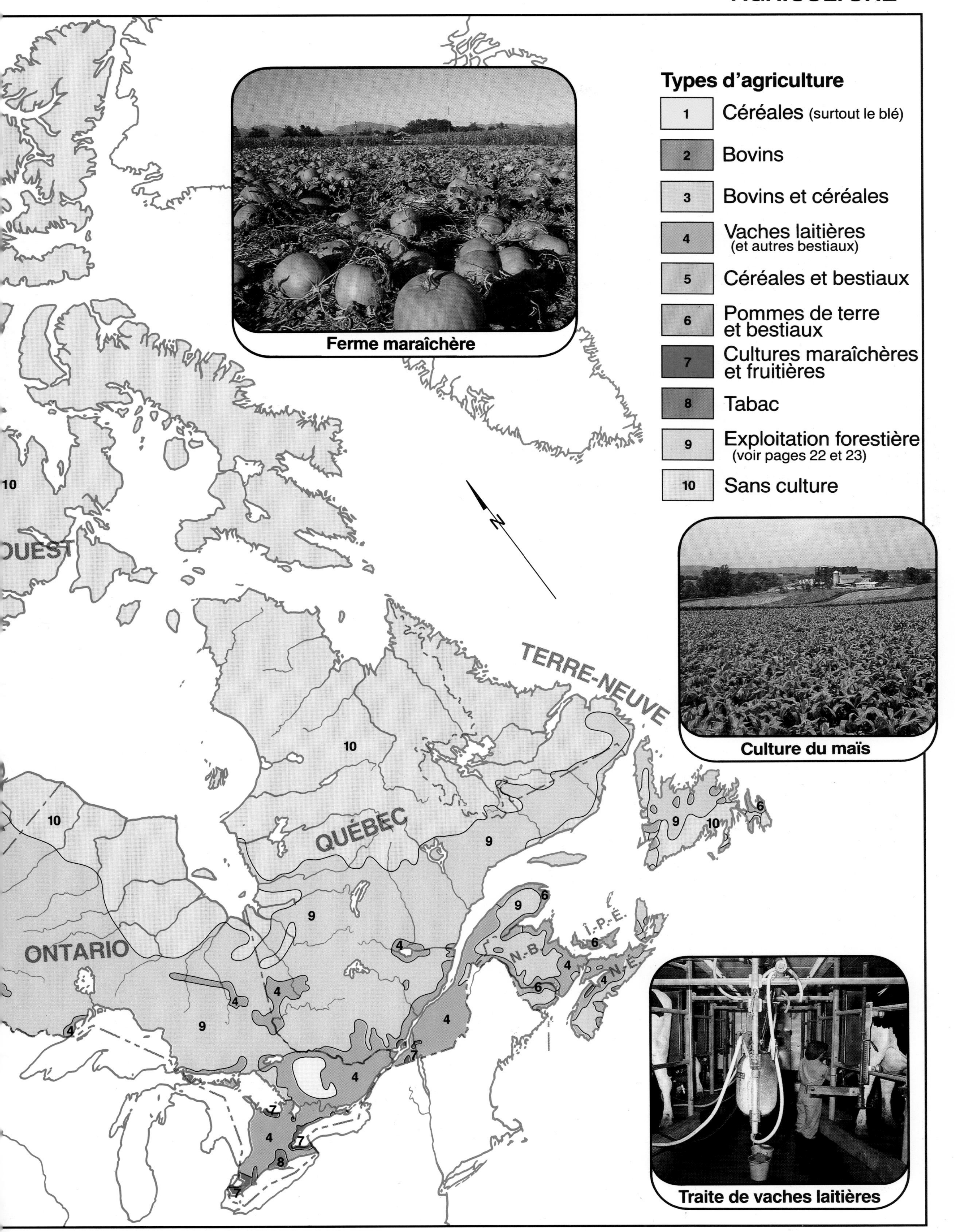

Ferme maraîchère

Culture du maïs

Traite de vaches laitières

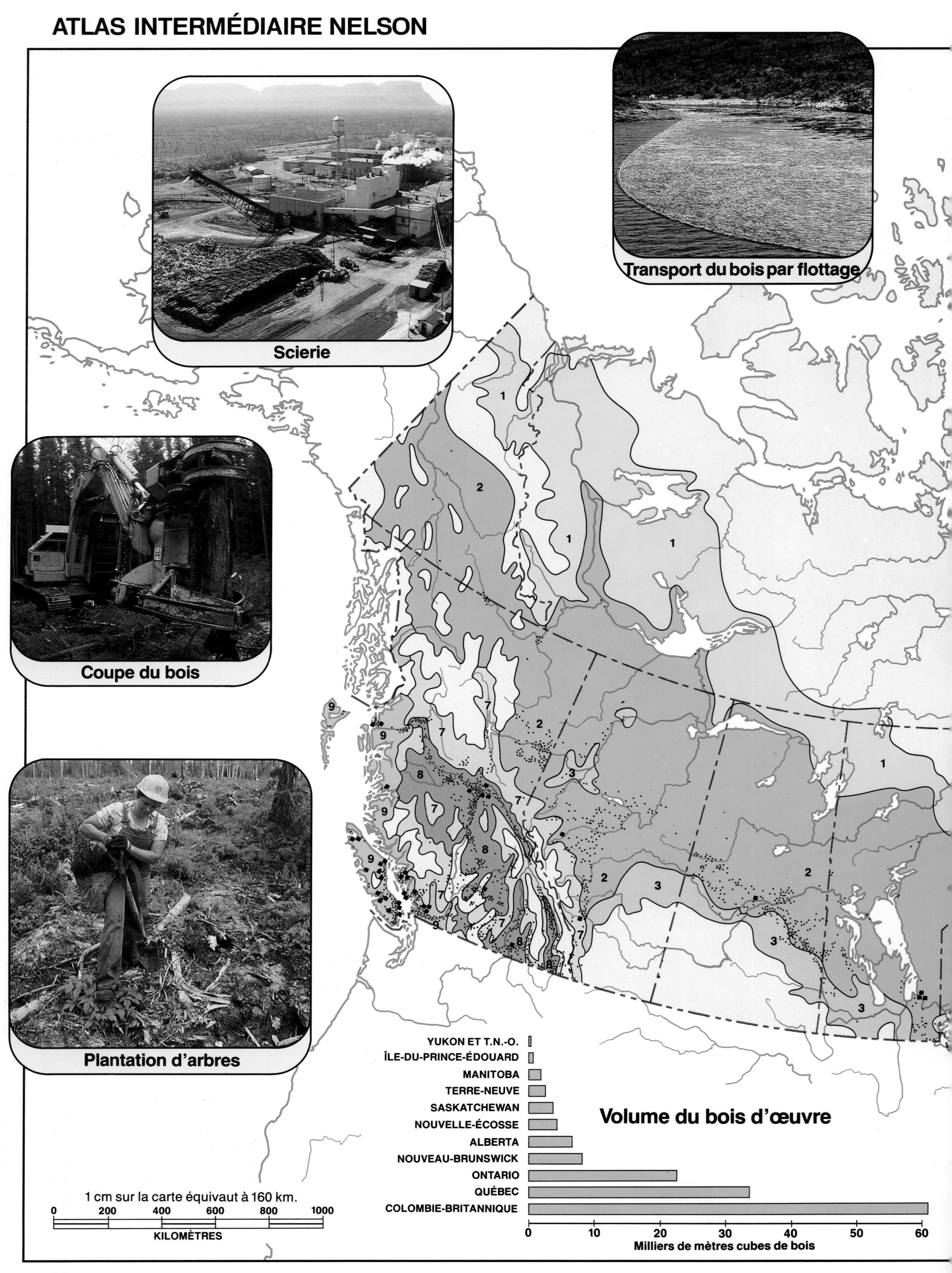
Scierie
Transport du bois par flottage
Coupe du bois
Plantation d'arbres
1
2
3
7
8
9
Volume du bois d'œuvre
YUKON ET T.N.-O.
ÎLE-DU-PRINCE-ÉDOUARD
MANITOBA
TERRE-NEUVE
SASKATCHEWAN
NOUVELLE-ÉCOSSE
ALBERTA
NOUVEAU-BRUNSWICK
ONTARIO
QUÉBEC
COLOMBIE-BRITANNIQUE
0
10
20
30
40
50
60
Milliers de mètres cubes de bois
1 cm sur la carte équivaut à 160 km.
0
200
400
600
800
1000
KILOMÈTRES

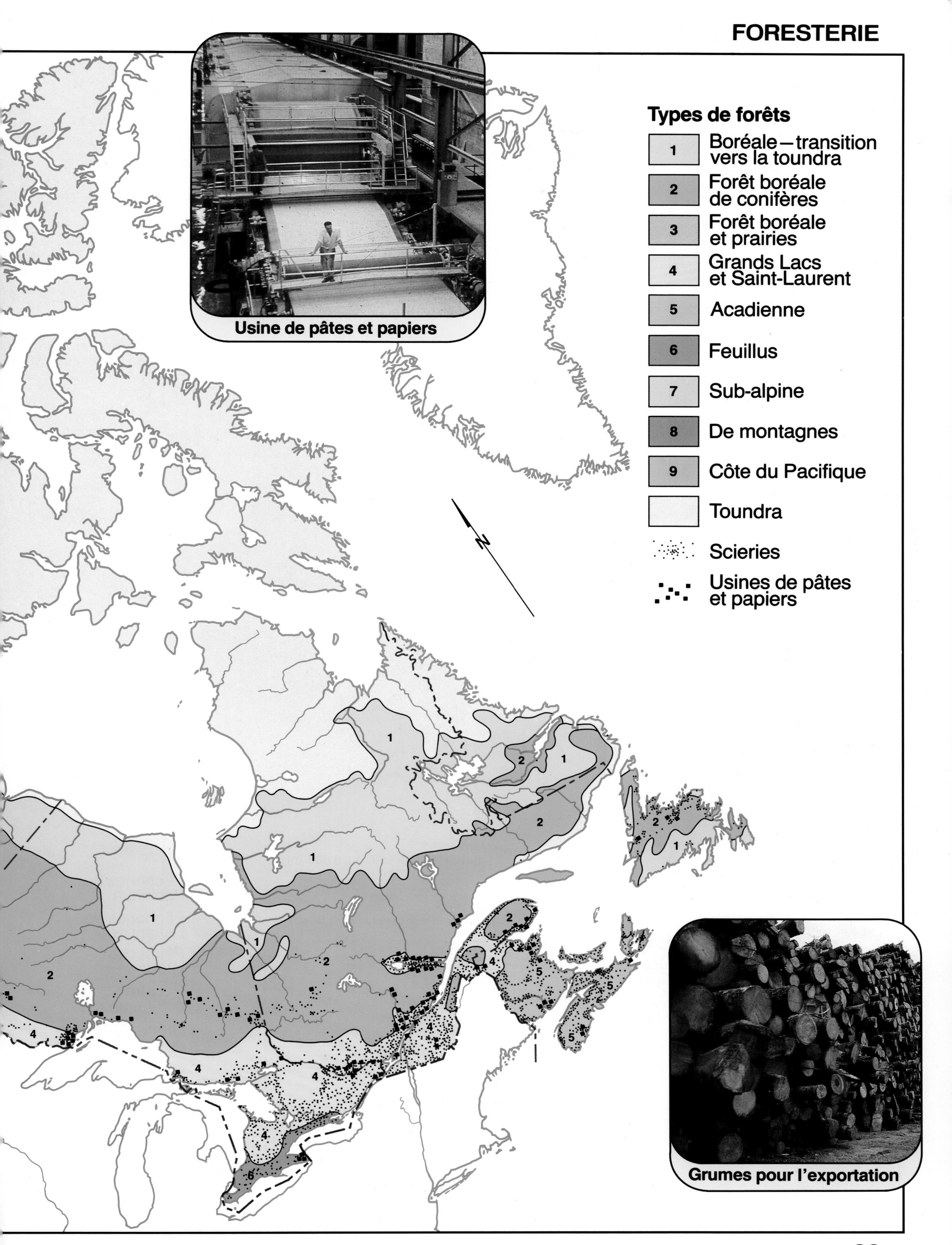
Usine de pâtes et papiers
Types de forêts
1 Boréale – transition vers la toundra
2 Forêt boréale de conifères
3 Forêt boréale et prairies
4 Grands Lacs et Saint-Laurent
5 Acadienne
6 Feuillus
7 Sub-alpine
8 De montagnes
9 Côte du Pacifique
Toundra
Scieries
Usines de pâtes et papiers
N
Grumes pour l'exportation

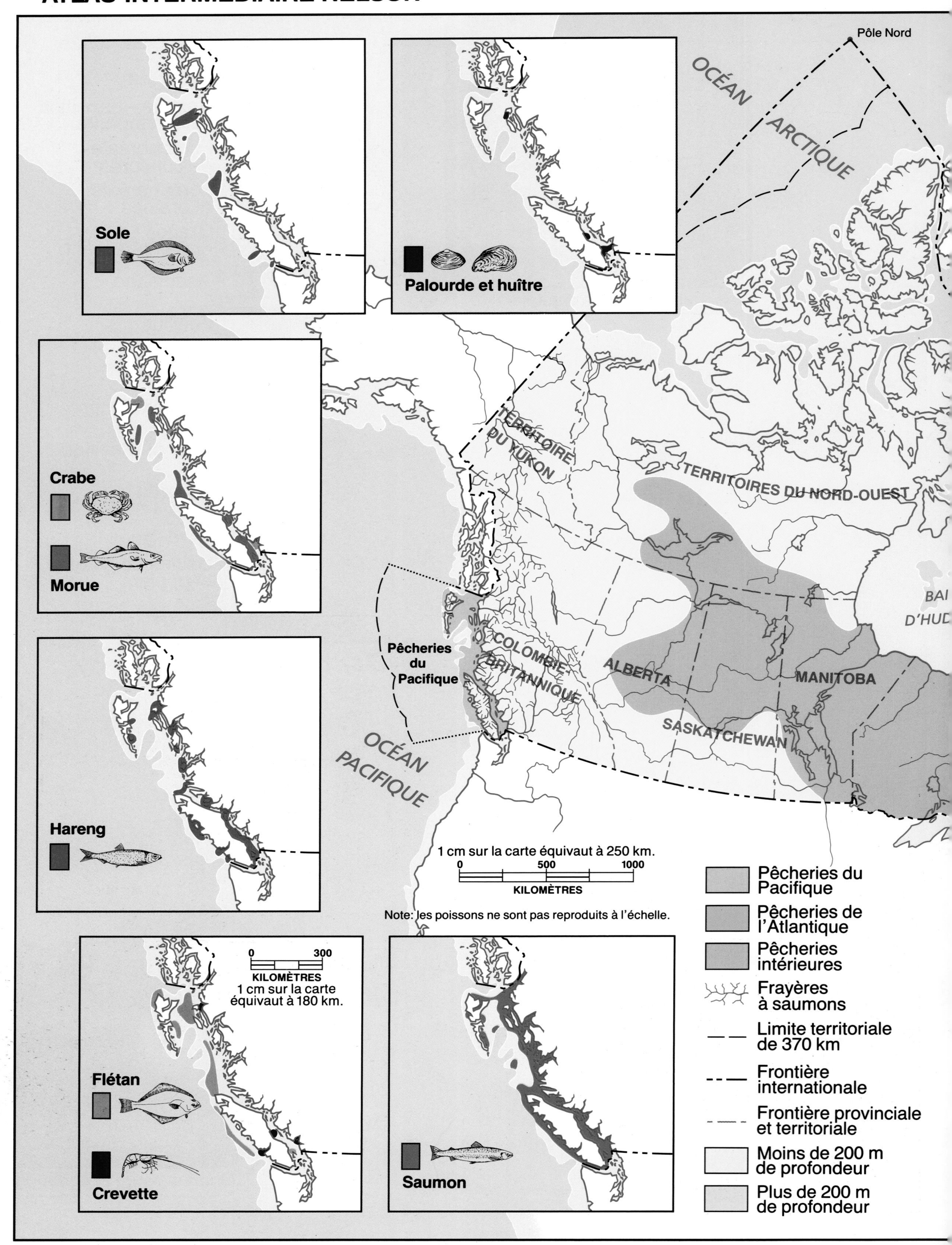
Sole
Palourde et huître
Crabe
Morue
Hareng
Flétan
Crevette
Saumon
0 300
KILOMÈTRES
1 cm sur la carte équivaut à 180 km.
Pôle Nord
OCÉAN ARCTIQUE
TERRITOIRE DU YUKON
TERRITOIRES DU NORD-OUEST
Pêcheries du Pacifique
COLOMBIE-BRITANNIQUE
ALBERTA
SASKATCHEWAN
MANITOBA
BAI D'HUD
OCÉAN PACIFIQUE
1 cm sur la carte équivaut à 250 km.
0 500 1000
KILOMÈTRES
Note: les poissons ne sont pas reproduits à l'échelle.
Pêcheries du Pacifique
Pêcheries de l'Atlantique
Pêcheries intérieures
Frayères à saumons
Limite territoriale de 370 km
Frontière internationale
Frontière provinciale et territoriale
Moins de 200 m de profondeur
Plus de 200 m de profondeur

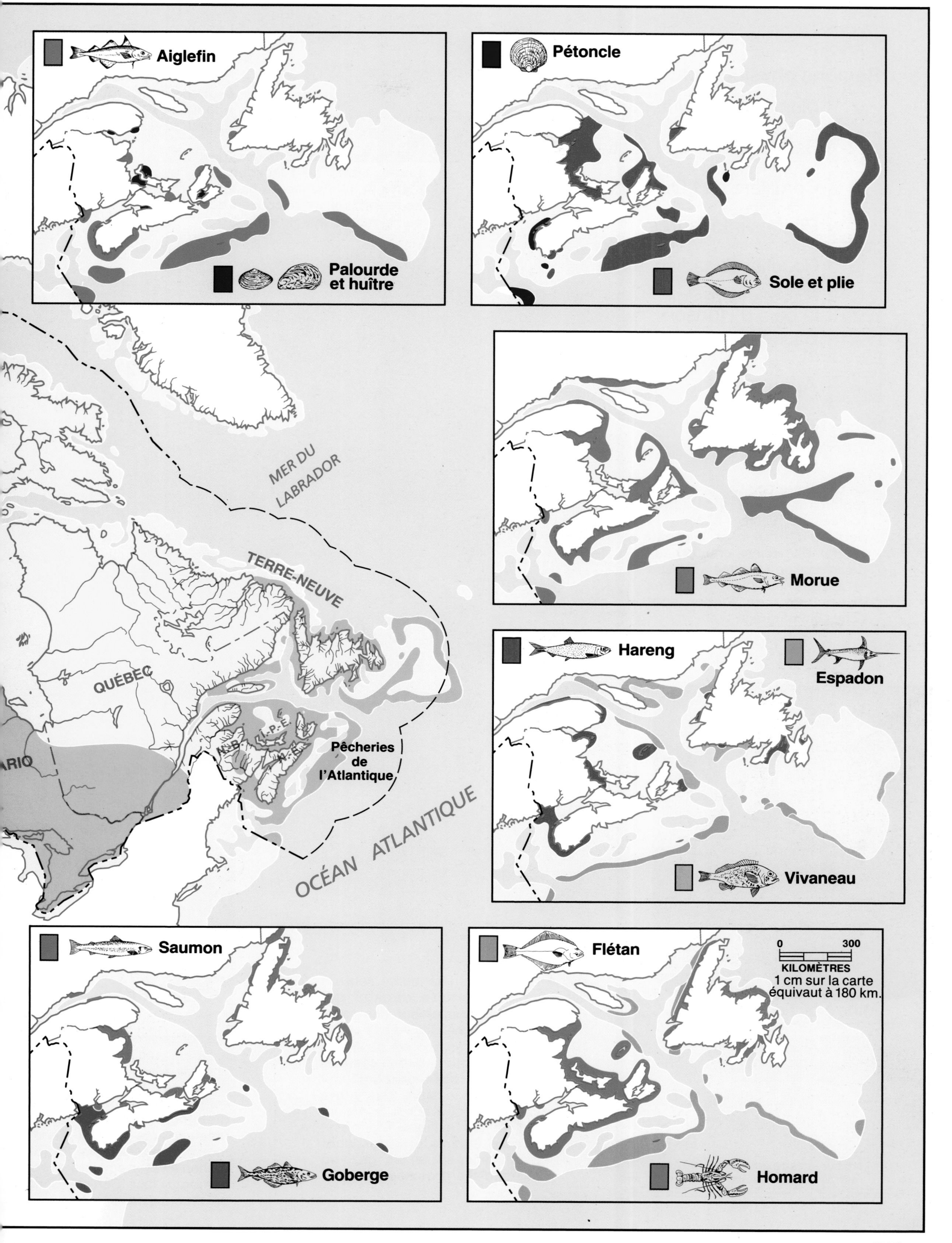
Aiglefin
Palourde et huître
Pétoncle
Sole et plie
Morue
Hareng
Espadon
Vivaneau
Saumon
Goberge
Flétan
Homard
0 300
KILOMÈTRES
1 cm sur la carte équivaut à 180 km.
MER DU LABRADOR
TERRE-NEUVE
QUÉBEC
ONTARIO
N.-B.
Î.-P.-É.
N.-É.
Pêcheries de l'Atlantique
OCÉAN ATLANTIQUE

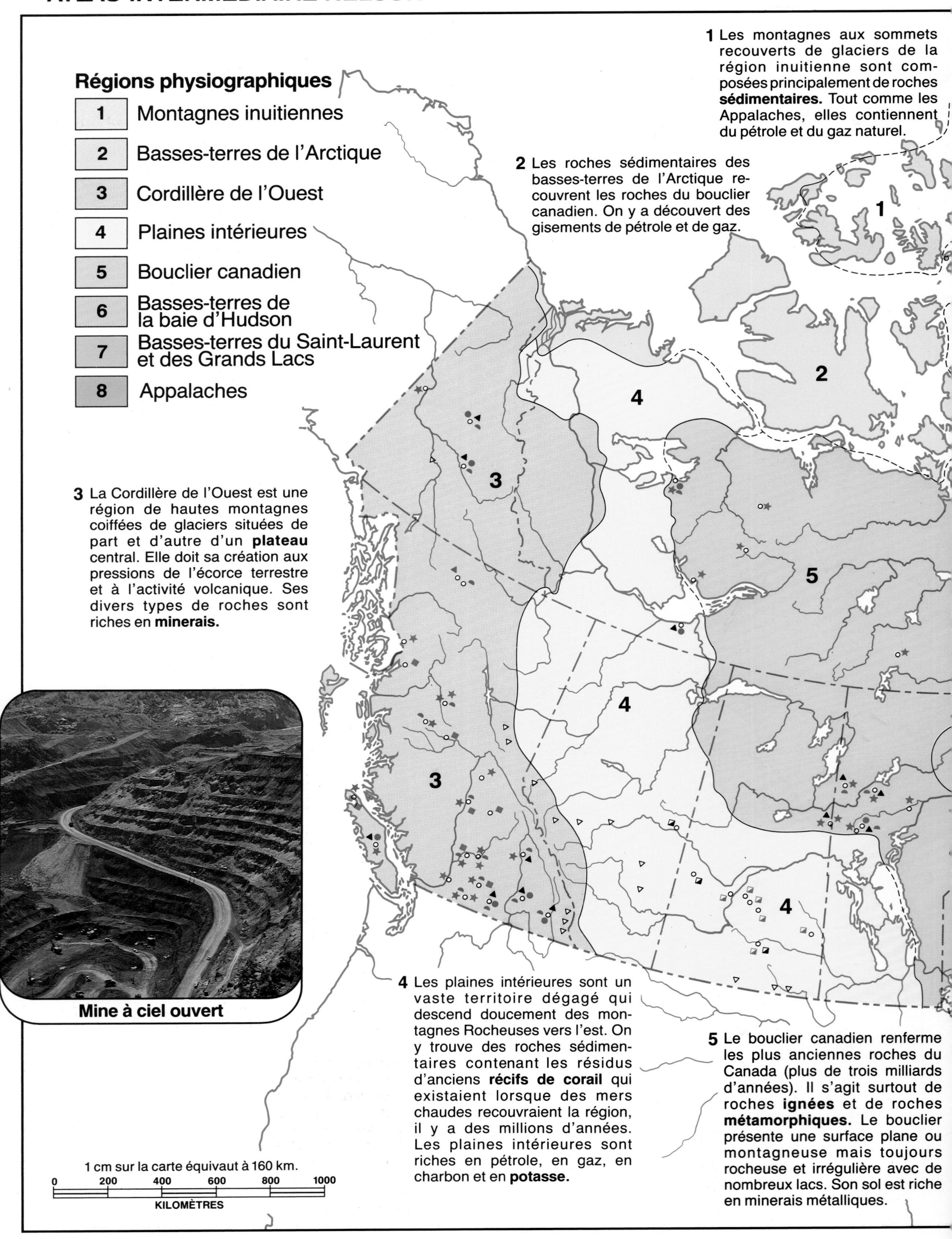

Mine à ciel ouvert

1 Les montagnes aux sommets recouverts de glaciers de la région inuitienne sont composées principalement de roches **sédimentaires.** Tout comme les Appalaches, elles contiennent du pétrole et du gaz naturel.

2 Les roches sédimentaires des basses-terres de l'Arctique recouvrent les roches du bouclier canadien. On y a découvert des gisements de pétrole et de gaz.

3 La Cordillère de l'Ouest est une région de hautes montagnes coiffées de glaciers situées de part et d'autre d'un **plateau** central. Elle doit sa création aux pressions de l'écorce terrestre et à l'activité volcanique. Ses divers types de roches sont riches en **minerais.**

4 Les plaines intérieures sont un vaste territoire dégagé qui descend doucement des montagnes Rocheuses vers l'est. On y trouve des roches sédimentaires contenant les résidus d'anciens **récifs de corail** qui existaient lorsque des mers chaudes recouvraient la région, il y a des millions d'années. Les plaines intérieures sont riches en pétrole, en gaz, en charbon et en **potasse.**

5 Le bouclier canadien renferme les plus anciennes roches du Canada (plus de trois milliards d'années). Il s'agit surtout de roches **ignées** et de roches **métamorphiques.** Le bouclier présente une surface plane ou montagneuse mais toujours rocheuse et irrégulière avec de nombreux lacs. Son sol est riche en minerais métalliques.

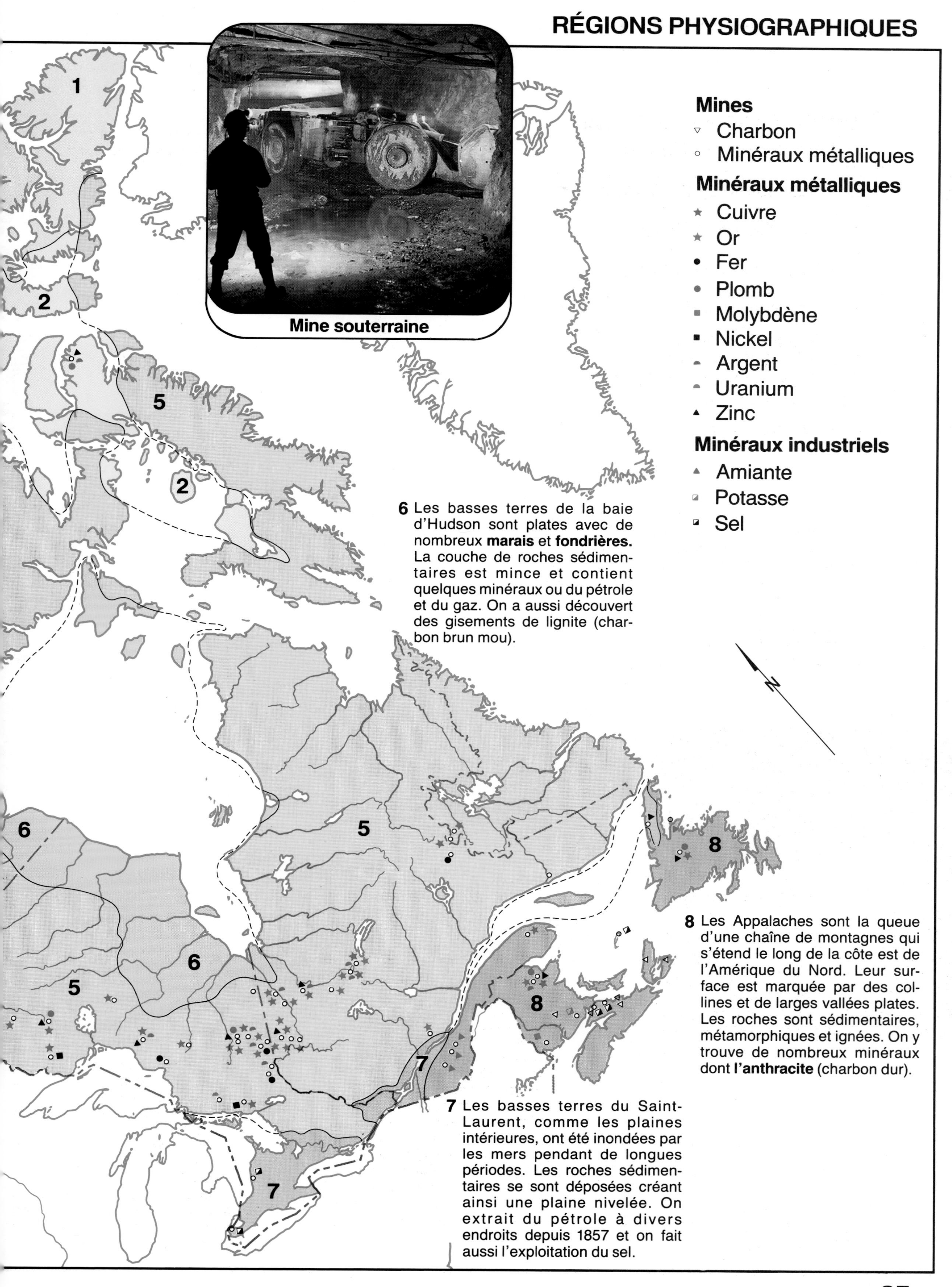

Mine souterraine

6 Les basses terres de la baie d'Hudson sont plates avec de nombreux **marais** et **fondrières.** La couche de roches sédimentaires est mince et contient quelques minéraux ou du pétrole et du gaz. On a aussi découvert des gisements de lignite (charbon brun mou).

8 Les Appalaches sont la queue d'une chaîne de montagnes qui s'étend le long de la côte est de l'Amérique du Nord. Leur surface est marquée par des collines et de larges vallées plates. Les roches sont sédimentaires, métamorphiques et ignées. On y trouve de nombreux minéraux dont **l'anthracite** (charbon dur).

7 Les basses terres du Saint-Laurent, comme les plaines intérieures, ont été inondées par les mers pendant de longues périodes. Les roches sédimentaires se sont déposées créant ainsi une plaine nivelée. On extrait du pétrole à divers endroits depuis 1857 et on fait aussi l'exploitation du sel.

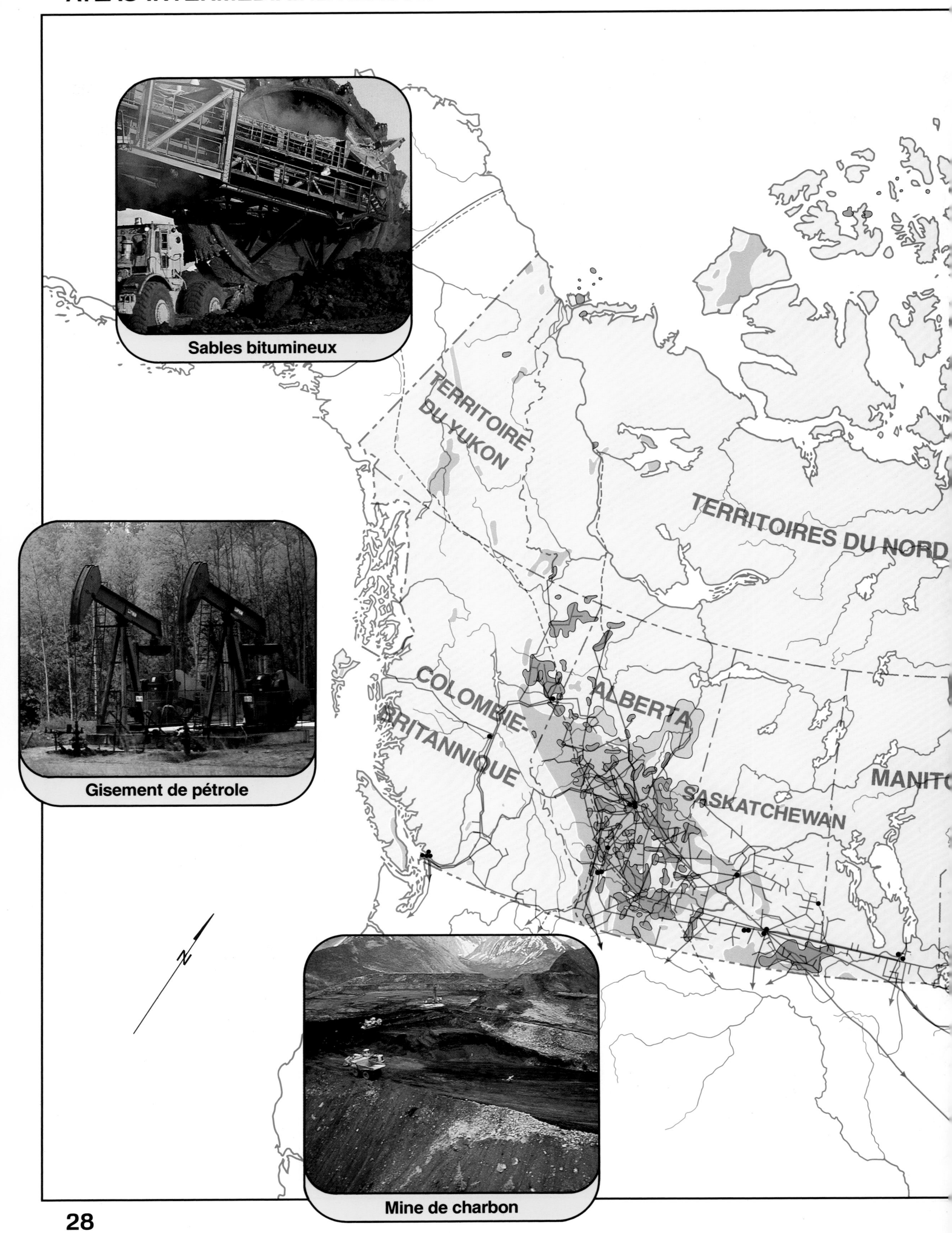

Sables bitumineux

Gisement de pétrole

Mine de charbon

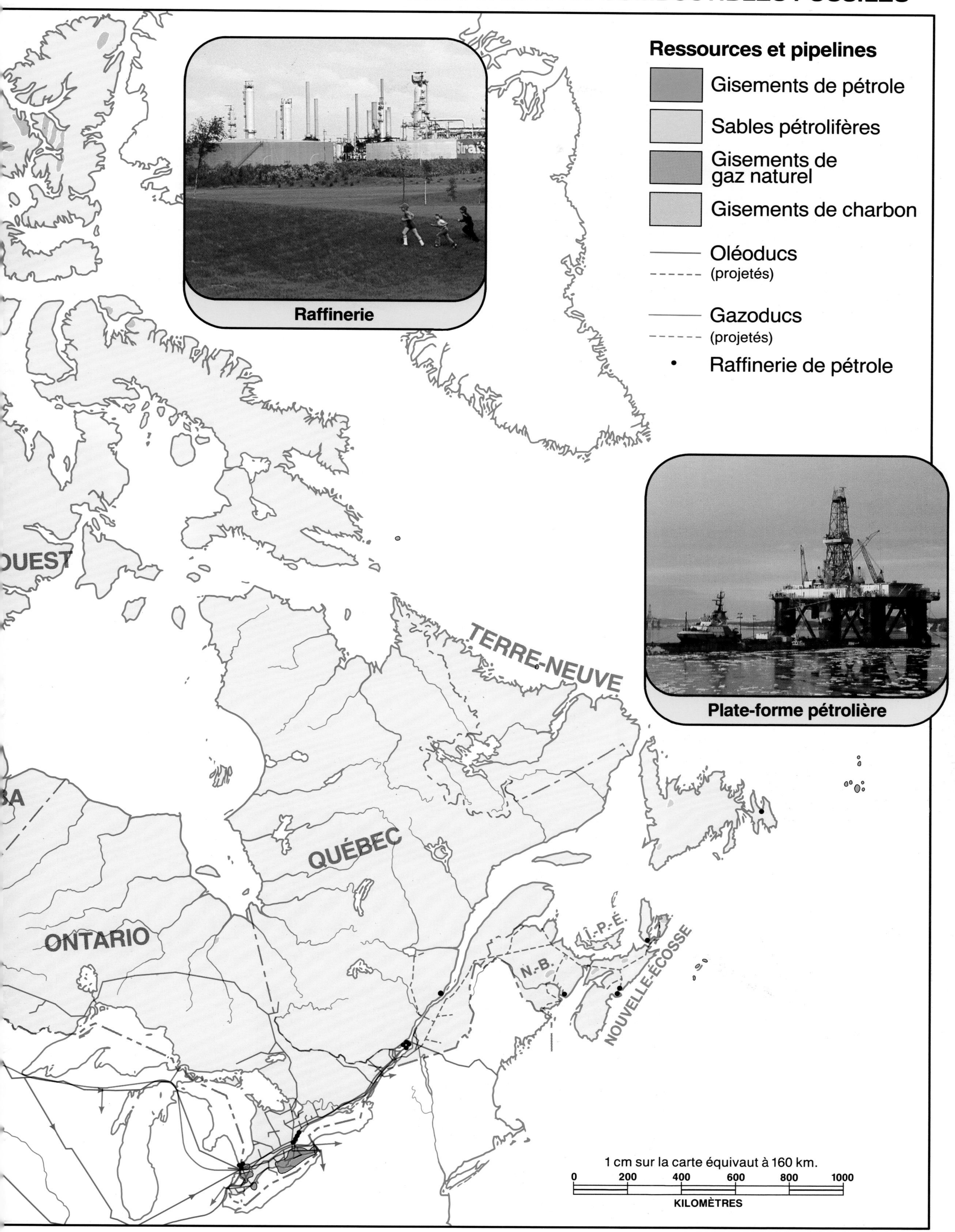
Ressources et pipelines
Gisements de pétrole
Sables pétrolifères
Gisements de gaz naturel
Gisements de charbon
Oléoducs
(projetés)
Gazoducs
(projetés)
Raffinerie de pétrole
Raffinerie
Plate-forme pétrolière
OUEST
TERRE-NEUVE
QUÉBEC
ONTARIO
N.-B.
Î.-P.-É.
NOUVELLE-ÉCOSSE
1 cm sur la carte équivaut à 160 km.
0
200
400
600
800
1000
KILOMÈTRES

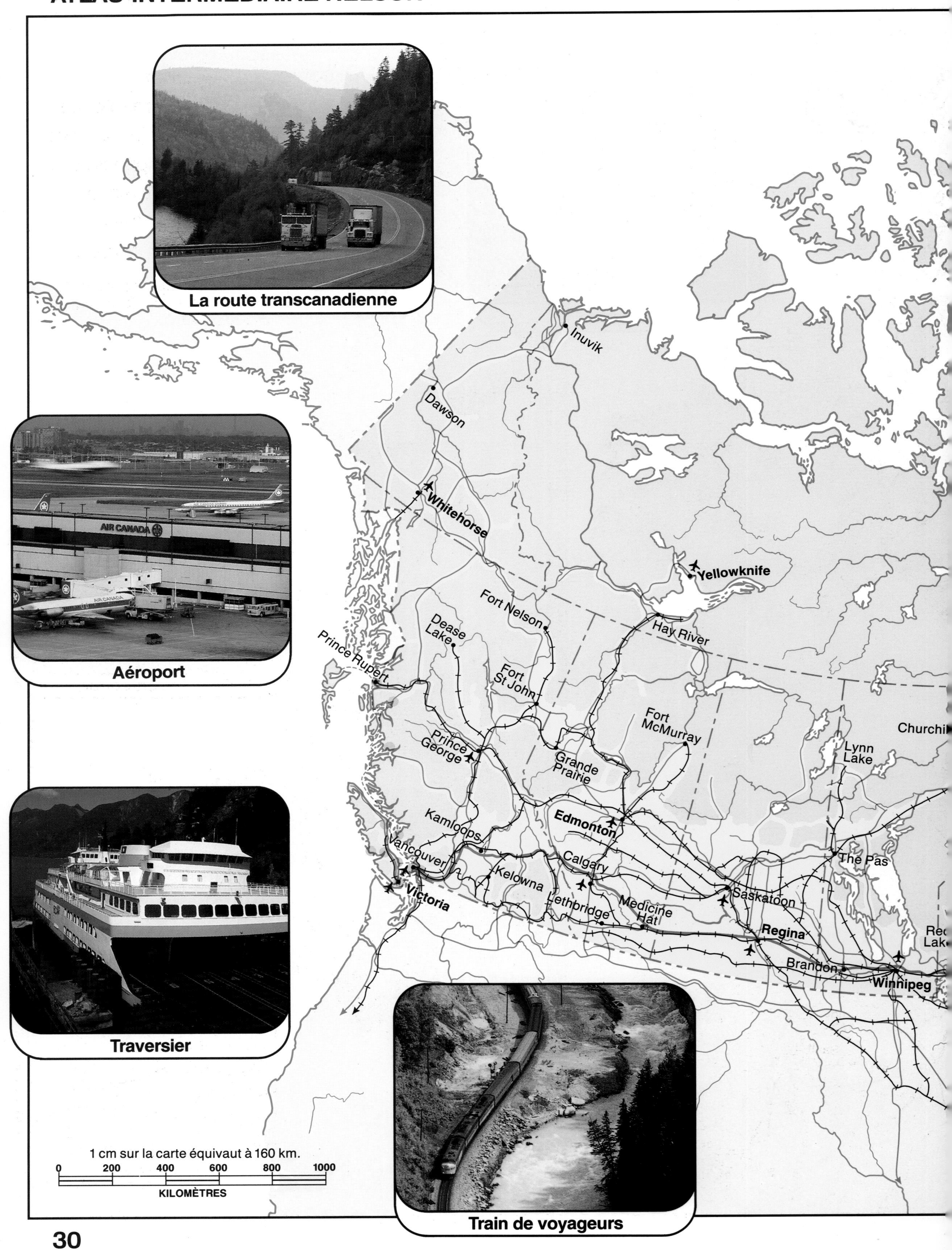

La route transcanadienne
Aéroport
AIR CANADA
Traversier
Train de voyageurs
Inuvik
Dawson
Whitehorse
Yellowknife
Fort Nelson
Hay River
Dease Lake
Prince Rupert
Fort St John
Fort McMurray
Churchill
Prince George
Grande Prairie
Lynn Lake
Edmonton
Kamloops
Vancouver
Calgary
The Pas
Kelowna
Victoria
Saskatoon
Lethbridge
Medicine Hat
Regina
Red Lake
Brandon
Winnipeg
1 cm sur la carte équivaut à 160 km.
0
200
400
600
800
1000
KILOMÈTRES

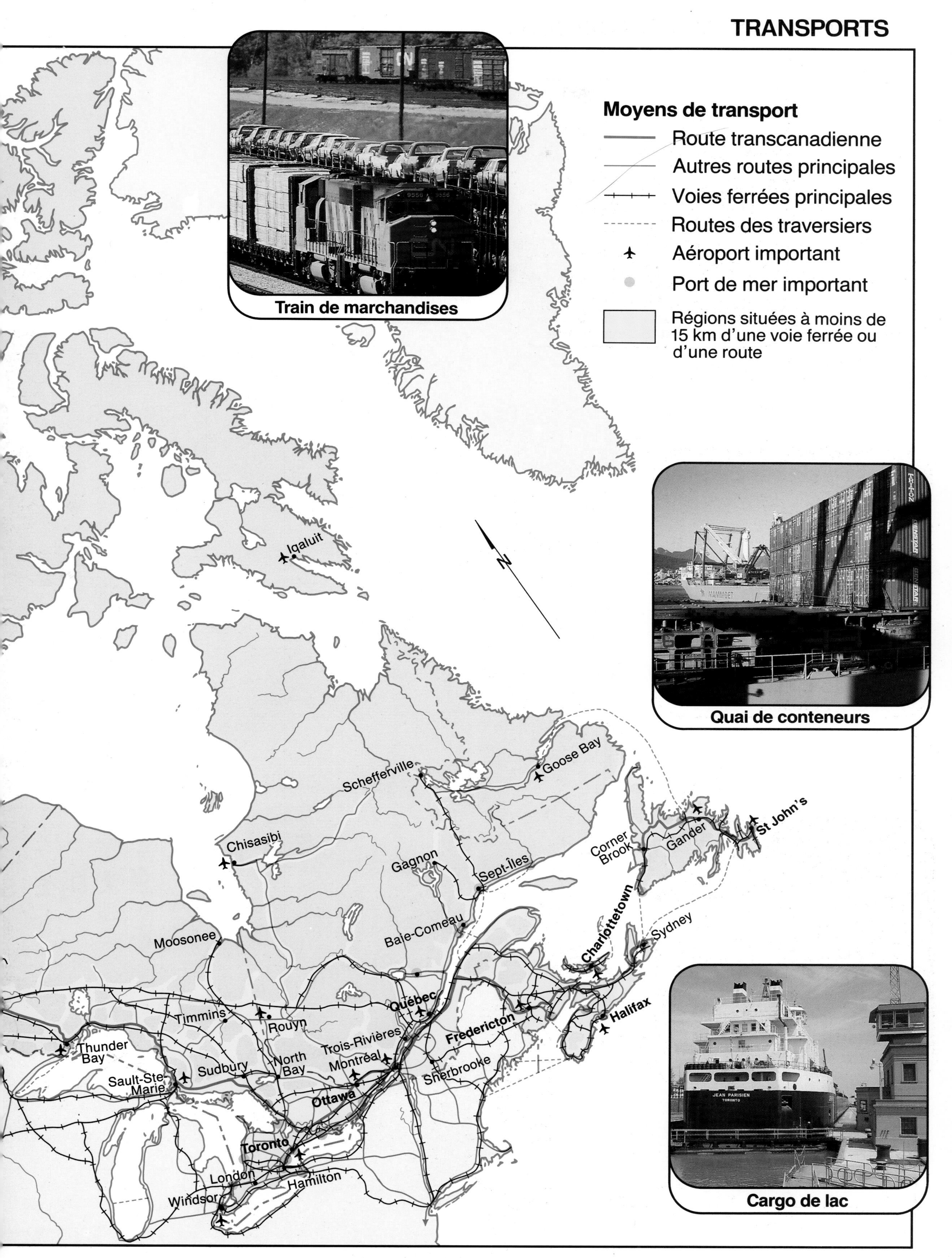

Train de marchandises

Quai de conteneurs

Cargo de lac

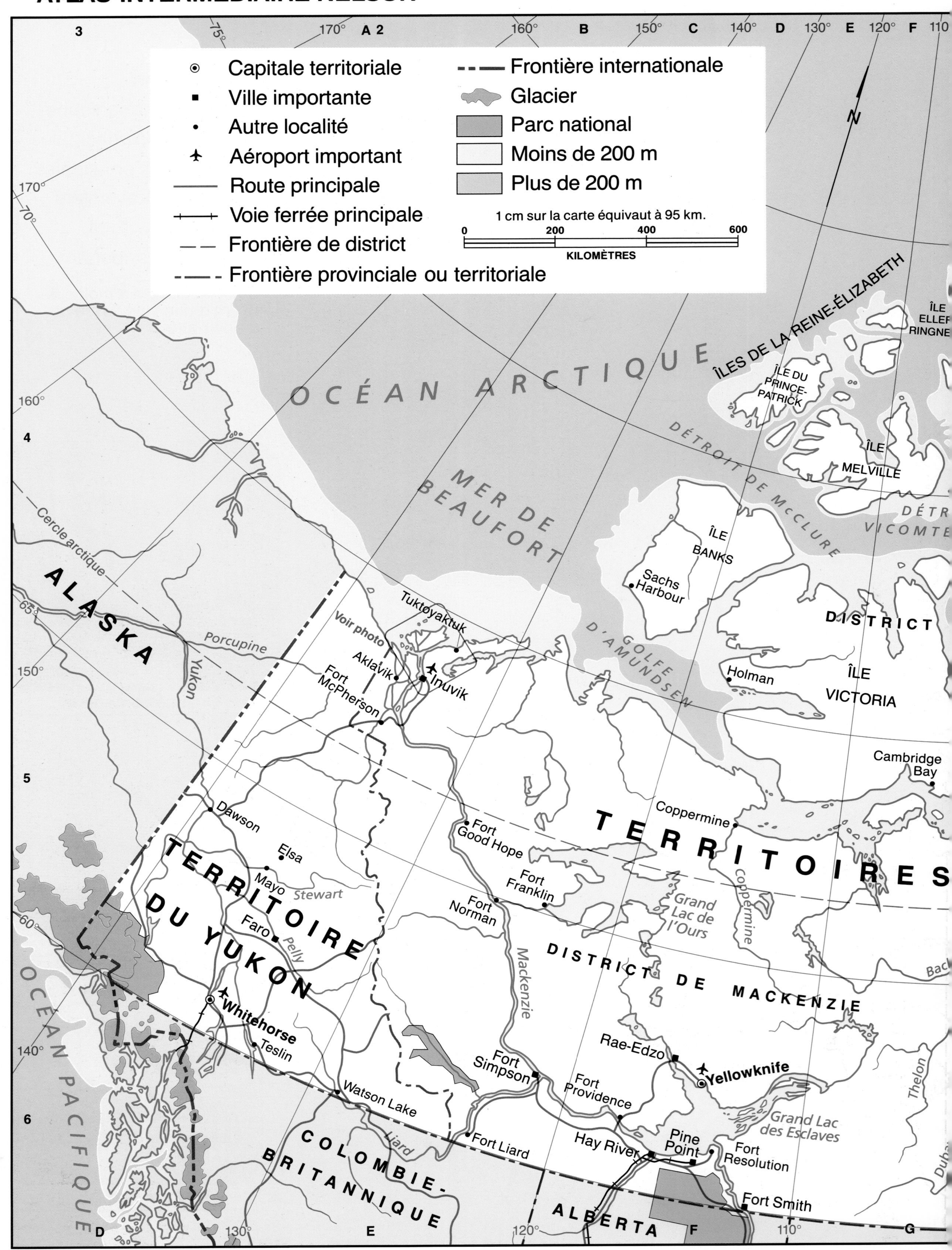

Capitale territoriale
Ville importante
Autre localité
Aéroport important
Route principale
Voie ferrée principale
Frontière de district
Frontière provinciale ou territoriale
Frontière internationale
Glacier
Parc national
Moins de 200 m
Plus de 200 m
1 cm sur la carte équivaut à 95 km.
0
200
400
600
KILOMÈTRES
OCÉAN ARCTIQUE
MER DE BEAUFORT
ÎLES DE LA REINE-ÉLIZABETH
ÎLE DU PRINCE-PATRICK
ÎLE MELVILLE
DÉTROIT DE McCLURE
ÎLE BANKS
Sachs Harbour
GOLFE D'AMUNDSEN
ÎLE VICTORIA
Holman
Cambridge Bay
DISTRICT
ALASKA
Porcupine
Yukon
Cercle arctique
Voir photo
Tuktoyaktuk
Aklavik
Inuvik
Fort McPherson
Dawson
Elsa
Mayo
Stewart
Faro
Pelly
TERRITOIRE DU YUKON
Whitehorse
Teslin
Watson Lake
Fort Good Hope
Fort Franklin
Fort Norman
Coppermine
TERRITOIRES
Grand Lac de l'Ours
DISTRICT DE MACKENZIE
Mackenzie
Rae-Edzo
Yellowknife
Fort Simpson
Fort Providence
Grand Lac des Esclaves
Fort Liard
Hay River
Pine Point
Fort Resolution
Fort Smith
Liard
Thelon
COLOMBIE-BRITANNIQUE
ALBERTA
OCÉAN PACIFIQUE

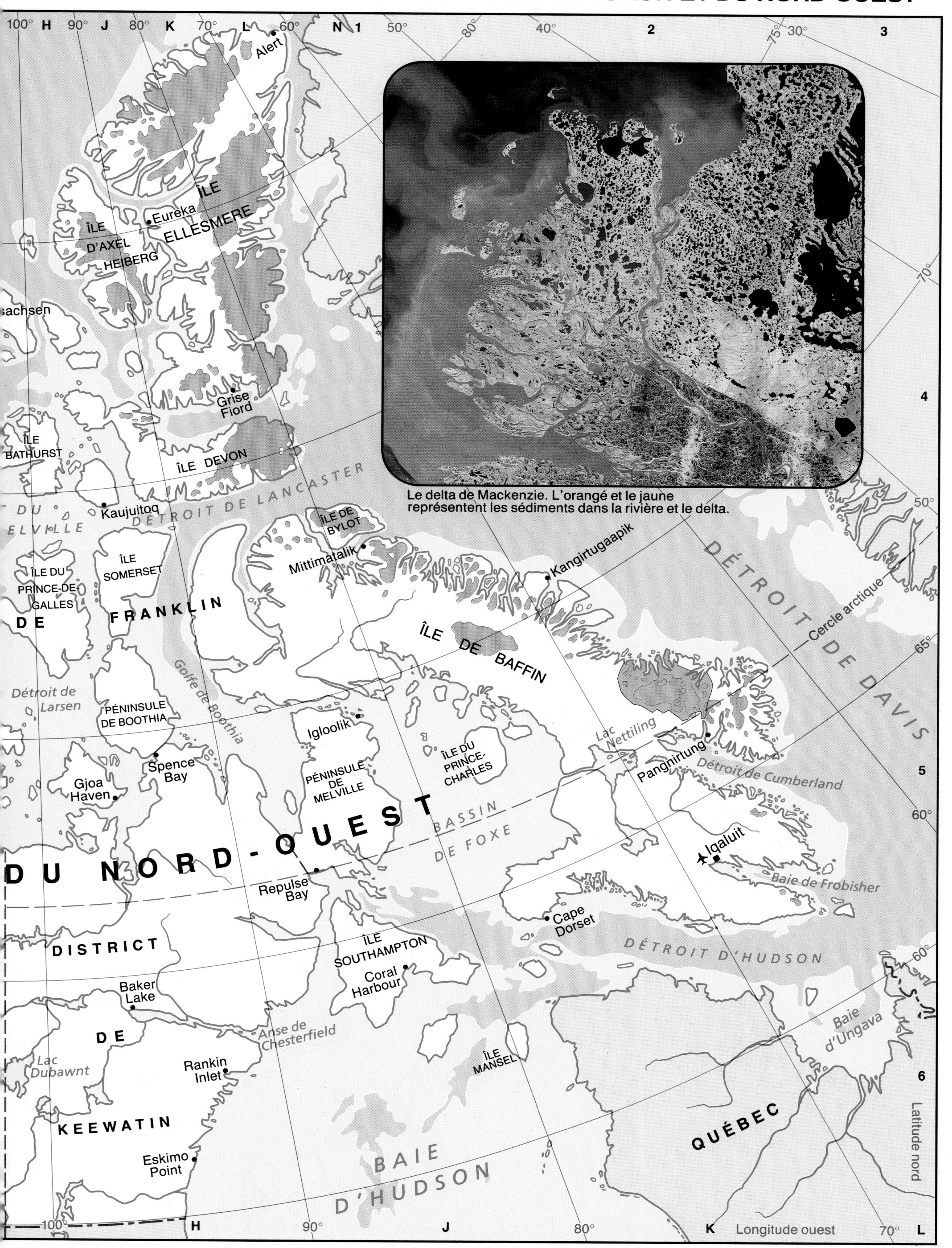

Le delta de Mackenzie. L'orangé et le jaune représentent les sédiments dans la rivière et le delta.

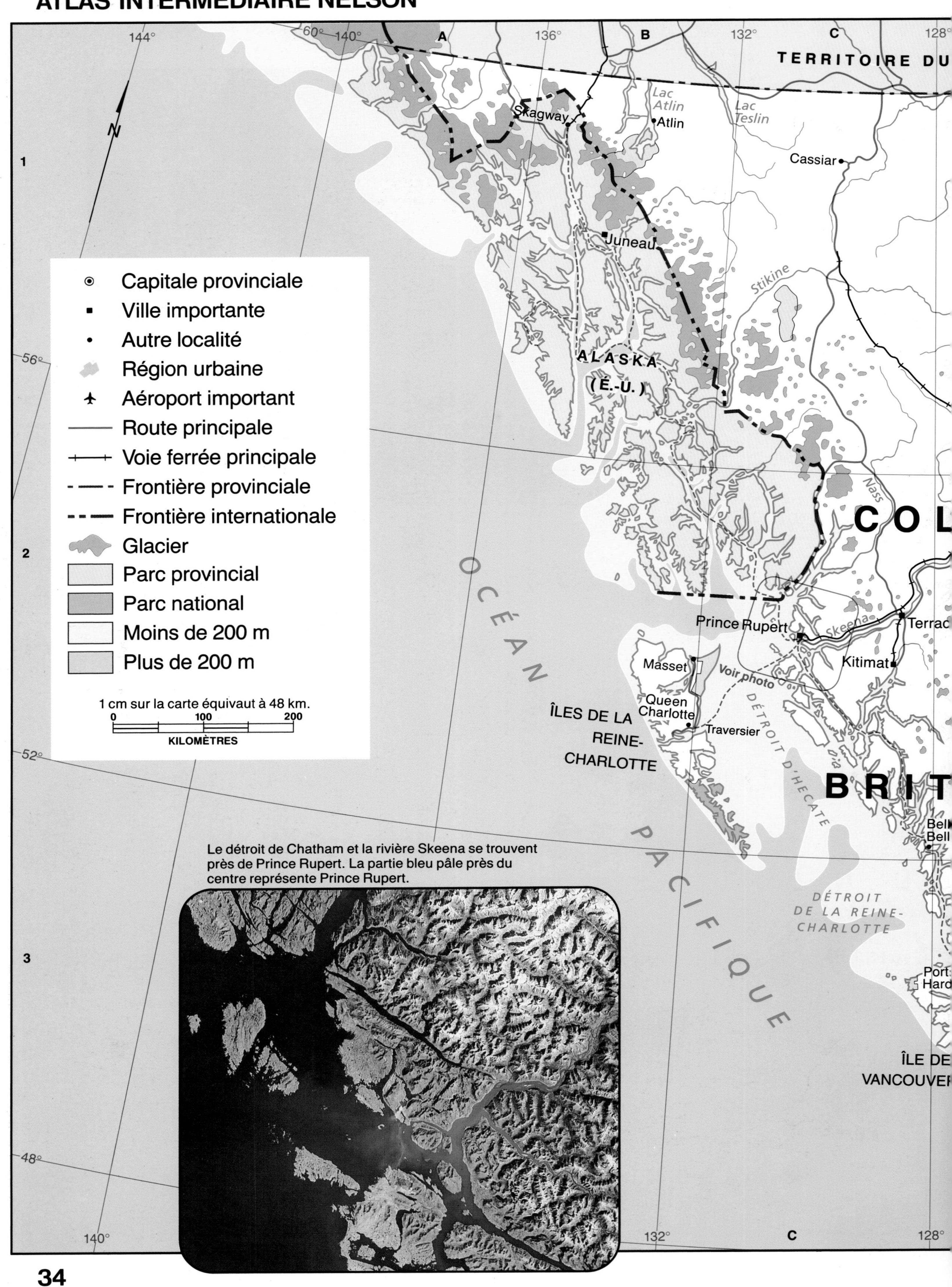

Le détroit de Chatham et la rivière Skeena se trouvent près de Prince Rupert. La partie bleu pâle près du centre représente Prince Rupert.

Le lac Abraham est représenté par la forme bleu foncé en bas à droite. Le champ de glace Columbia est situé au centre, à l'ouest de la courbe du lac.

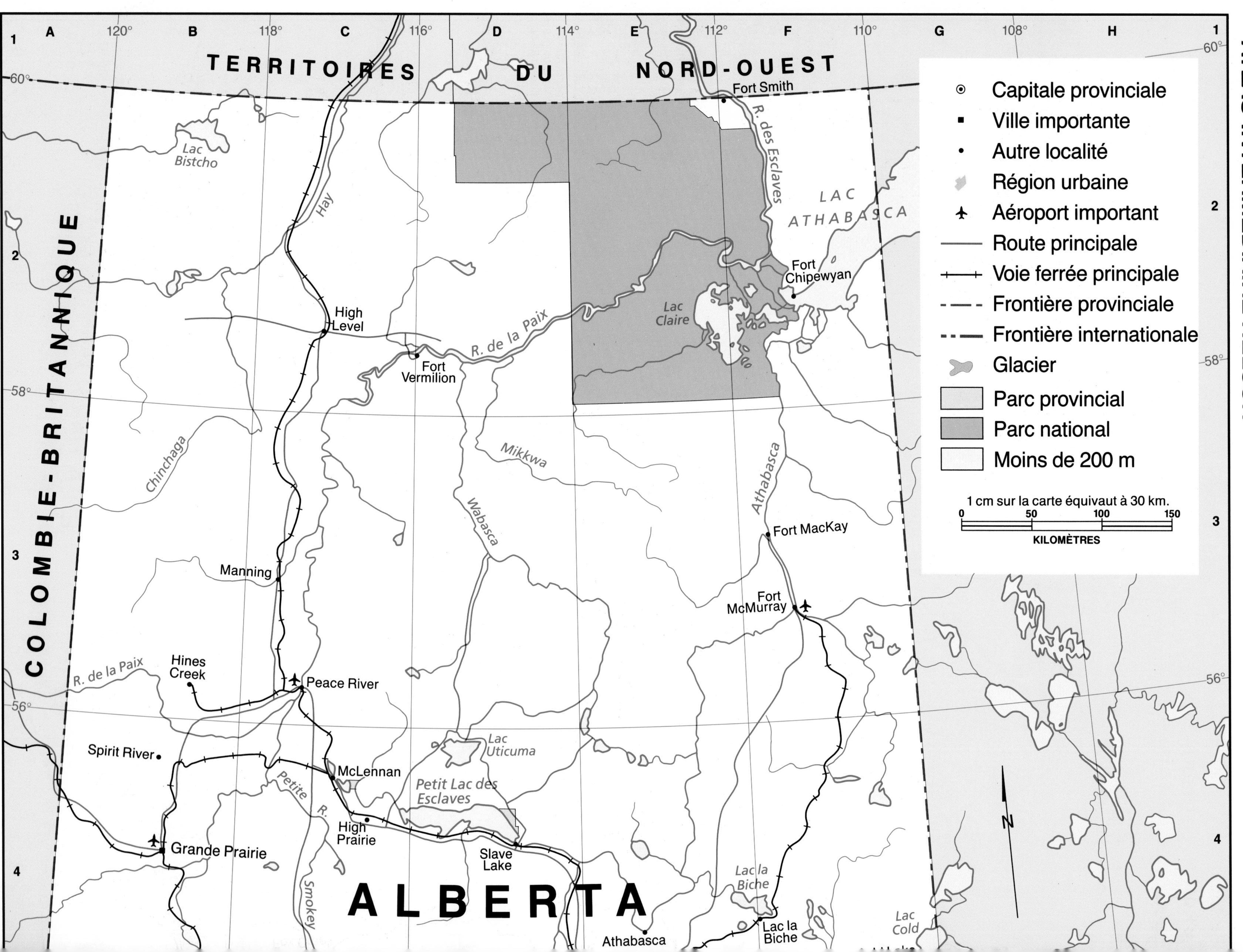

TERRITOIRES DU NORD-OUEST
COLOMBIE-BRITANNIQUE
ALBERTA
Capitale provinciale
Ville importante
Autre localité
Région urbaine
Aéroport important
Route principale
Voie ferrée principale
Frontière provinciale
Frontière internationale
Glacier
Parc provincial
Parc national
Moins de 200 m
1 cm sur la carte équivaut à 30 km.
0
50
100
150
KILOMÈTRES
N
LAC ATHABASCA
Fort Smith
R. des Esclaves
Fort Chipewyan
Lac Claire
Lac Bistcho
Hay
High Level
R. de la Paix
Fort Vermilion
Chinchaga
Mikkwa
Wabasca
Athabasca
Fort MacKay
Fort McMurray
Manning
Hines Creek
R. de la Paix
Peace River
Spirit River
Lac Utikuma
McLennan
Petit Lac des Esclaves
Petite R.
High Prairie
Slave Lake
Grande Prairie
Smokey
Athabasca
Lac la Biche
Lac la Biche
Lac Cold
60°
58°
56°
120°
118°
116°
114°
112°
110°
108°
A
B
C
D
E
F
G
H
1
2
3
4

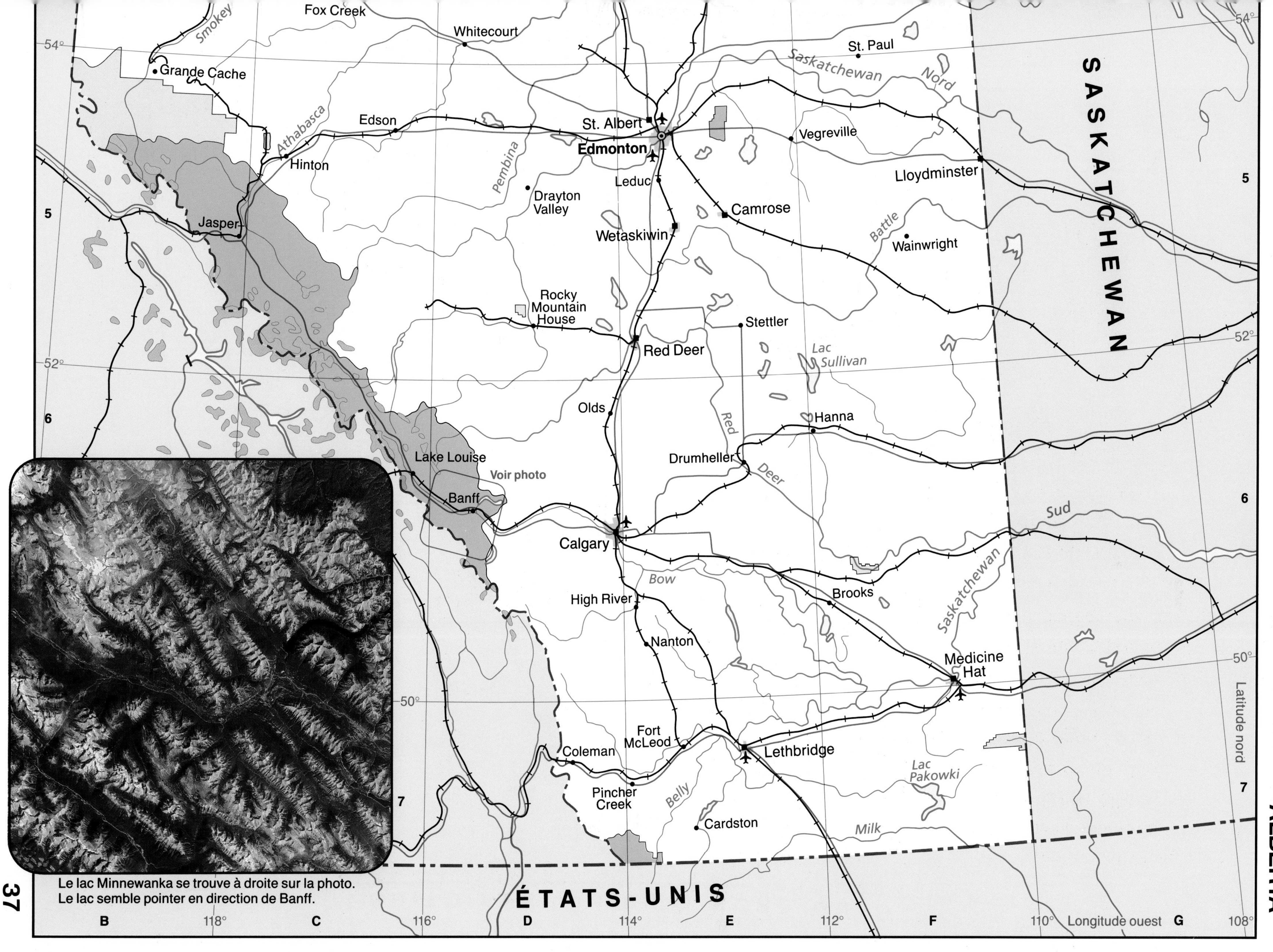

Le lac Minnewanka se trouve à droite sur la photo.
Le lac semble pointer en direction de Banff.

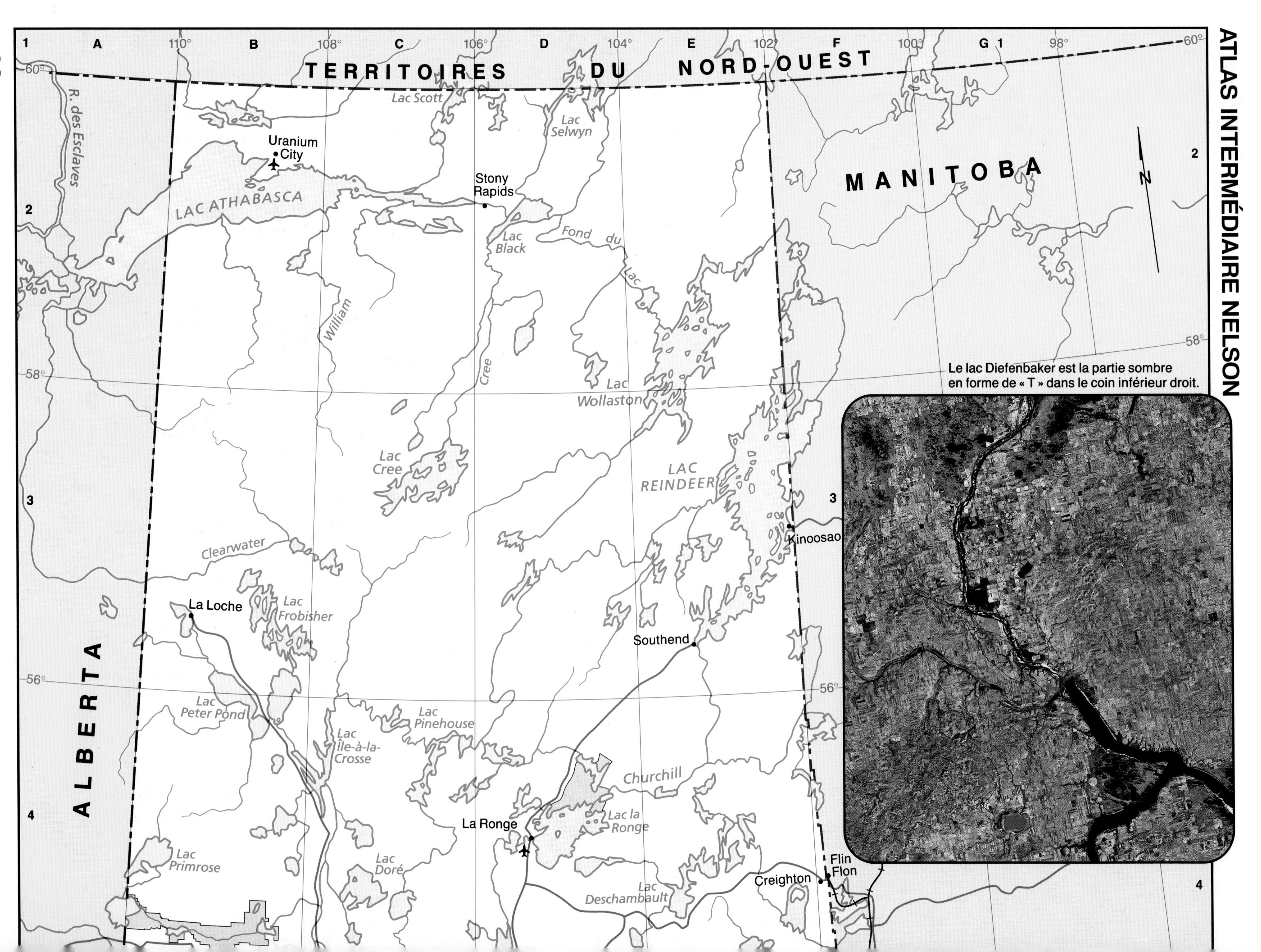

Le lac Diefenbaker est la partie sombre en forme de « T » dans le coin inférieur droit.

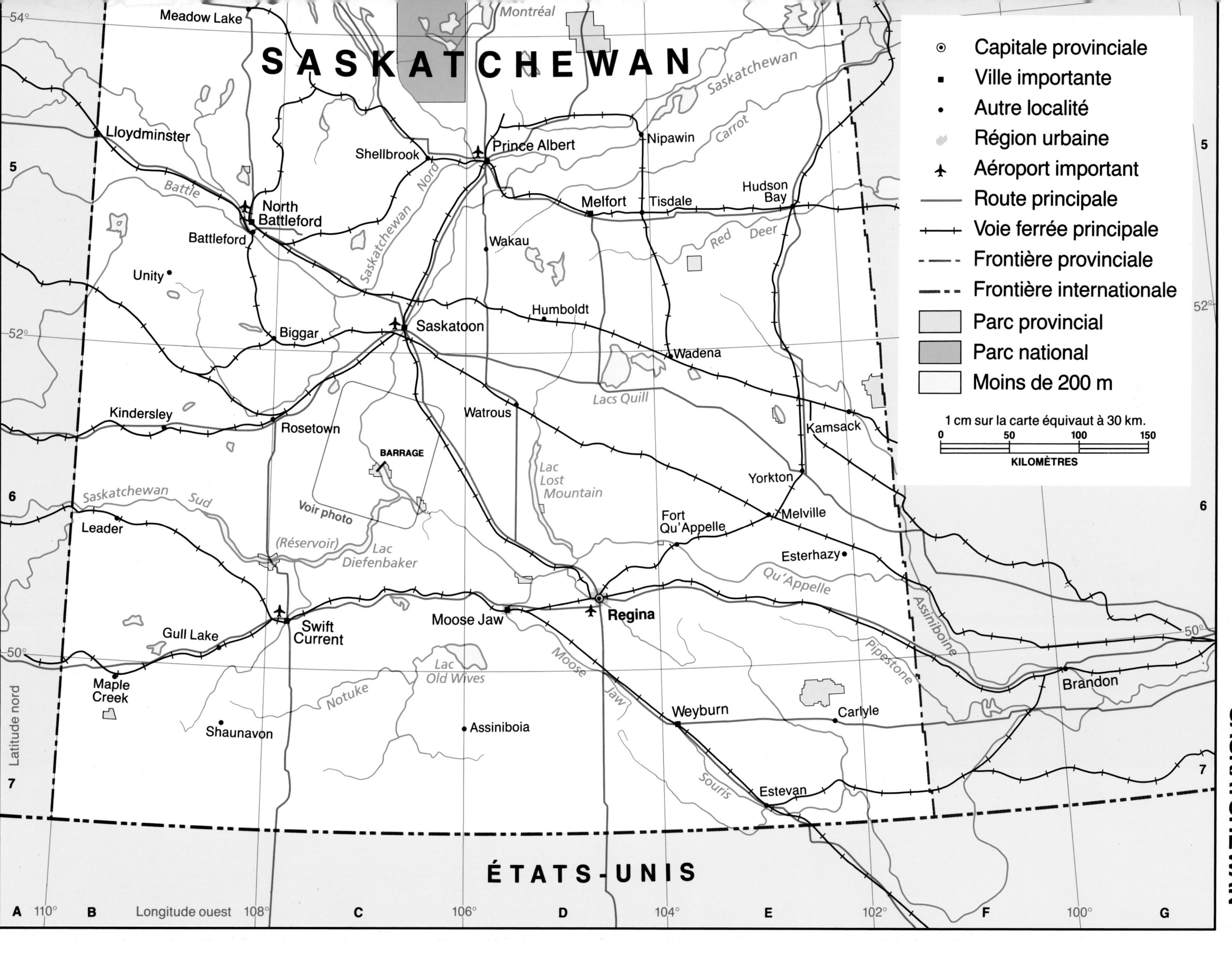

SASKATCHEWAN
Capitale provinciale
Ville importante
Autre localité
Région urbaine
Aéroport important
Route principale
Voie ferrée principale
Frontière provinciale
Frontière internationale
Parc provincial
Parc national
Moins de 200 m
1 cm sur la carte équivaut à 30 km.
0
50
100
150
KILOMÈTRES
Meadow Lake
Montréal
Saskatchewan
Lloydminster
Shellbrook
Prince Albert
Nipawin
Carrot
Battle
North Battleford
Battleford
Melfort
Tisdale
Hudson Bay
Nord
Saskatchewan
Wakau
Red
Deer
Unity
Humboldt
Biggar
Saskatoon
Wadena
Lacs Quill
Kindersley
Watrous
Kamsack
Rosetown
BARRAGE
Lac
Lost
Mountain
Yorkton
Saskatchewan
Sud
Voir photo
Melville
Leader
Fort
Qu'Appelle
(Réservoir)
Lac
Diefenbaker
Esterhazy
Qu'Appelle
Assiniboine
Moose Jaw
Regina
Gull Lake
Swift
Current
Moose
Pipestone
Lac
Old Wives
Brandon
Maple
Creek
Jaw
Notuke
Weyburn
Carlyle
Shaunavon
Assiniboia
Souris
Estevan
ÉTATS-UNIS
Latitude nord
Longitude ouest
A
B
C
D
E
F
G
5
6
7
54°
52°
50°
110°
108°
106°
104°
102°
100°

TERRITOIRES DU NORD-OUEST
BAIE D'HUDSON
MANITOBA
SASKATCHEWAN
N
Lac Nueltin
Caribou
Seal
Churchill
North Knife
Lac Tadoule
Brochet
Lac Big Sand
LAC REINDEER
Owl
Lac Southern Indian
Churchill
Kinoosao
Lac Gauer
York Factory
Lynn Lake
Leaf Rapids
Lac Granville
Fleuve Nelson
Gilam
Hayes
Kelsey
Lac Highrock
Fox
Shamattawa
Nelson House
Thompson
Sipiwesk
Lac Utik
Gods
Lac Kississing
Lac Sipiwesk
Oxford House
Snow Lake
Grass
Flin Flon
Wabowden
Lac Oxford
Lac Cross
102°
100°
98°
96°
94°
92°
90°
60°
58°
56°
A
B
C
D
E
F
1
2
3

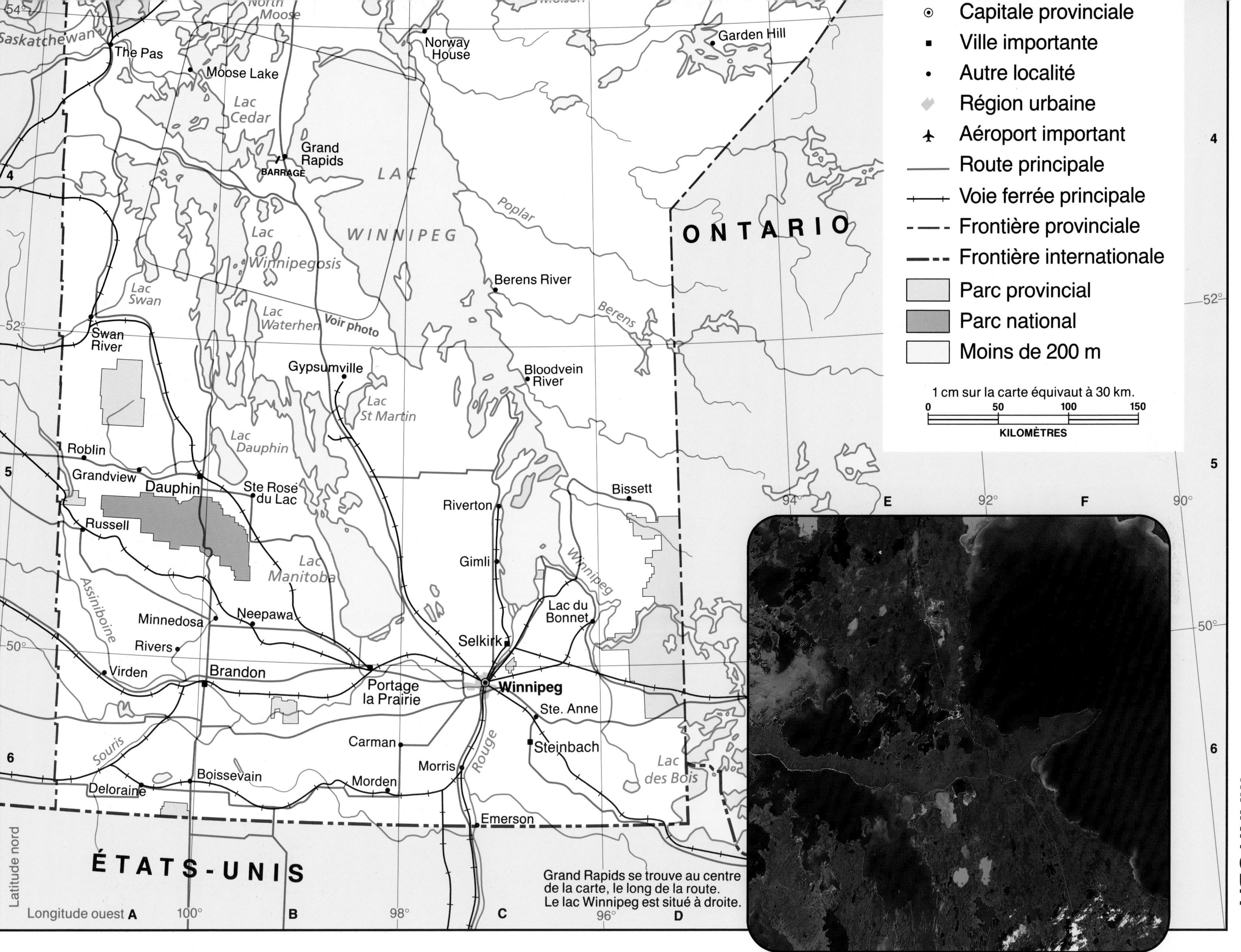
Capitale provinciale
Ville importante
Autre localité
Région urbaine
Aéroport important
Route principale
Voie ferrée principale
Frontière provinciale
Frontière internationale
Parc provincial
Parc national
Moins de 200 m
1 cm sur la carte équivaut à 30 km.
0 50 100 150
KILOMÈTRES
ONTARIO
ÉTATS-UNIS
LAC WINNIPEG
Lac Winnipegosis
Lac Manitoba
Lac Cedar
Lac Dauphin
Lac Waterhen
Lac St Martin
Lac Swan
Lac des Bois
Winnipeg
Selkirk
Gimli
Riverton
Lac du Bonnet
Ste. Anne
Steinbach
Portage la Prairie
Carman
Morris
Morden
Emerson
Brandon
Neepawa
Minnedosa
Rivers
Virden
Boissevain
Deloraine
Russell
Dauphin
Grandview
Roblin
Swan River
The Pas
Moose Lake
Grand Rapids
BARRAGE
Gypsumville
Ste Rose du Lac
Norway House
Berens River
Bloodvein River
Bissett
Garden Hill
Poplar
Berens
Winnipeg
Rouge
Assiniboine
Souris
Saskatchewan
North Moose
Voir photo
Longitude ouest
Latitude nord
Grand Rapids se trouve au centre de la carte, le long de la route. Le lac Winnipeg est situé à droite.

Thunder Bay est la partie bleu pâle en bas au centre de la photo. Les parties brunes représentent des forêts.

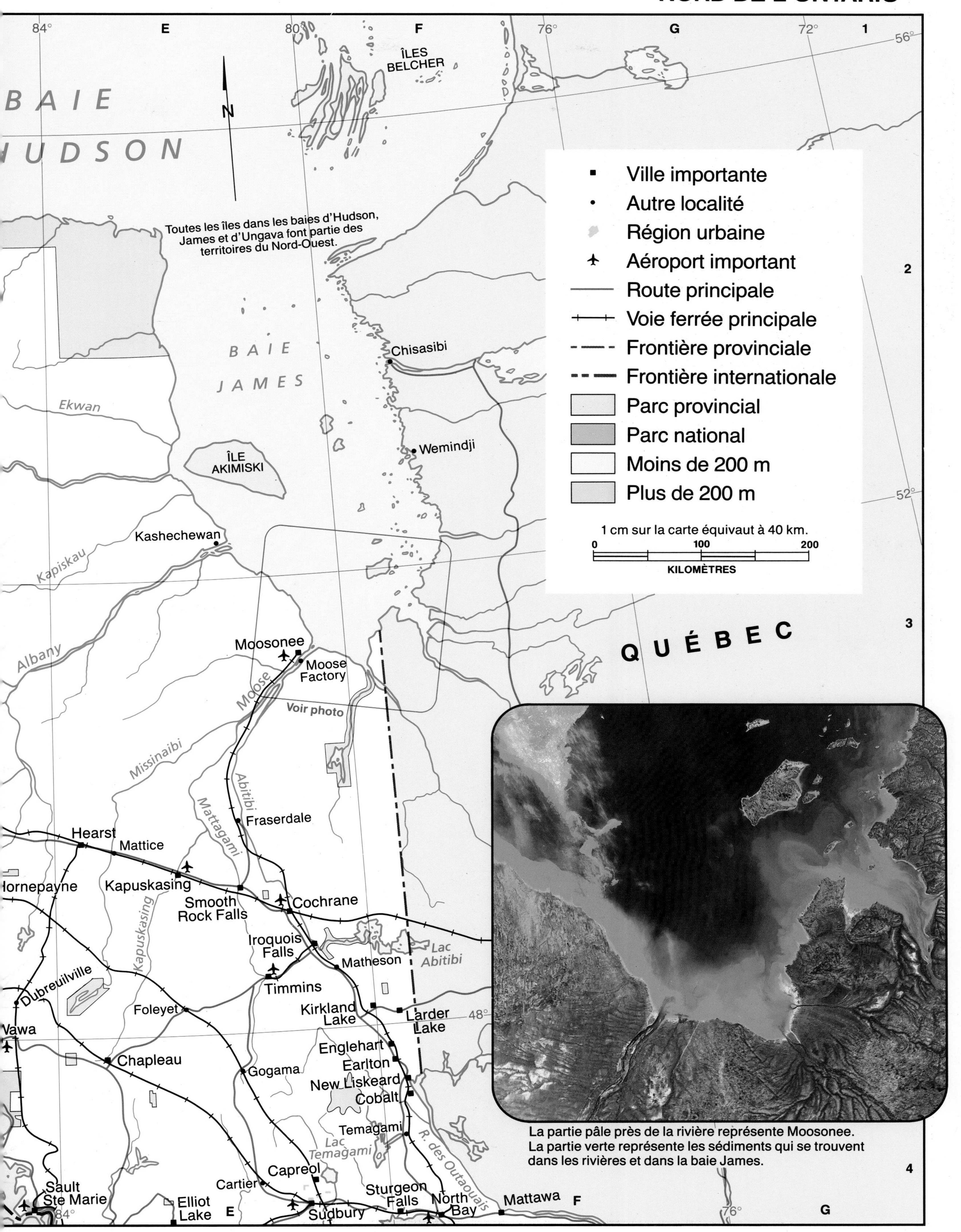

La partie pâle près de la rivière représente Moosonee.
La partie verte représente les sédiments qui se trouvent dans les rivières et dans la baie James.

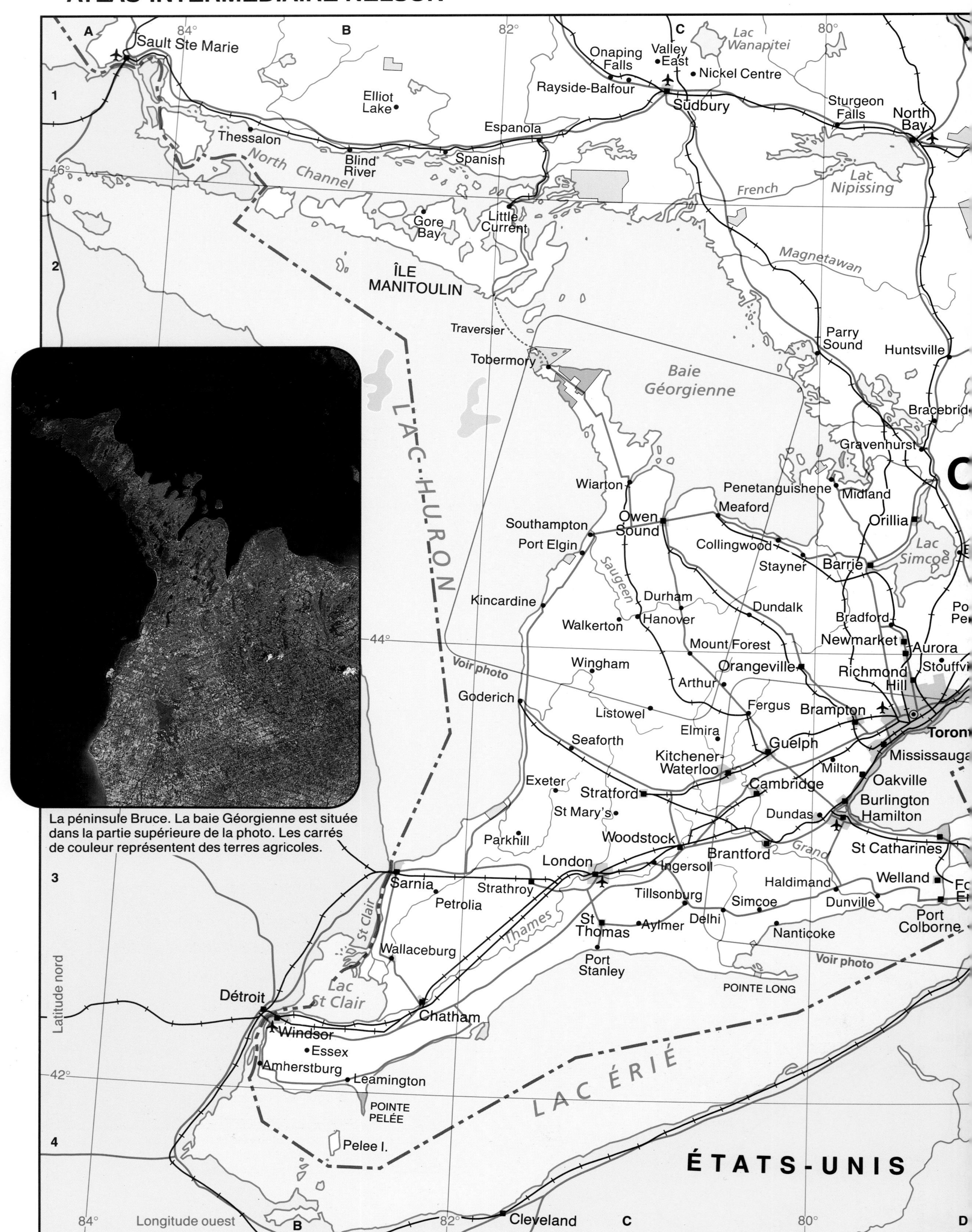

La péninsule Bruce. La baie Géorgienne est située dans la partie supérieure de la photo. Les carrés de couleur représentent des terres agricoles.

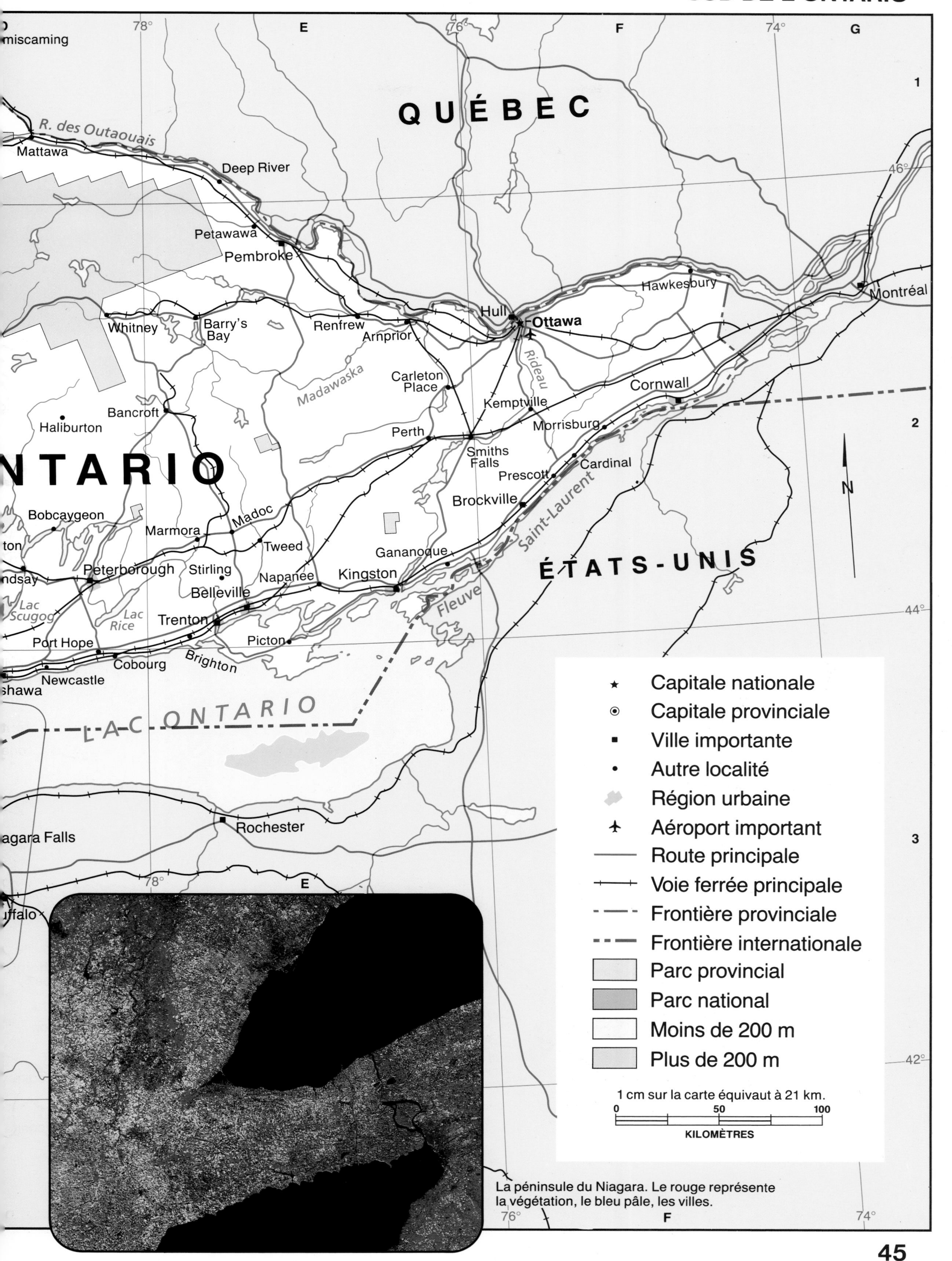

La péninsule du Niagara. Le rouge représente la végétation, le bleu pâle, les villes.

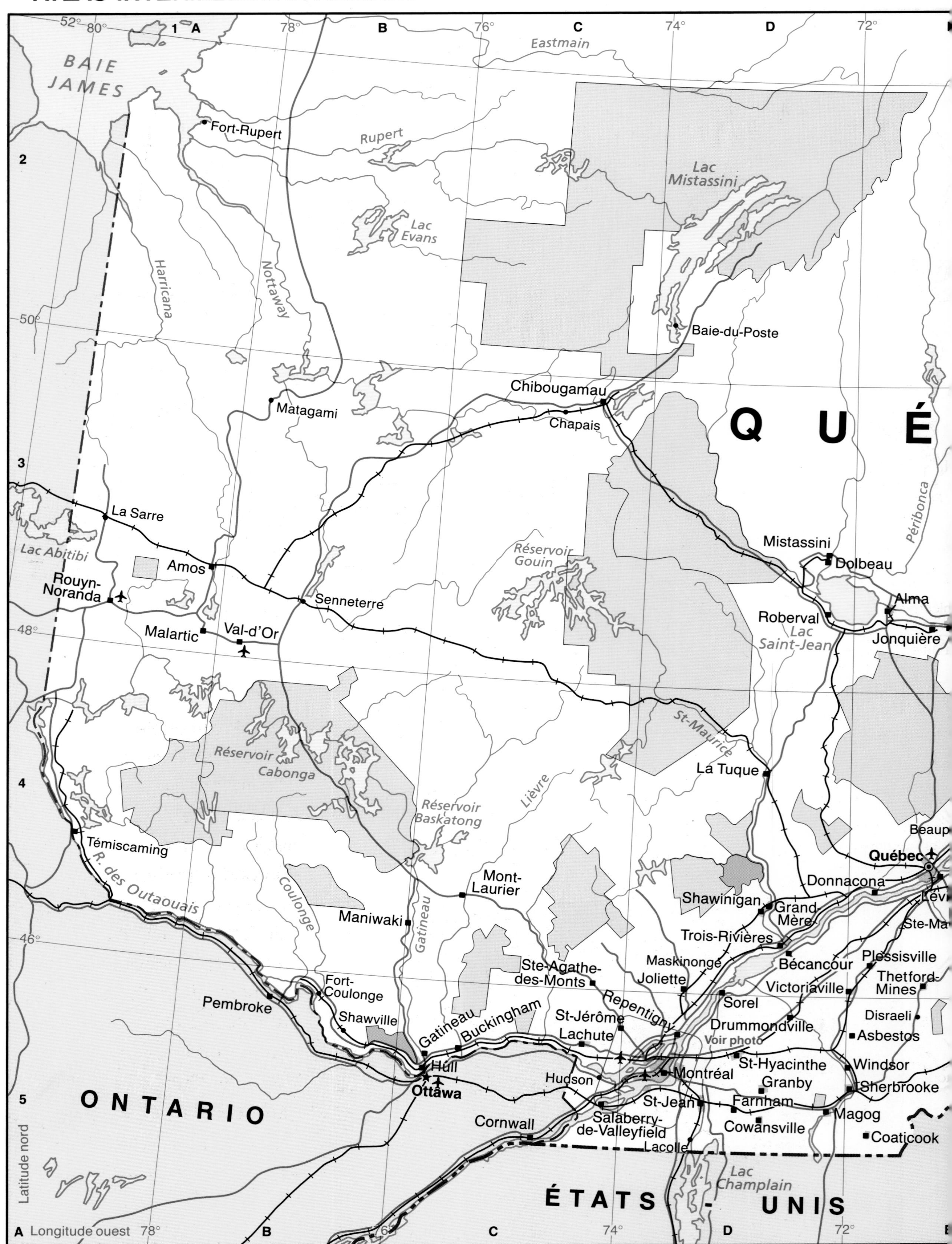
BAIE JAMES
Fort-Rupert
Rupert
Eastmain
Lac Mistassini
Lac Evans
Harricana
Nottaway
Baie-du-Poste
Matagami
Chibougamau
Chapais
QUÉ
La Sarre
Lac Abitibi
Amos
Rouyn-Noranda
Malartic
Val-d'Or
Senneterre
Réservoir Gouin
Mistassini
Dolbeau
Alma
Roberval
Lac Saint-Jean
Jonquière
Péribonca
St-Maurice
La Tuque
Réservoir Cabonga
Réservoir Baskatong
Lièvre
Témiscaming
R. des Outaouais
Coulonge
Gatineau
Maniwaki
Mont-Laurier
Shawinigan
Grand-Mère
Québec
Beaup
Donnacona
Lév
Ste-Ma
Trois-Rivières
Plessisville
Thetford-Mines
Bécancour
Maskinonge
Joliette
Victoriaville
Ste-Agathe-des-Monts
Fort-Coulonge
Pembroke
Shawville
Gatineau
Buckingham
St-Jérôme
Lachute
Repentigny
Sorel
Drummondville
Disraeli
Asbestos
Voir photo
Hull
Ottawa
Hudson
Montréal
St-Hyacinthe
Windsor
Granby
Sherbrooke
St-Jean
Farnham
Magog
Cowansville
Salaberry-de-Valleyfield
Cornwall
Lacolle
Coaticook
ONTARIO
Lac Champlain
ÉTATS-UNIS
Latitude nord
Longitude ouest
52°
80°
78°
76°
74°
72°
50°
48°
46°
A
B
C
D
1
2
3
4
5

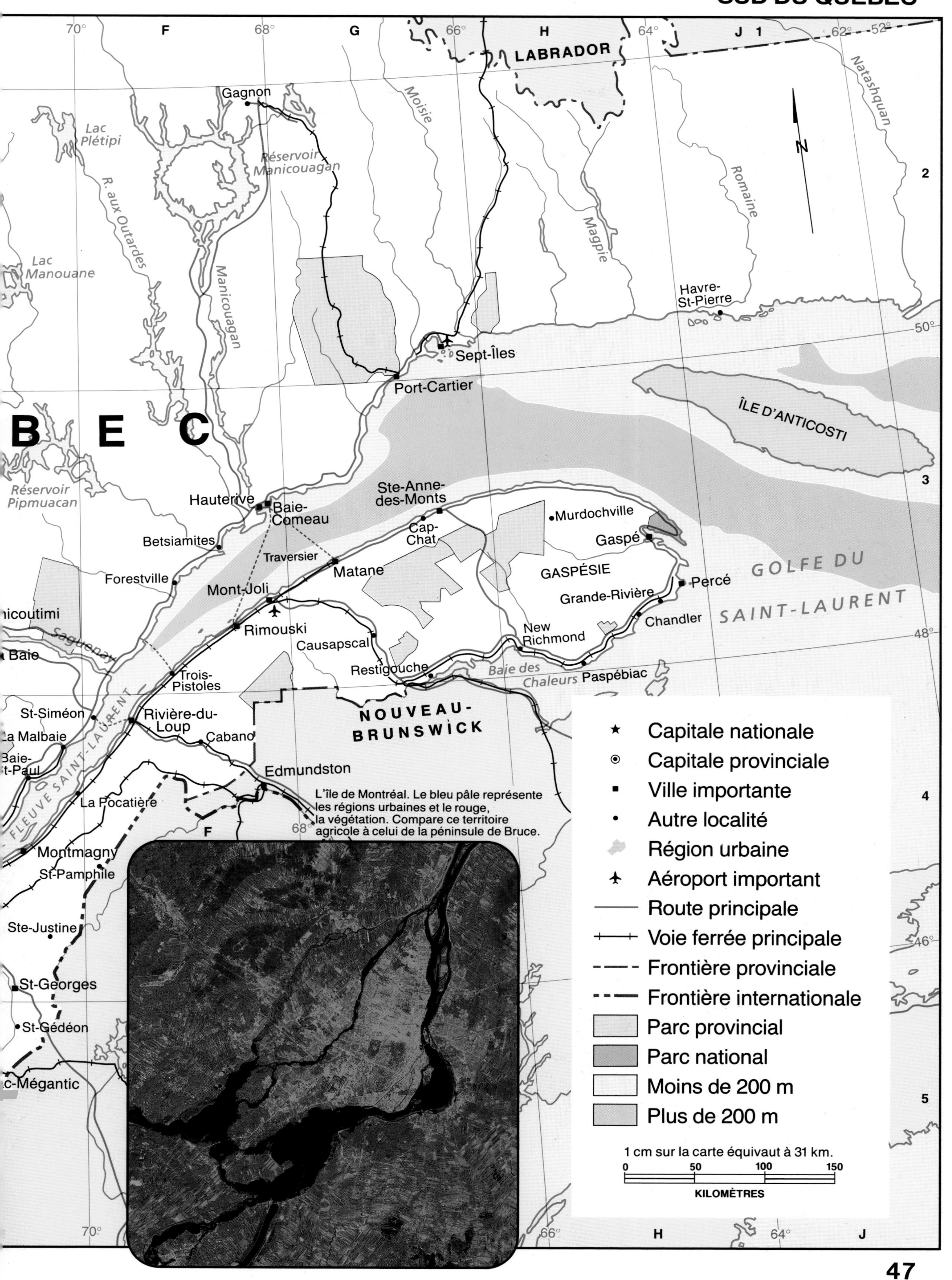

L'île de Montréal. Le bleu pâle représente les régions urbaines et le rouge, la végétation. Compare ce territoire agricole à celui de la péninsule de Bruce.

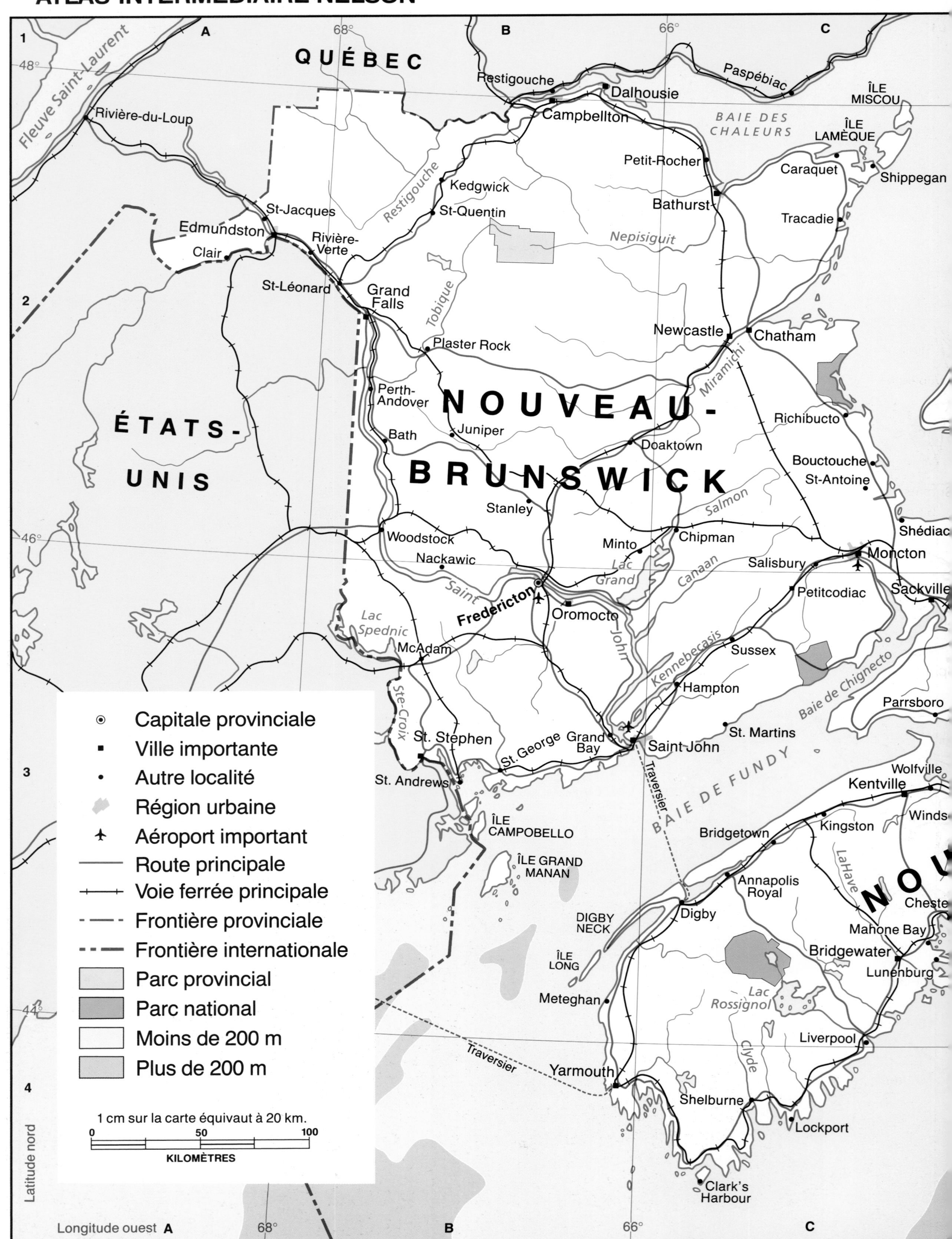
QUÉBEC
NOUVEAU-BRUNSWICK
ÉTATS-UNIS
Fleuve Saint-Laurent
Rivière-du-Loup
Restigouche
Dalhousie
Campbellton
Paspébiac
BAIE DES CHALEURS
ÎLE MISCOU
ÎLE LAMÈQUE
Caraquet
Shippegan
Petit-Rocher
Bathurst
Tracadie
Kedgwick
St-Quentin
St-Jacques
Edmundston
Clair
Rivière-Verte
St-Léonard
Grand Falls
Nepisiguit
Tobique
Plaster Rock
Newcastle
Chatham
Miramichi
Perth-Andover
Juniper
Bath
Richibucto
Doaktown
Bouctouche
St-Antoine
Stanley
Salmon
Shédiac
Woodstock
Minto
Chipman
Nackawic
Lac Grand
Canaan
Salisbury
Moncton
Saint
Fredericton
Oromocto
Petitcodiac
Sackville
Lac Spednic
McAdam
John
Kennebecasis
Sussex
Hampton
Baie de Chignecto
Parrsboro
Ste-Croix
St. Stephen
St. George
Grand Bay
Saint John
St. Martins
St. Andrews
Traversier
BAIE DE FUNDY
Wolfville
Kentville
ÎLE CAMPOBELLO
Bridgetown
Kingston
ÎLE GRAND MANAN
Annapolis Royal
LaHave
Digby
DIGBY NECK
ÎLE LONG
Meteghan
Mahone Bay
Bridgewater
Lunenburg
Lac Rossignol
Clyde
Liverpool
Yarmouth
Shelburne
Lockport
Clark's Harbour
Capitale provinciale
Ville importante
Autre localité
Région urbaine
Aéroport important
Route principale
Voie ferrée principale
Frontière provinciale
Frontière internationale
Parc provincial
Parc national
Moins de 200 m
Plus de 200 m
1 cm sur la carte équivaut à 20 km.
0
50
100
KILOMÈTRES
48°
46°
44°
68°
66°
Latitude nord
Longitude ouest
A
B
C
1
2
3
4

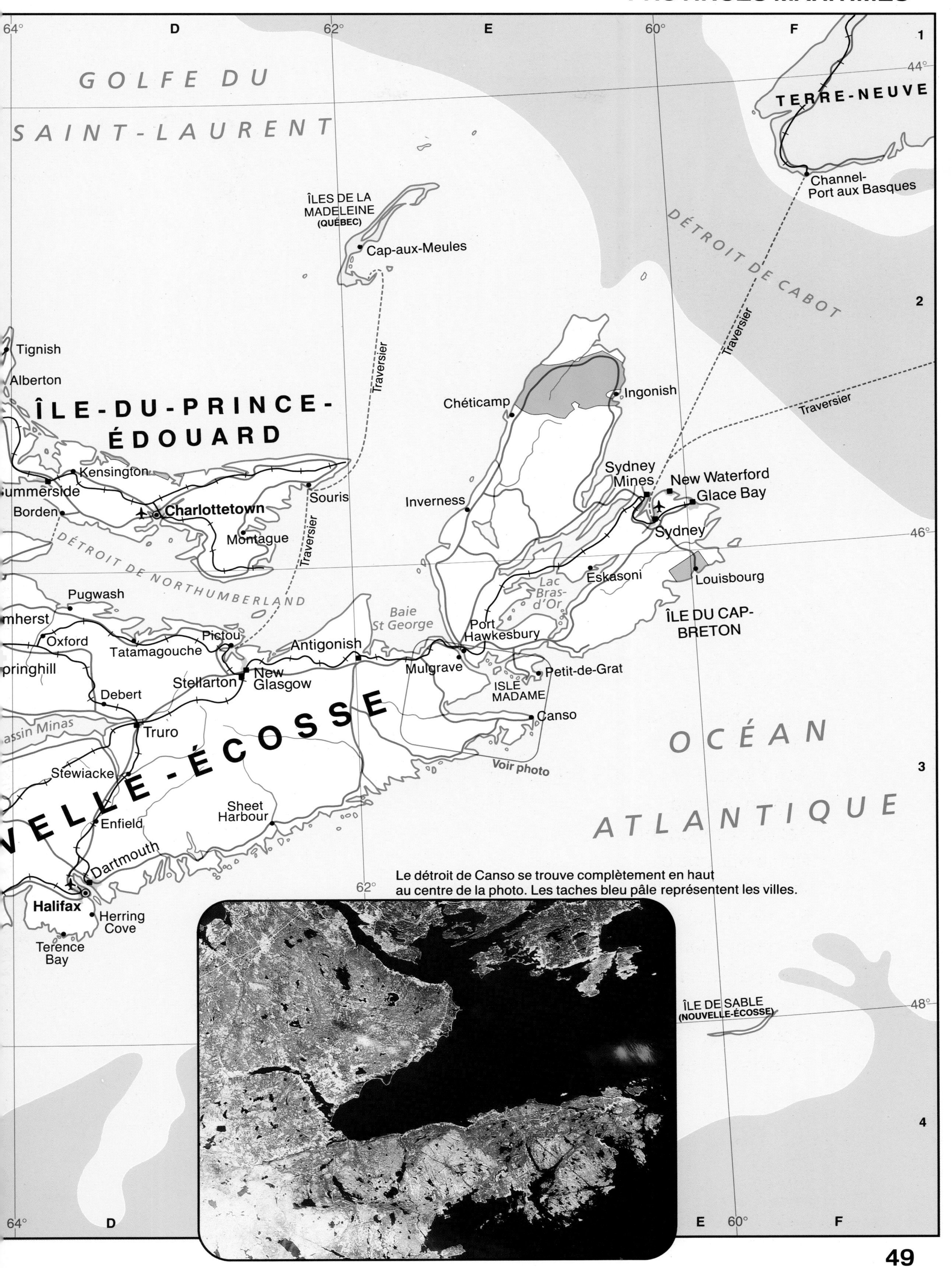

Le détroit de Canso se trouve complètement en haut au centre de la photo. Les taches bleu pâle représentent les villes.

La péninsule de Port au Port se trouve au centre de la photo.
Des nuages couvrent le golfe du Saint-Laurent.
62°
A
60°
B
58°
C
56°
1
2
3
48°
50°
QUÉBEC
LABRADOR
Red Bay
DÉTROIT DE BELLE-ISLE
Main Brook
Roddickton
Port aux Choix
Hawke's Bay
Daniel's Harbour
Fleur de Lys
Jackson's Arm
Baie White
Baie Verte
Norris Point
Hampden
Springdale
Voir photo
ÎLE D'ANTICOSTI
(QUÉBEC)
Baie des Îles
Deer Lake
Cox's Cove
Corner Brook
Badger
GOLFE DU SAINT-LAURENT
Lac Grand
Buchans
Exploits
BARRAGE
Lac Red Indian
Lourdes
Stephenville
TERRE-N
Baie St George's
St. George's
Lac Victoria
Lac Meelpaeg
St. Alban's
ÎLES DE LA MADELEINE
(QUÉBEC)
Isle aux Morts
Channel-Port aux Basques
Rose Blanche
Burgeo
Ramea
Seal Cove
DÉTROIT DE CABOT
Grand Ban
Fortune
MIQUELON
(FRANCE)
Traversier
ÎLE DU CAP-BRETON
(NOUVELLE-ÉCOSSE)
ST-PIERRE
(FRANCE)

La partie bleue à l'extrémité droite de la péninsule représente St. John's.

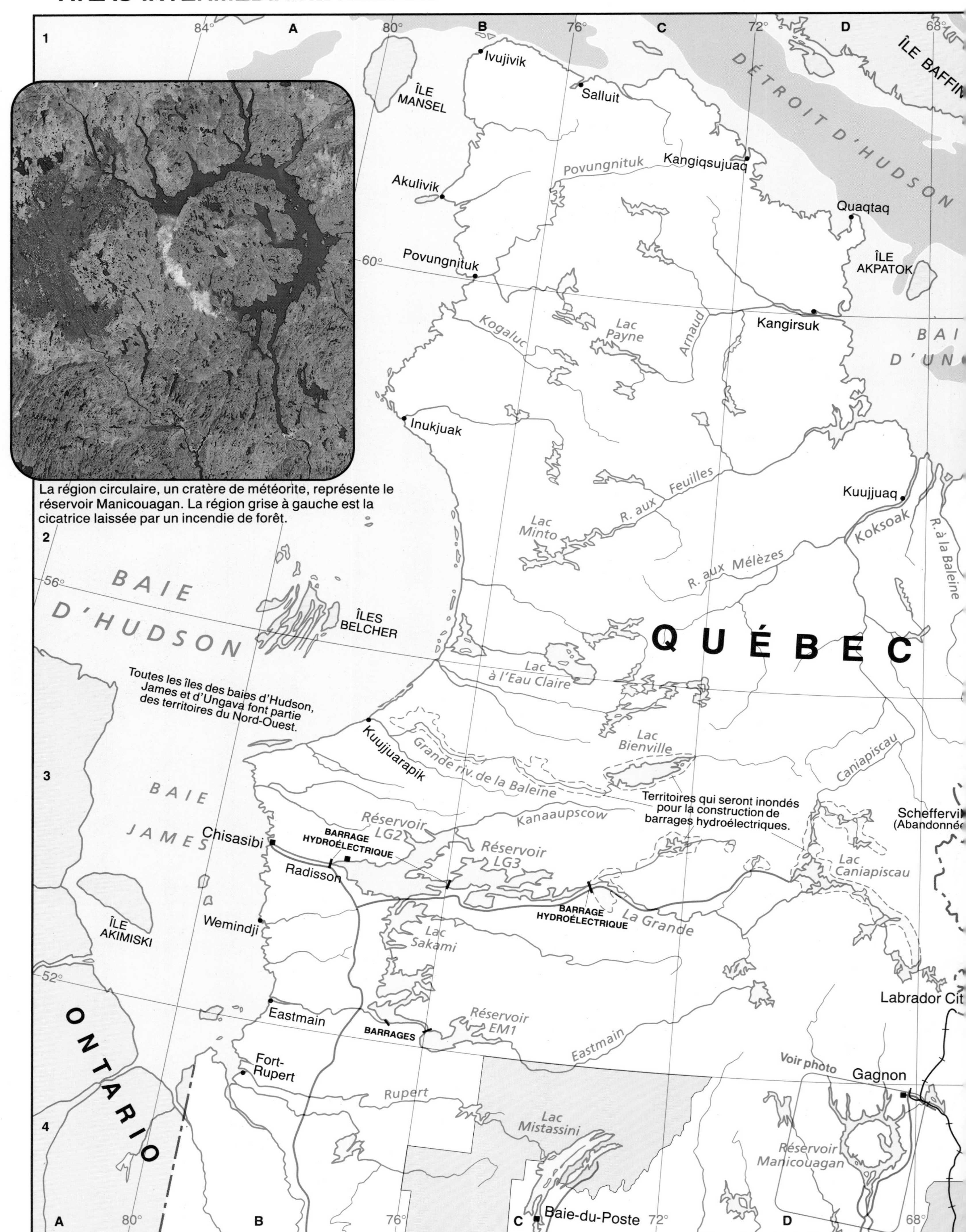

La région circulaire, un cratère de météorite, représente le réservoir Manicouagan. La région grise à gauche est la cicatrice laissée par un incendie de forêt.

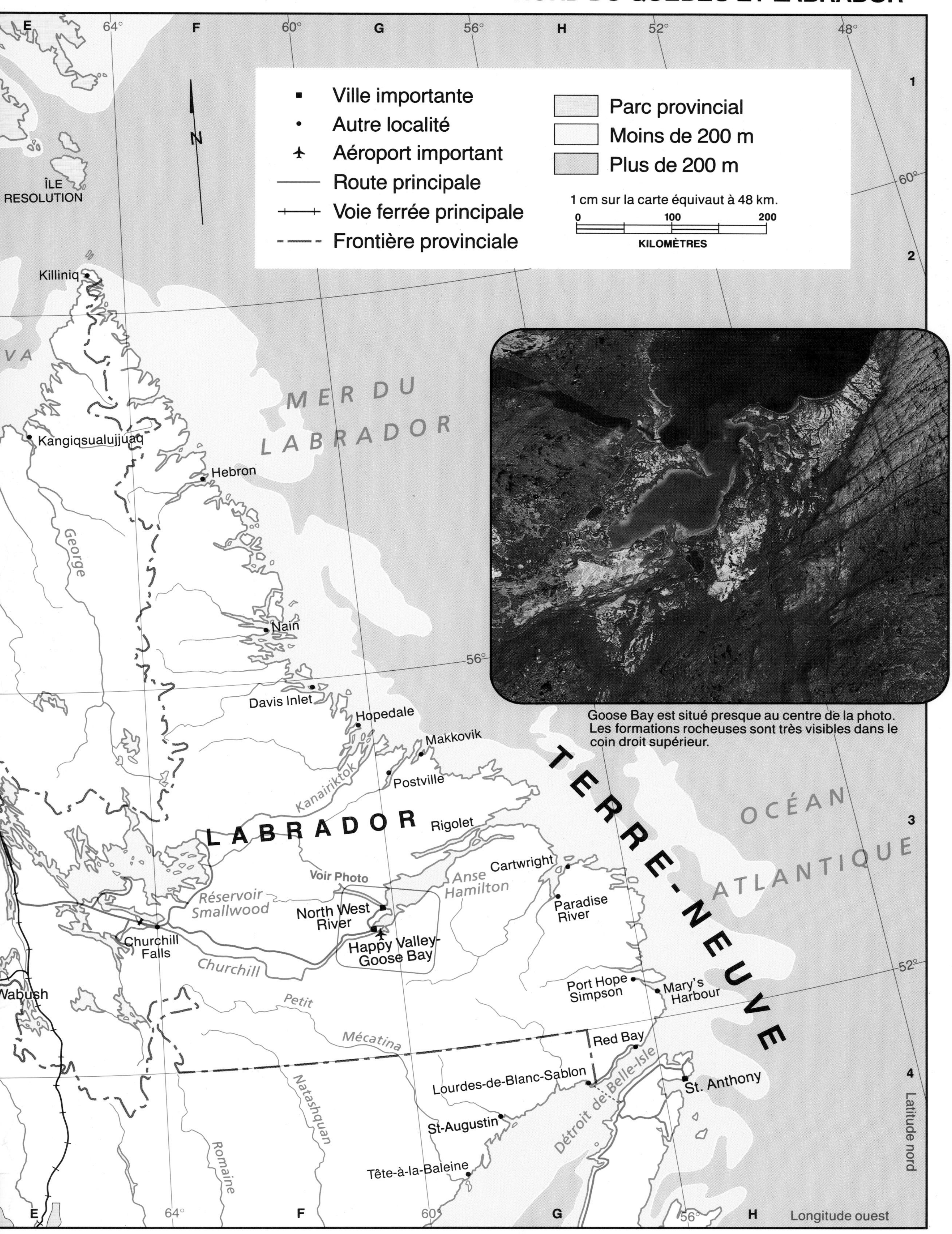

Goose Bay est situé presque au centre de la photo. Les formations rocheuses sont très visibles dans le coin droit supérieur.

180°
150°
120°
90°
60°
30°
0°
MÉRIDIEN D'ORIGINE
MER DE BEAUFORT
BAIE DE BAFFIN
MER DE NORVÈGE
60°
CANADA
BAIE D'HUDSON
MER DU LABRADOR
MER DU NORD
GOLFE DE L'ALASKA
GRANDS LACS
AMÉRIQUE DU NORD
30°
GOLFE DU MEXIQUE
TROPIQUE DU CANCER
OCÉAN ATLANTIQUE
MER DES CARAÏBES
OCÉAN PACIFIQUE
0°
GOLFE DE GUINÉE
AMÉRIQUE DU SUD
TROPIQUE DU CAPRICORNE
30°
Courants marins
(pendant l'hiver de l'hémisphère Nord)
Courant chaud
Courant froid
L'Antarctique, le septième continent, n'apparaît pas sur cette carte.
150°
120°
90°
60°
Longitude ouest
30°
0°

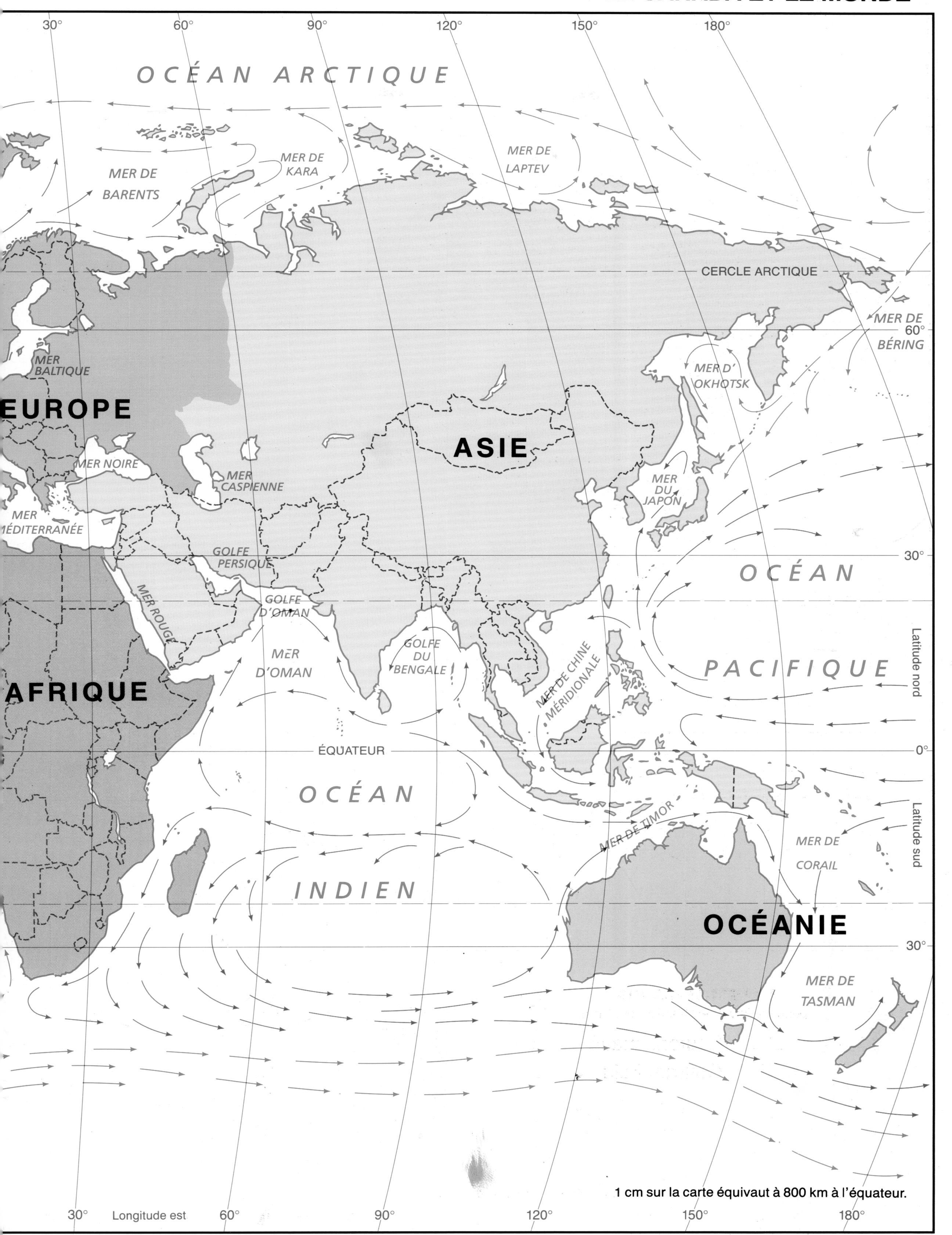
OCÉAN ARCTIQUE
MER DE BARENTS
MER DE KARA
MER DE LAPTEV
CERCLE ARCTIQUE
MER DE BÉRING
MER D'OKHOTSK
MER BALTIQUE
EUROPE
ASIE
MER NOIRE
MER CASPIENNE
MER DU JAPON
MER MÉDITERRANÉE
GOLFE PERSIQUE
OCÉAN
MER ROUGE
GOLFE D'OMAN
MER D'OMAN
GOLFE DU BENGALE
MER DE CHINE MÉRIDIONALE
PACIFIQUE
AFRIQUE
ÉQUATEUR
OCÉAN
INDIEN
MER DE TIMOR
MER DE CORAIL
OCÉANIE
MER DE TASMAN
Latitude nord
Latitude sud
Longitude est
30°
60°
90°
120°
150°
180°
0°
1 cm sur la carte équivaut à 800 km à l'équateur.

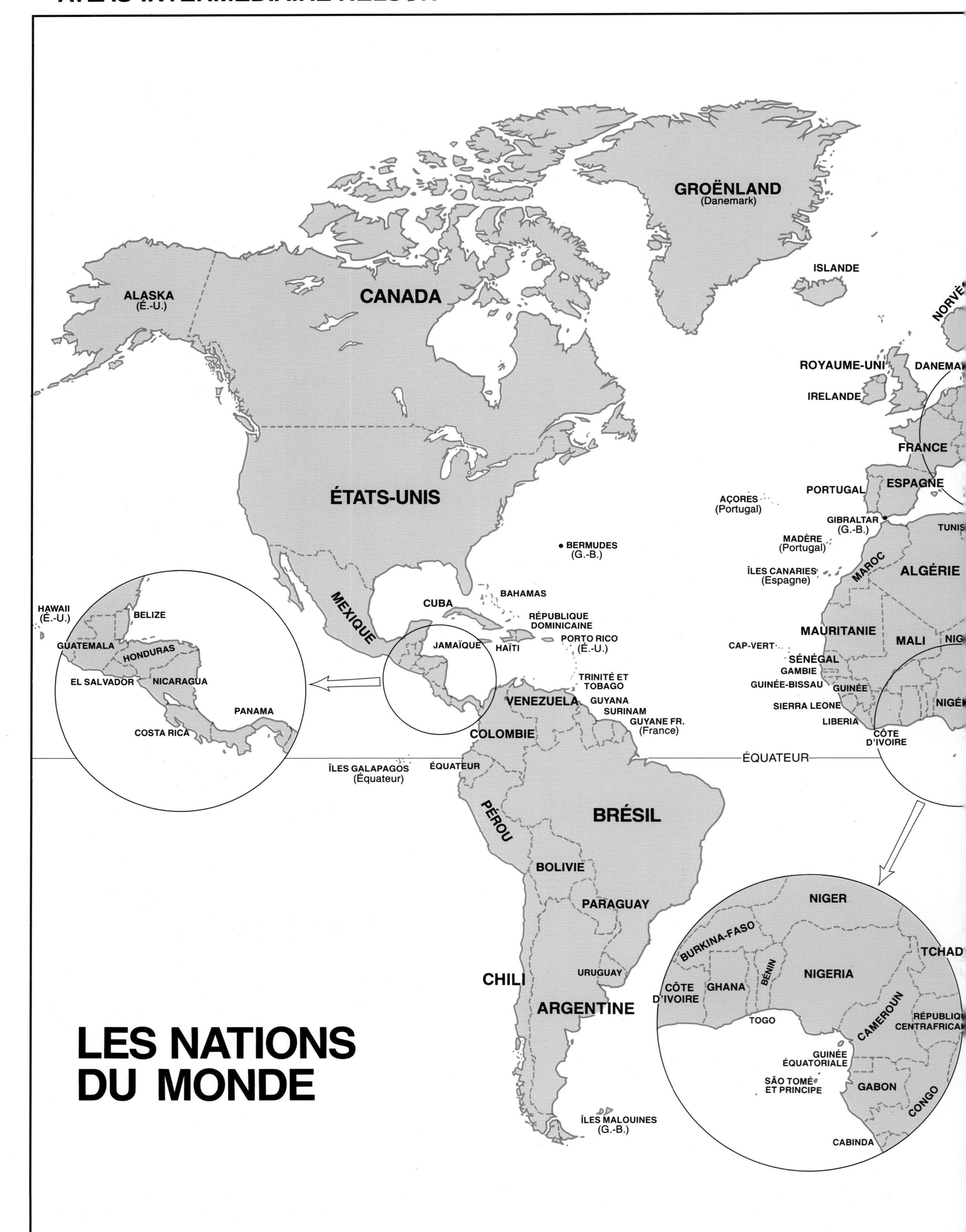

LES NATIONS DU MONDE

PAYS-BAS
RÉP DÉMOCRATIQUE ALLEMANDE
POLOGNE
BELGIQUE
RÉP FÉDÉRALE D'ALLAMAGNE
U.R.S.S.
LUXEMBOURG
TCHÉCOSLOVAQUIE
SUISSE
AUTRICHE
HONGRIE
FRANCE
ROUMANIE
YOUGOSLAVIE
ITALIE
BULGARIE
CORSE (France)
ALBANIE
SARDAIGNE (Italie)
GRÈCE
SICILE (Italie)
SVALBARD (Norvège)
FINLANDE
UNION DES RÉPUBLIQUES SOCIALISTES SOVIÉTIQUES
POLOGNE
MONGOLIE
TURQUIE
CORÉE DU NORD
JAPON
MALTE
CHYPRE
SYRIE
LIBAN
ISRAËL
IRAK
IRAN
AFGHANISTAN
CHINE
CORÉE DU SUD
JORDANIE
PAKISTAN
NÉPAL
BHOUTAN
ÉGYPTE
ARABIE SAOUDITE
BANGLADESH
TAÏWAN
HONG KONG (G.-B.)
INDE
BIRMANIE
LAOS
TCHAD
VIÊT-NAM
THAÏLANDE
PHILIPPINES
ÎLES ANDAMAN (Inde)
KAMPUCHÉA
SOUDAN
ÉTHIOPIE
SRI LANKA
RÉPUBLIQUE CENTRAFRICAINE
SOMALIE
BRUNEI
MALAISIE
OUGANDA
KENYA
MALDIVES
SINGAPOUR
RWANDA
SEYCHELLES
PAPOUASIE-NOUVELLE-GUINÉE
ZAÏRE
BURUNDI
TANZANIE
INDONÉSIE
ÎLES SALOMON
MALAWI
ZAMBIE
MOZAMBIQUE
MADAGASCAR
VANUATU
MAURICE
ZIMBABWE
IRAK
IRAN
BOTSWANA
RÉUNION
NOUVELLE-CALÉDONIE (France)
KOWEÏT
SWAZILAND
BAHREÏN
QATAR
AUSTRALIE
LESOTHO
ARABIE SAOUDITE
ÉMIRATS ARABES UNIS
OMAN
NOUVELLE-ZÉLANDE
YÉMEN
YÉMEN DÉMOCRATIQUE
ÉTHIOPIE
DJIBOUTI
SOMALIE
1 cm sur la carte équivaut à 800 km à l'équateur.

PRINCIPALES ORGANISATIONS INTERNATIONALES

- Commonwealth
- Communauté économique européenne*
- Organisation des états américains
- Ligue arabe
- Pays communistes
- Pays non-membres de ces organisations

*(C.É.E. ou Marché commun)

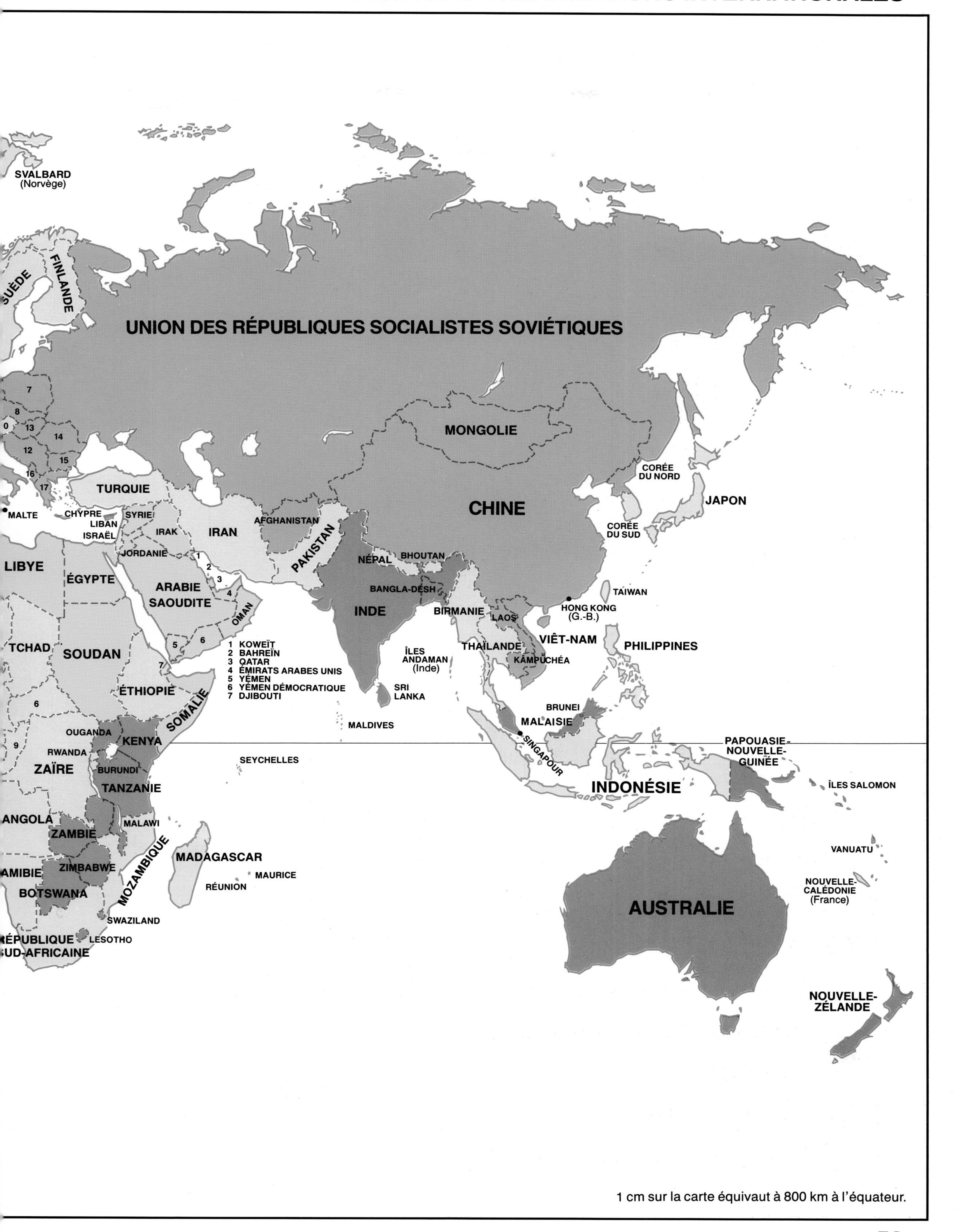
SVALBARD
(Norvège)
SUÈDE
FINLANDE
UNION DES RÉPUBLIQUES SOCIALISTES SOVIÉTIQUES
MONGOLIE
CHINE
CORÉE
DU NORD
CORÉE
DU SUD
JAPON
TURQUIE
MALTE
CHYPRE
LIBAN
ISRAËL
SYRIE
IRAK
IRAN
AFGHANISTAN
PAKISTAN
JORDANIE
LIBYE
ÉGYPTE
ARABIE
SAOUDITE
OMAN
NÉPAL
BHOUTAN
BANGLA-DESH
INDE
BIRMANIE
LAOS
TAIWAN
HONG KONG
(G.-B.)
VIÊT-NAM
THAÏLANDE
KAMPUCHÉA
PHILIPPINES
TCHAD
SOUDAN
ÉTHIOPIE
SOMALIE
1 KOWEÏT
2 BAHREÏN
3 QATAR
4 ÉMIRATS ARABES UNIS
5 YÉMEN
6 YÉMEN DÉMOCRATIQUE
7 DJIBOUTI
ÎLES
ANDAMAN
(Inde)
SRI
LANKA
MALDIVES
BRUNEI
MALAISIE
SINGAPOUR
PAPOUASIE-
NOUVELLE-
GUINÉE
INDONÉSIE
ÎLES SALOMON
OUGANDA
KENYA
RWANDA
ZAÏRE
BURUNDI
TANZANIE
SEYCHELLES
ANGOLA
ZAMBIE
MALAWI
MOZAMBIQUE
MADAGASCAR
MAURICE
RÉUNION
AMIBIE
ZIMBABWE
BOTSWANA
SWAZILAND
LESOTHO
ÉPUBLIQUE
UD-AFRICAINE
VANUATU
NOUVELLE-
CALÉDONIE
(France)
AUSTRALIE
NOUVELLE-
ZÉLANDE
1 cm sur la carte équivaut à 800 km à l'équateur.

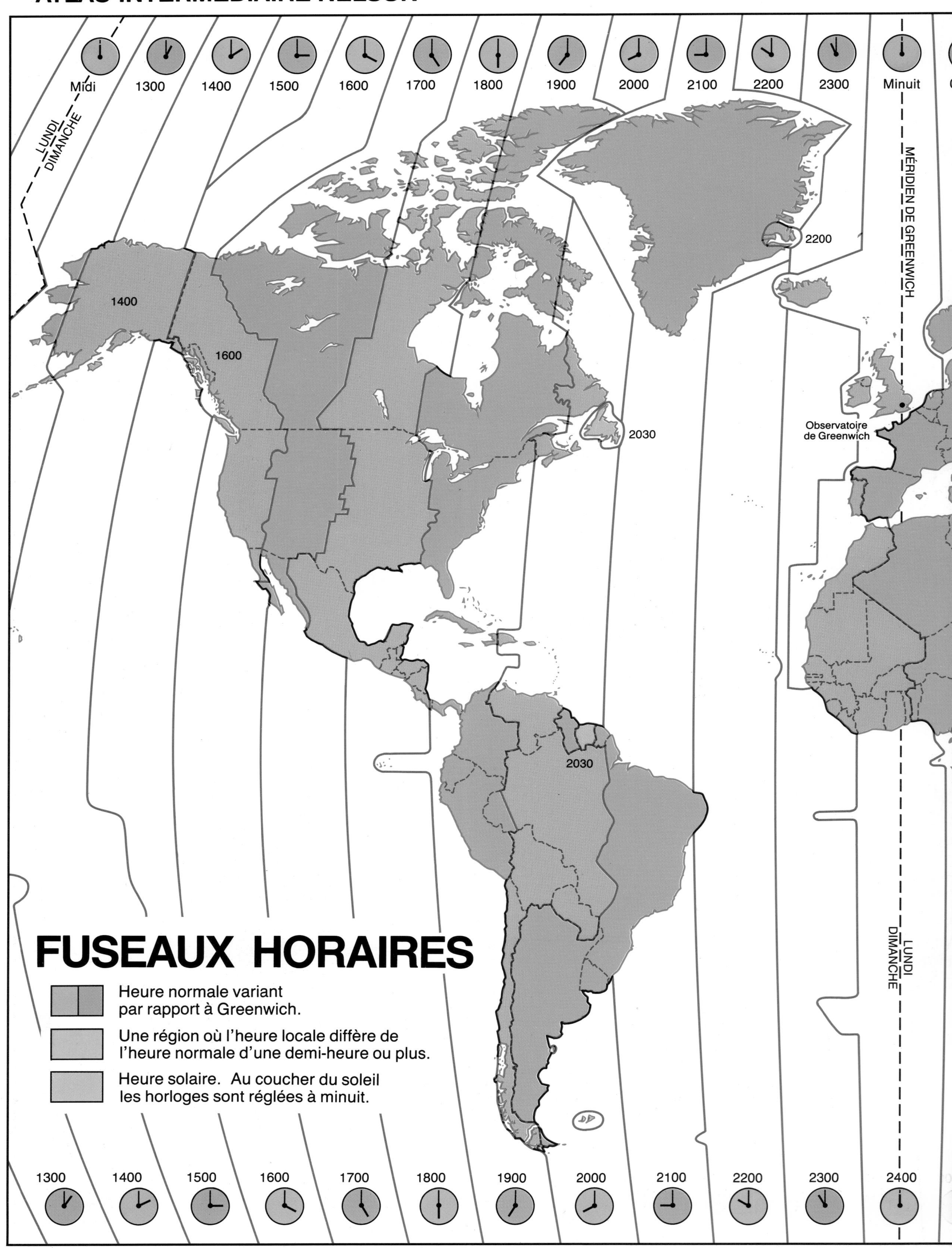

FUSEAUX HORAIRES

- Heure normale variant par rapport à Greenwich.
- Une région où l'heure locale diffère de l'heure normale d'une demi-heure ou plus.
- Heure solaire. Au coucher du soleil les horloges sont réglées à minuit.

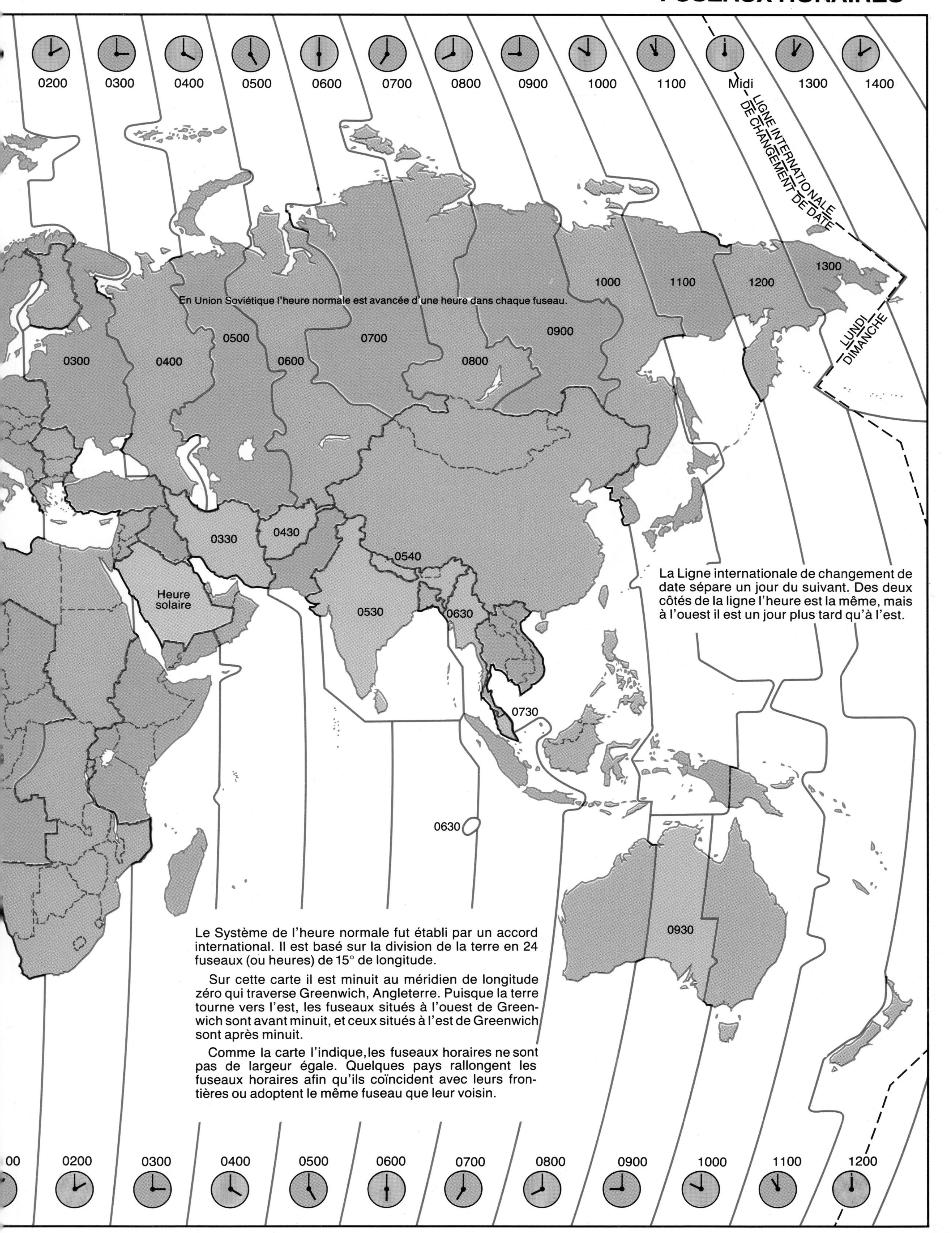

La Ligne internationale de changement de date sépare un jour du suivant. Des deux côtés de la ligne l'heure est la même, mais à l'ouest il est un jour plus tard qu'à l'est.

Le Système de l'heure normale fut établi par un accord international. Il est basé sur la division de la terre en 24 fuseaux (ou heures) de 15° de longitude.

Sur cette carte il est minuit au méridien de longitude zéro qui traverse Greenwich, Angleterre. Puisque la terre tourne vers l'est, les fuseaux situés à l'ouest de Greenwich sont avant minuit, et ceux situés à l'est de Greenwich sont après minuit.

Comme la carte l'indique, les fuseaux horaires ne sont pas de largeur égale. Quelques pays rallongent les fuseaux horaires afin qu'ils coïncident avec leurs frontières ou adoptent le même fuseau que leur voisin.

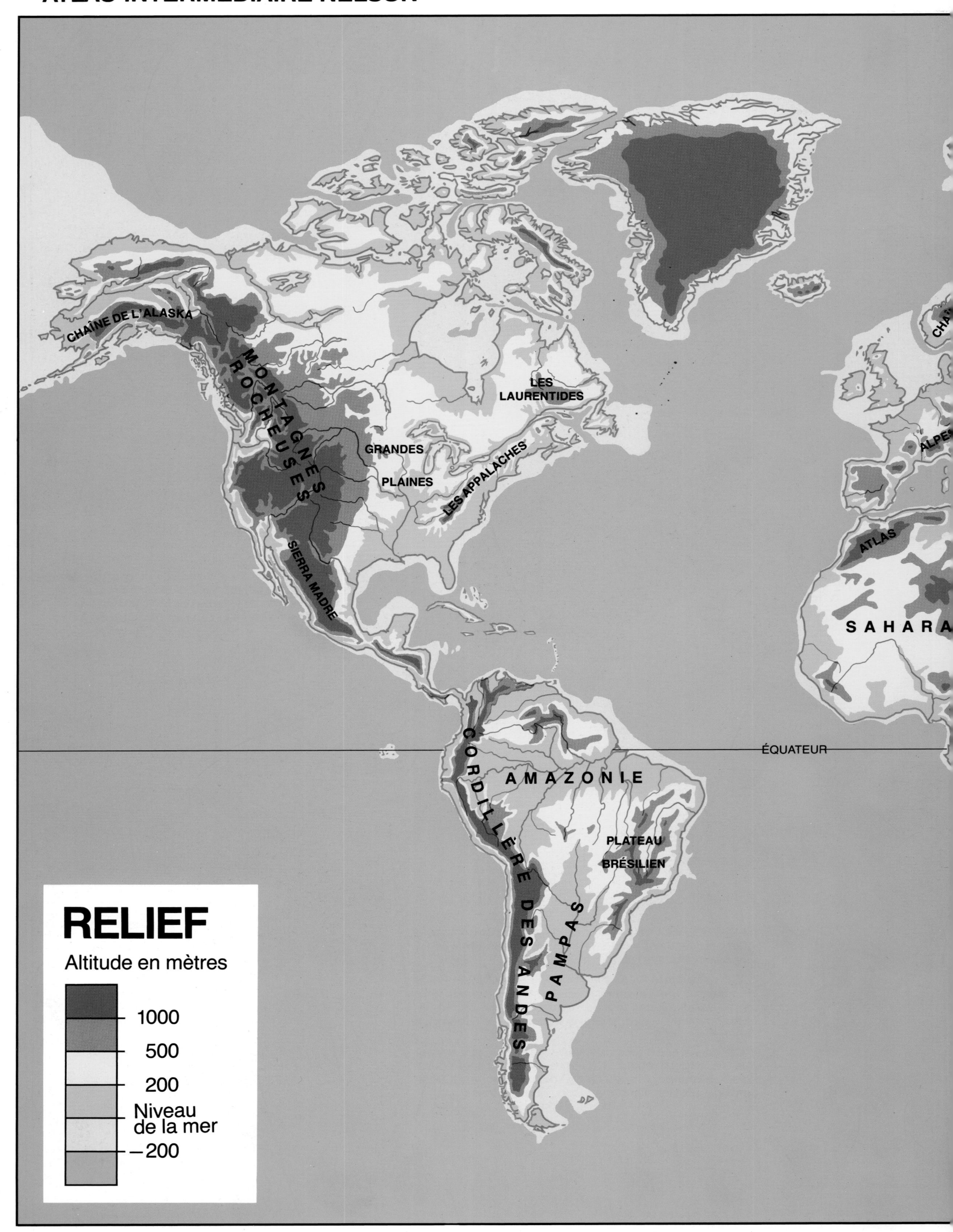

CHAÎNE DE L'ALASKA
MONTAGNES ROCHEUSES
LES LAURENTIDES
GRANDES PLAINES
LES APPALACHES
SIERRA MADRE
ATLAS
ALPES
SAHARA
ÉQUATEUR
AMAZONIE
CORDILLÈRE DES ANDES
PLATEAU BRÉSILIEN
PAMPAS
RELIEF
Altitude en mètres
1000
500
200
Niveau de la mer
–200

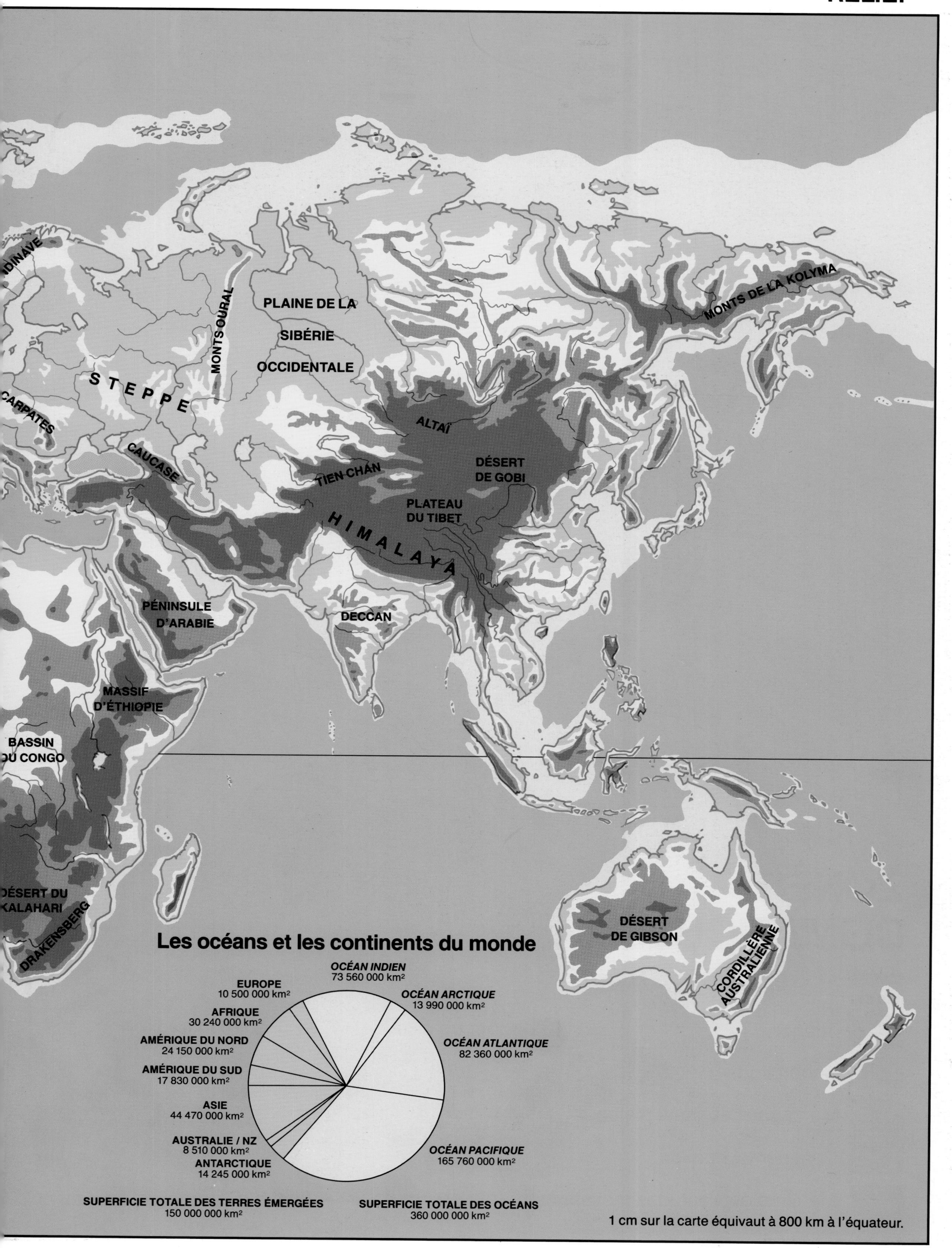

PLAINE DE LA
SIBÉRIE
OCCIDENTALE
MONTS OURAL
STEPPE
CARPATES
CAUCASE
ALTAÏ
DÉSERT
DE GOBI
TIEN CHAN
PLATEAU
DU TIBET
HIMALAYA
MONTS DE LA KOLYMA
PÉNINSULE
D'ARABIE
DECCAN
MASSIF
D'ÉTHIOPIE
BASSIN
DU CONGO
DÉSERT DU
KALAHARI
DRAKENSBERG
DÉSERT
DE GIBSON
CORDILLÈRE
AUSTRALIENNE
Les océans et les continents du monde
OCÉAN INDIEN
73 560 000 km²
EUROPE
10 500 000 km²
OCÉAN ARCTIQUE
13 990 000 km²
AFRIQUE
30 240 000 km²
AMÉRIQUE DU NORD
24 150 000 km²
OCÉAN ATLANTIQUE
82 360 000 km²
AMÉRIQUE DU SUD
17 830 000 km²
ASIE
44 470 000 km²
AUSTRALIE / NZ
8 510 000 km²
ANTARCTIQUE
14 245 000 km²
OCÉAN PACIFIQUE
165 760 000 km²
SUPERFICIE TOTALE DES TERRES ÉMERGÉES
150 000 000 km²
SUPERFICIE TOTALE DES OCÉANS
360 000 000 km²
1 cm sur la carte équivaut à 800 km à l'équateur.

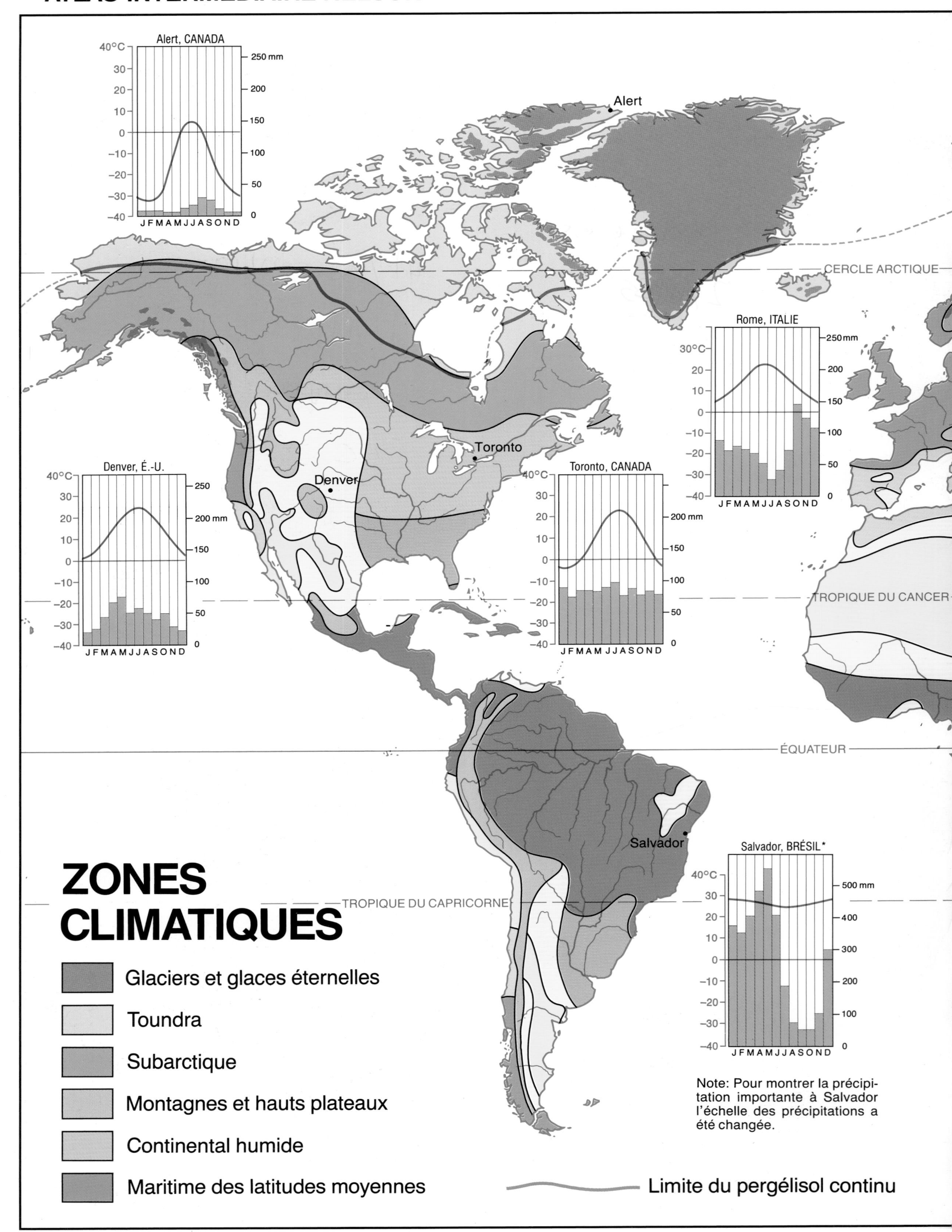
ZONES CLIMATIQUES
Alert, CANADA
Rome, ITALIE
Denver, É.-U.
Toronto, CANADA
Salvador, BRÉSIL*
Alert
Toronto
Denver
Salvador
CERCLE ARCTIQUE
TROPIQUE DU CANCER
ÉQUATEUR
TROPIQUE DU CAPRICORNE
J F M A M J J A S O N D
40°C
250 mm
500 mm
Glaciers et glaces éternelles
Toundra
Subarctique
Montagnes et hauts plateaux
Continental humide
Maritime des latitudes moyennes
Limite du pergélisol continu
Note: Pour montrer la précipitation importante à Salvador l'échelle des précipitations a été changée.

Salvador
Tropique du
Capricorn

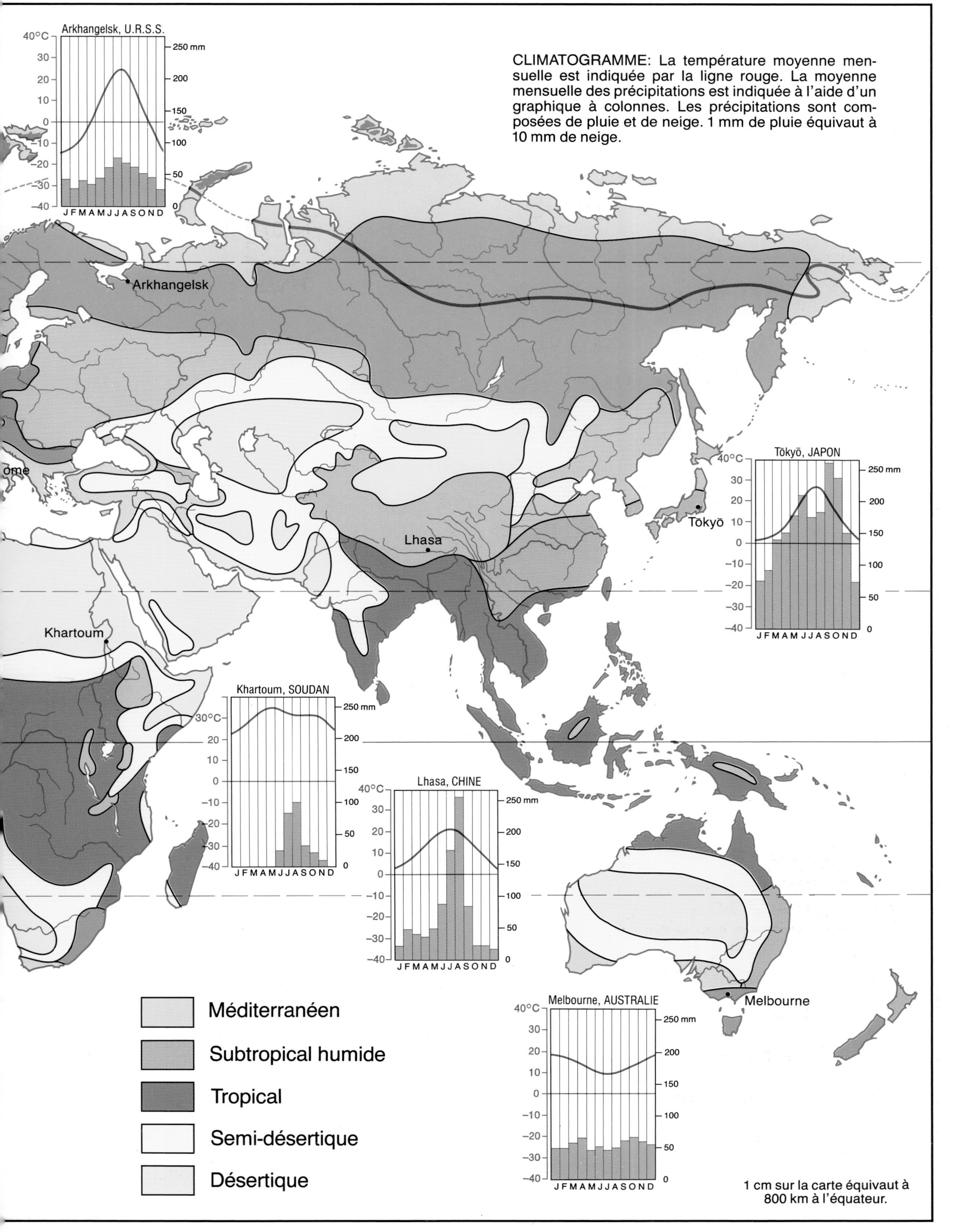

CLIMATOGRAMME: La température moyenne mensuelle est indiquée par la ligne rouge. La moyenne mensuelle des précipitations est indiquée à l'aide d'un graphique à colonnes. Les précipitations sont composées de pluie et de neige. 1 mm de pluie équivaut à 10 mm de neige.
Arkhangelsk, U.R.S.S.
Tōkyō, JAPON
Khartoum, SOUDAN
Lhasa, CHINE
Melbourne, AUSTRALIE
40°C
30
20
10
0
−10
−20
−30
−40
250 mm
200
150
100
50
0
J F M A M J J A S O N D
Arkhangelsk
Tōkyō
Lhasa
Khartoum
Melbourne
Méditerranéen
Subtropical humide
Tropical
Semi-désertique
Désertique
1 cm sur la carte équivaut à 800 km à l'équateur.

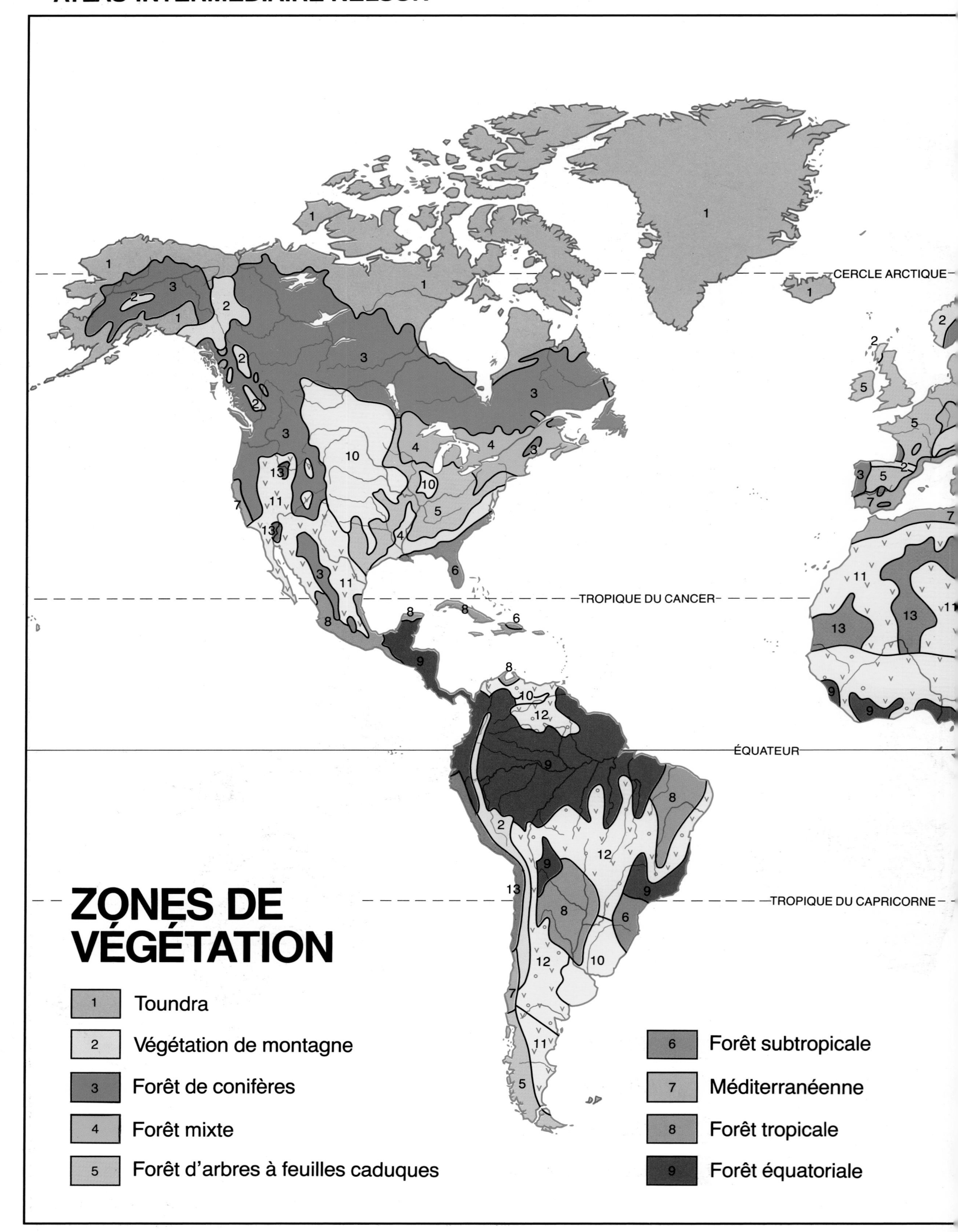
CERCLE ARCTIQUE
TROPIQUE DU CANCER
ÉQUATEUR
TROPIQUE DU CAPRICORNE
ZONES DE VÉGÉTATION
1 Toundra
2 Végétation de montagne
3 Forêt de conifères
4 Forêt mixte
5 Forêt d'arbres à feuilles caduques
6 Forêt subtropicale
7 Méditerranéenne
8 Forêt tropicale
9 Forêt équatoriale

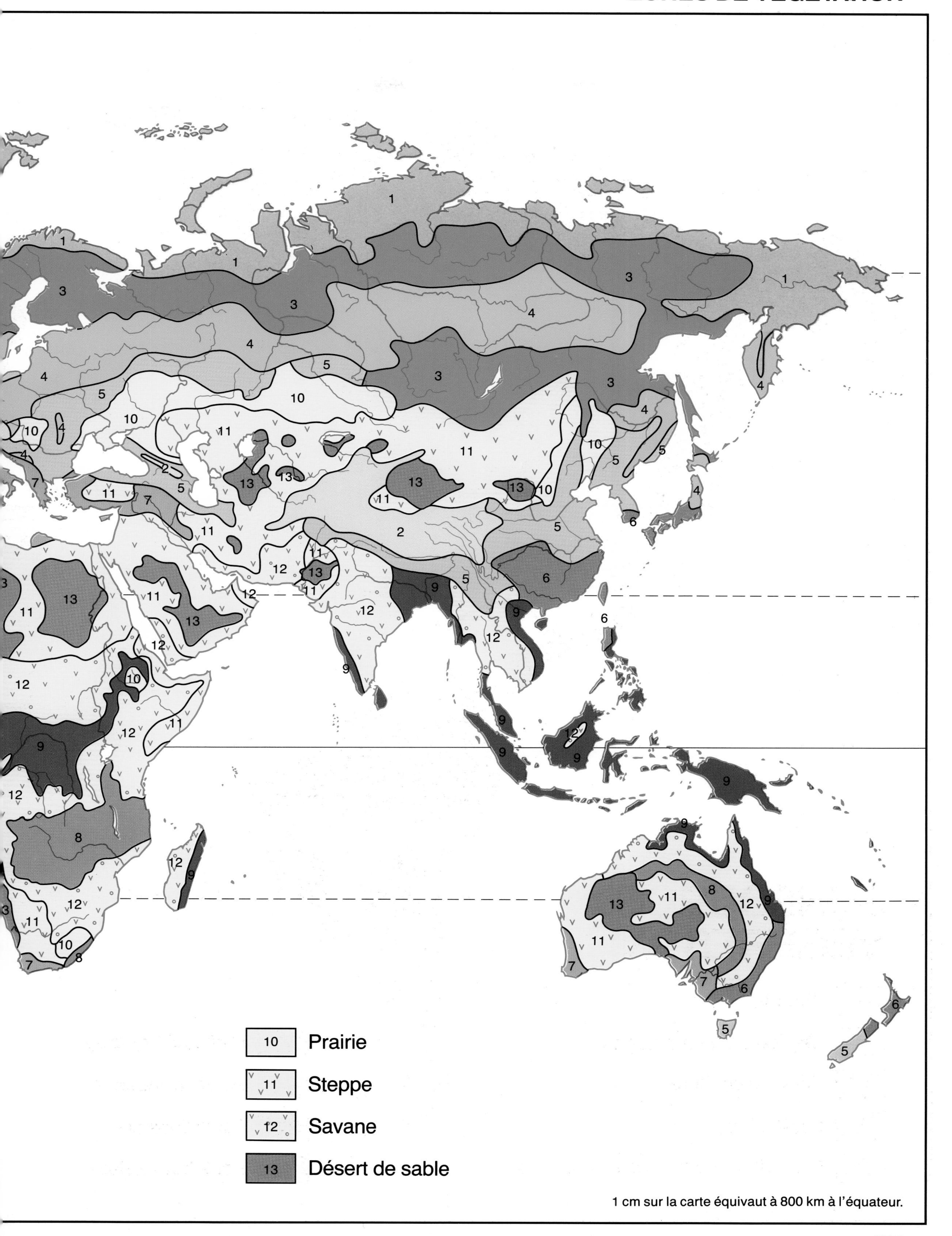

10 Prairie
11 Steppe
12 Savane
13 Désert de sable
1 cm sur la carte équivaut à 800 km à l'équateur.

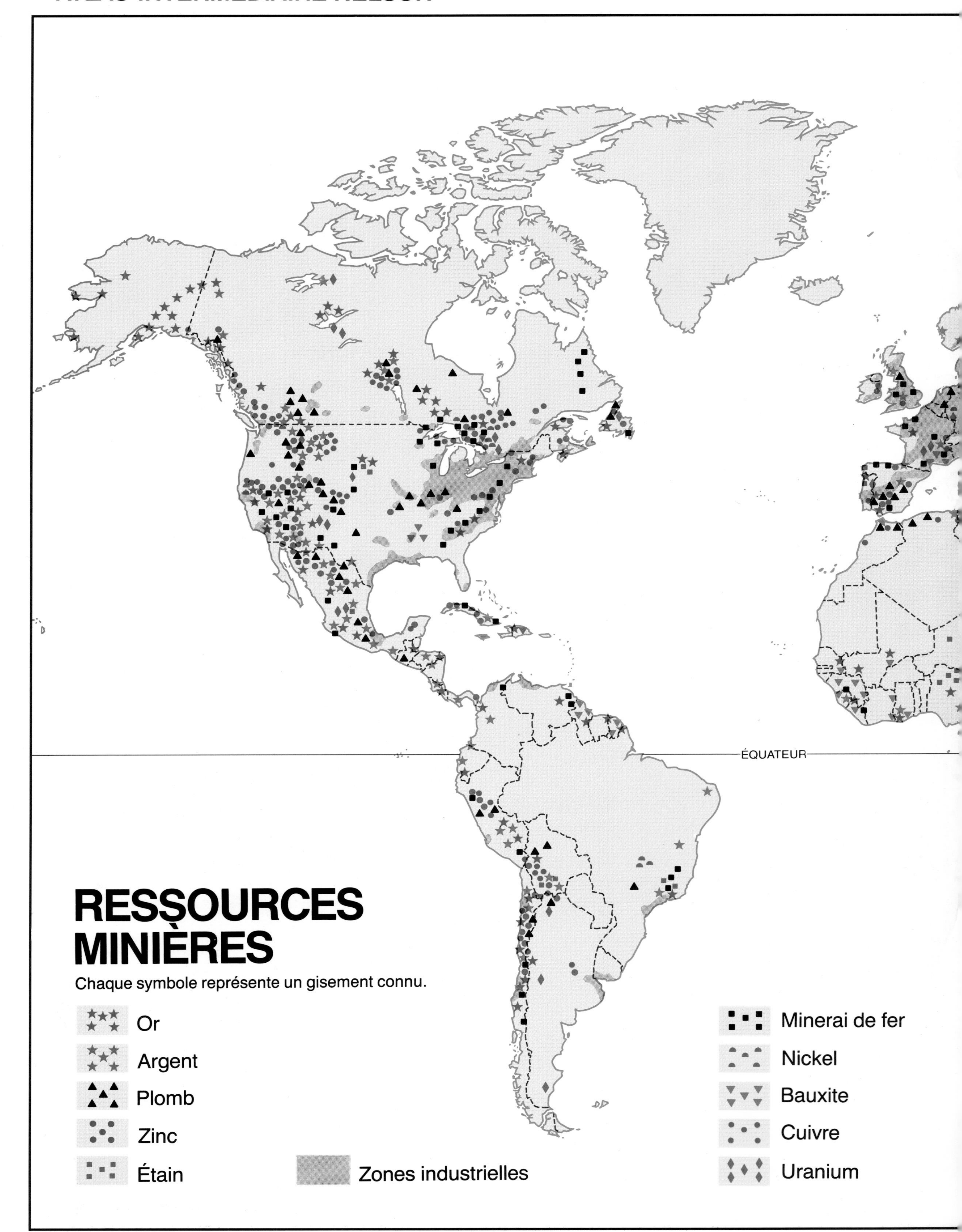
ÉQUATEUR
RESSOURCES MINIÈRES
Chaque symbole représente un gisement connu.
Or
Argent
Plomb
Zinc
Étain
Zones industrielles
Minerai de fer
Nickel
Bauxite
Cuivre
Uranium

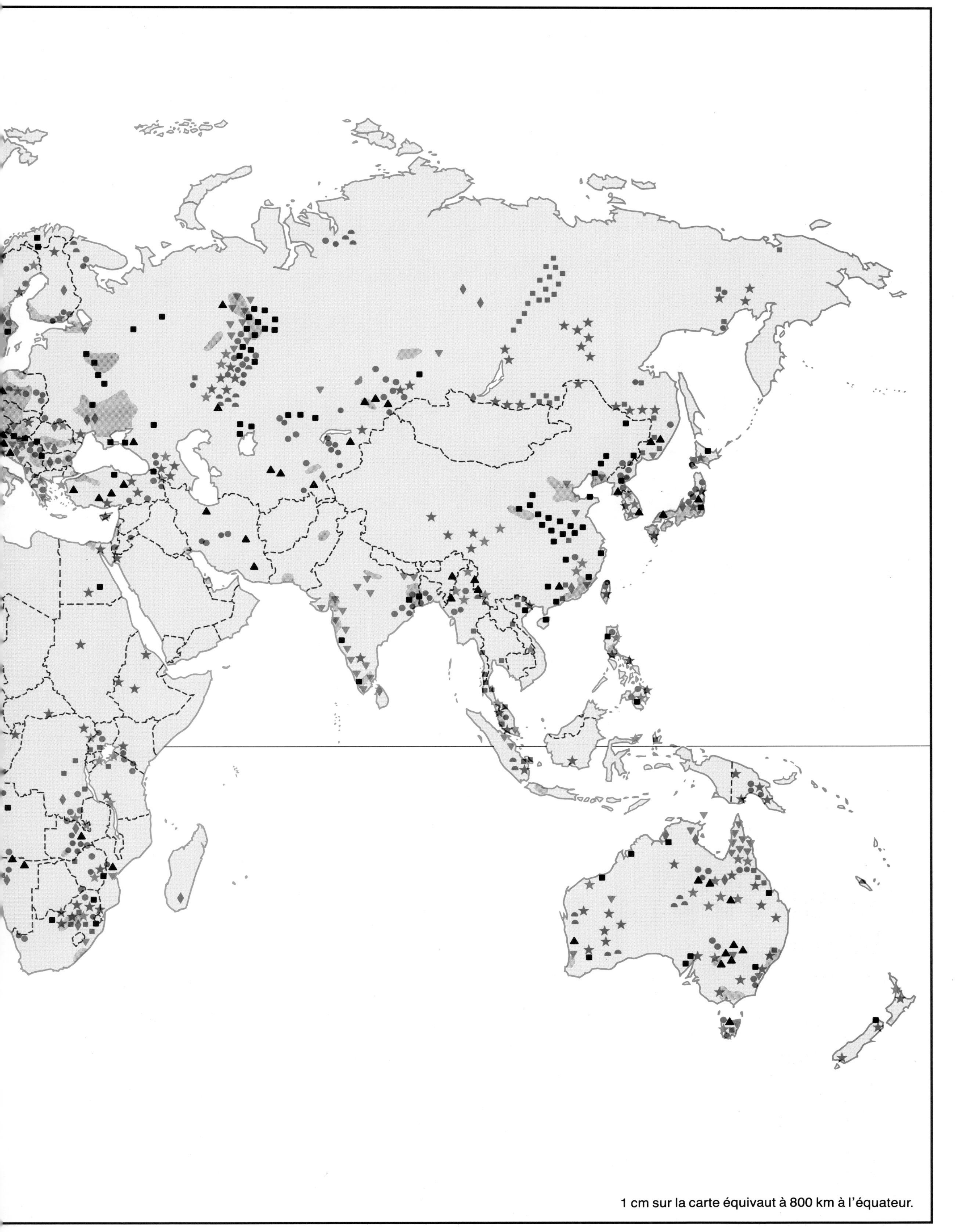
1 cm sur la carte équivaut à 800 km à l'équateur.

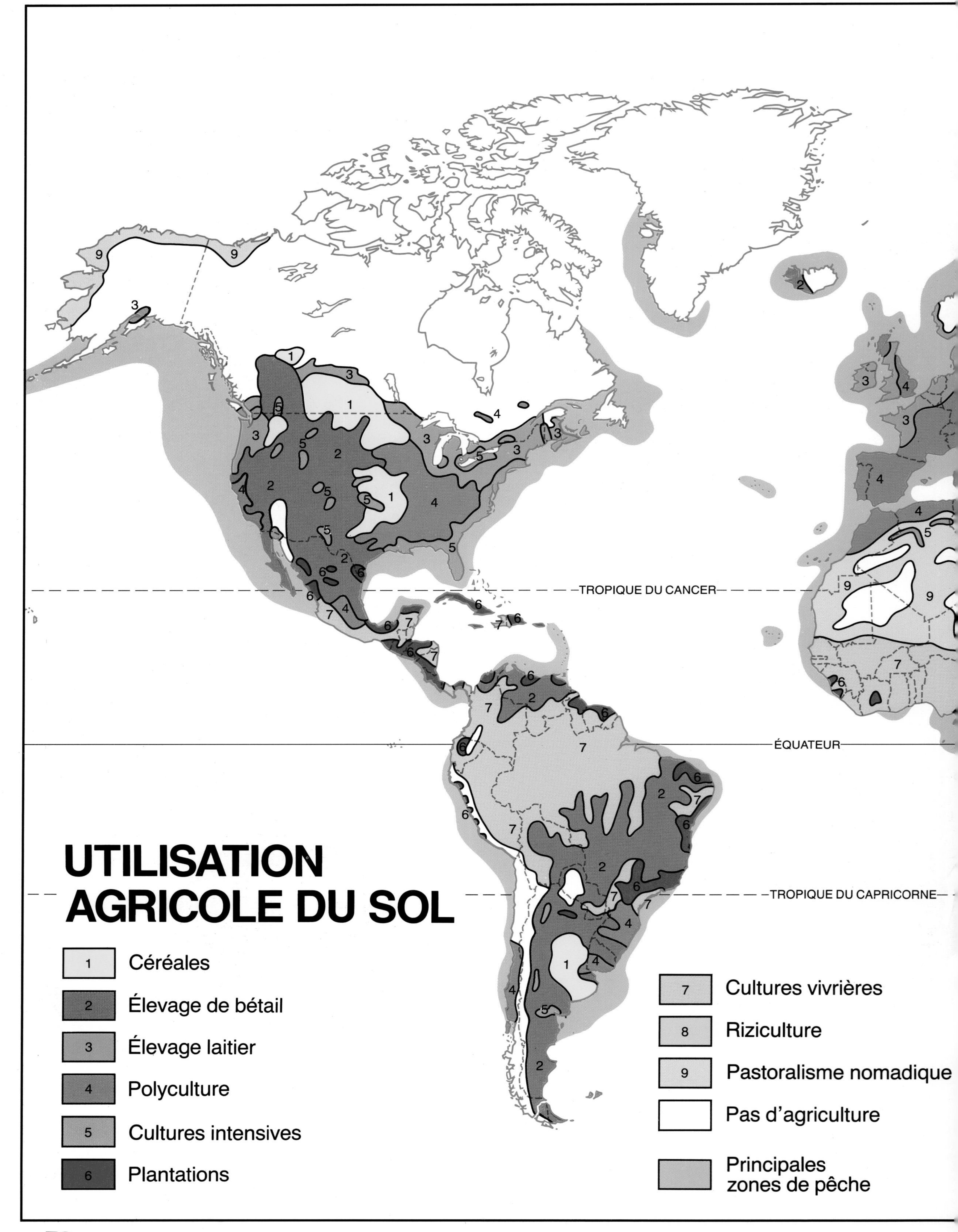
TROPIQUE DU CANCER
ÉQUATEUR
TROPIQUE DU CAPRICORNE
UTILISATION AGRICOLE DU SOL
1 Céréales
2 Élevage de bétail
3 Élevage laitier
4 Polyculture
5 Cultures intensives
6 Plantations
7 Cultures vivrières
8 Riziculture
9 Pastoralisme nomadique
Pas d'agriculture
Principales zones de pêche

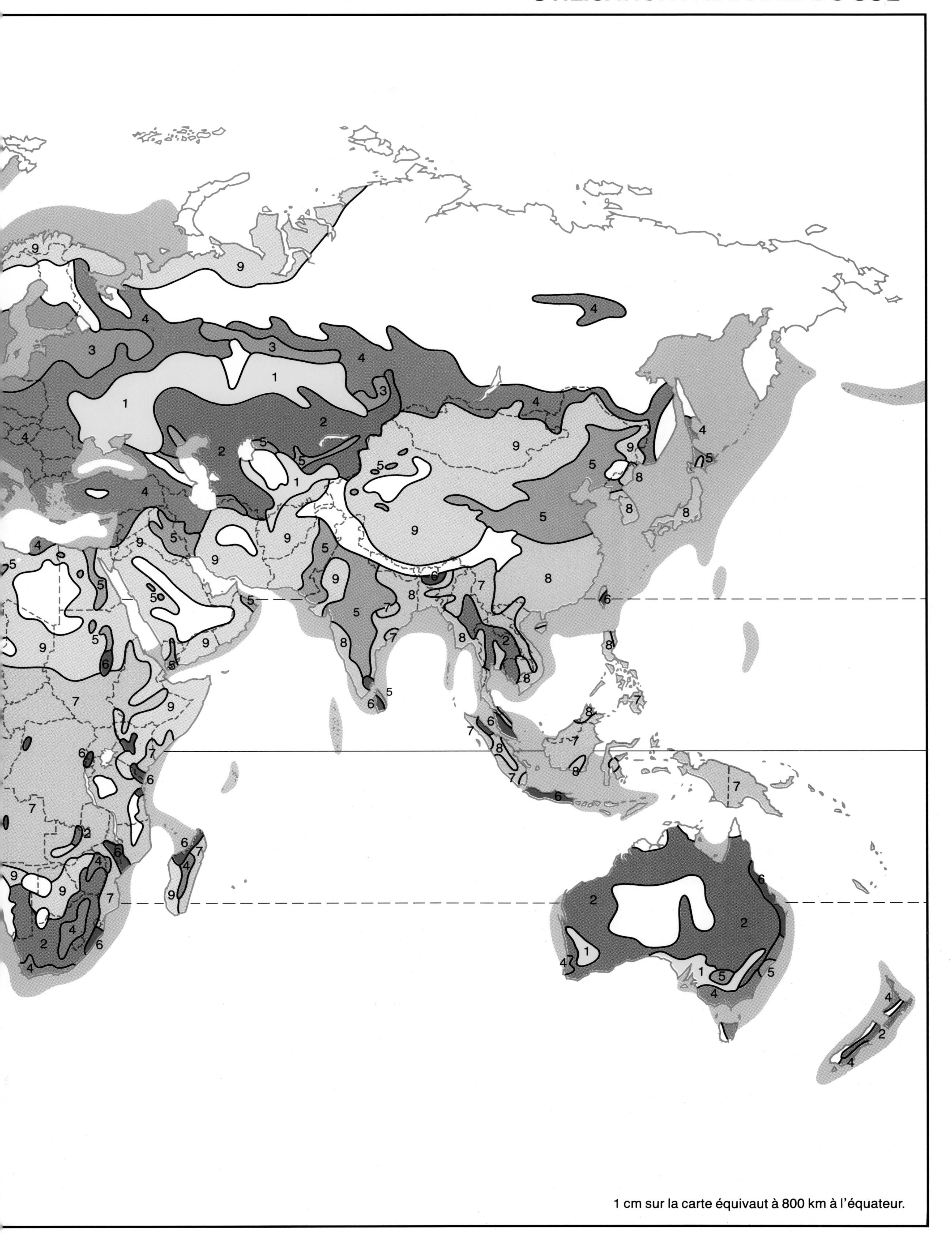
1 cm sur la carte équivaut à 800 km à l'équateur.

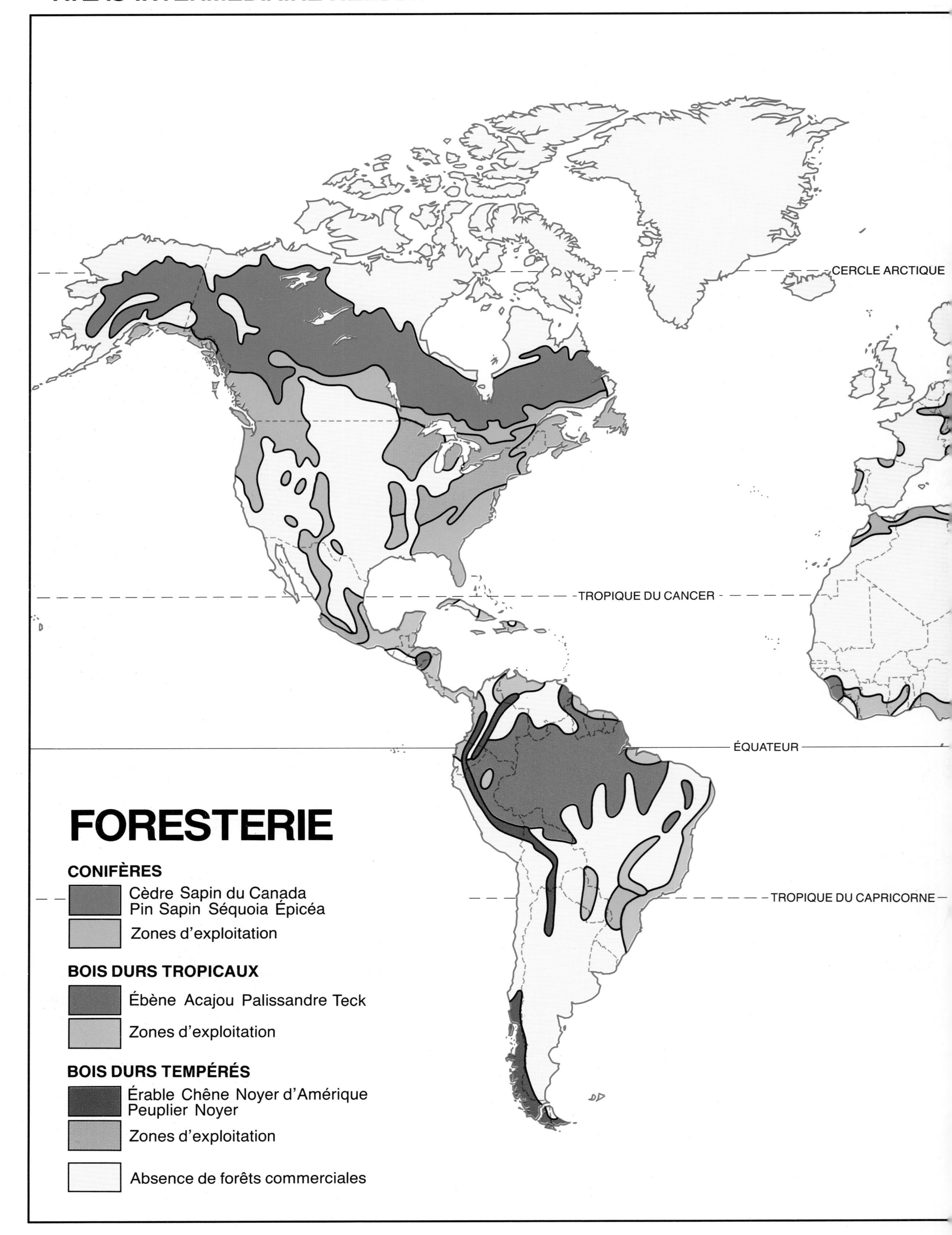
CERCLE ARCTIQUE
TROPIQUE DU CANCER
ÉQUATEUR
TROPIQUE DU CAPRICORNE
FORESTERIE
CONIFÈRES
Cèdre Sapin du Canada
Pin Sapin Séquoia Épicéa
Zones d'exploitation
BOIS DURS TROPICAUX
Ébène Acajou Palissandre Teck
Zones d'exploitation
BOIS DURS TEMPÉRÉS
Érable Chêne Noyer d'Amérique
Peuplier Noyer
Zones d'exploitation
Absence de forêts commerciales

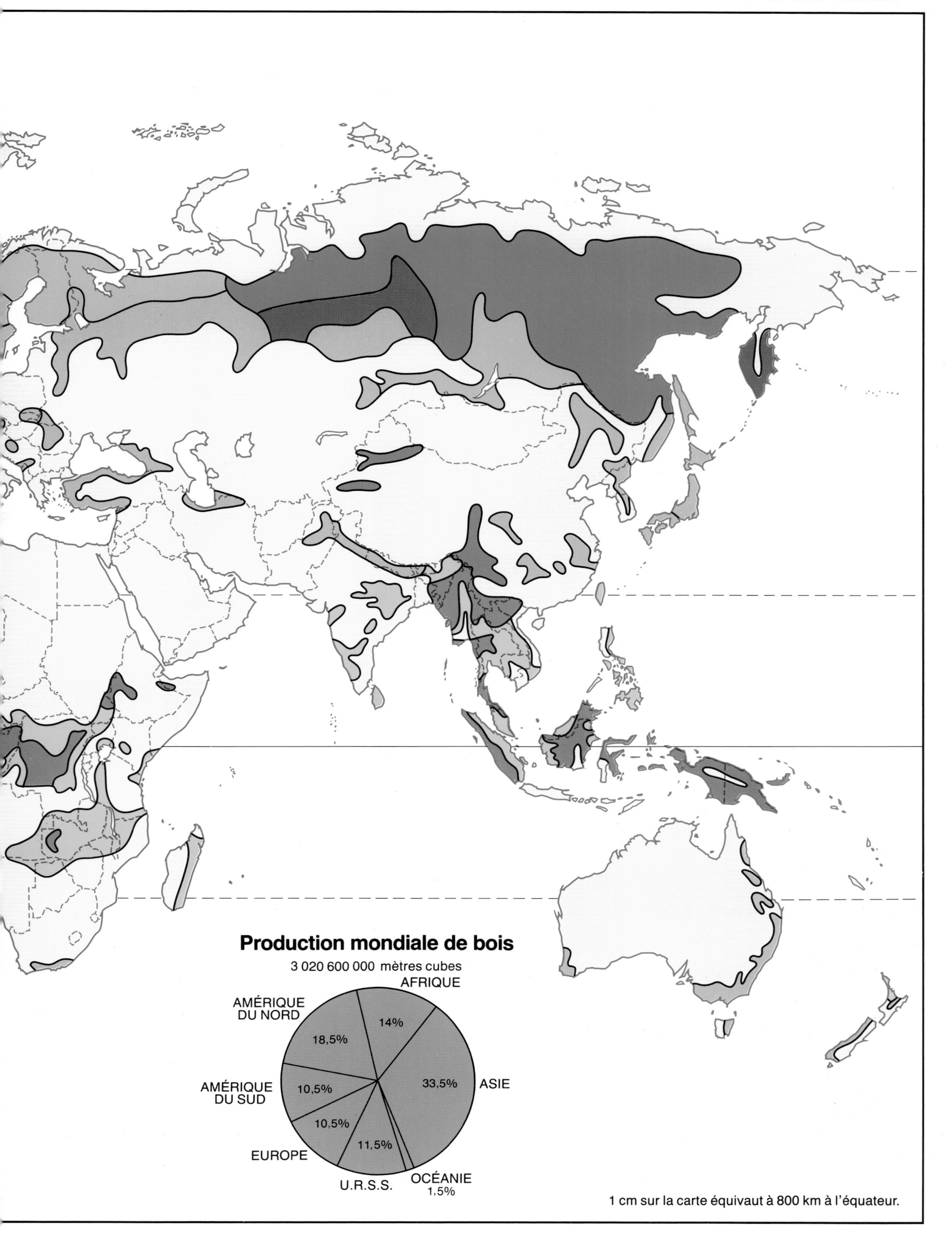
Production mondiale de bois
3 020 600 000 mètres cubes
AFRIQUE
14%
AMÉRIQUE DU NORD
18,5%
AMÉRIQUE DU SUD
10,5%
ASIE
33,5%
EUROPE
10,5%
U.R.S.S.
11,5%
OCÉANIE
1,5%
1 cm sur la carte équivaut à 800 km à l'équateur.

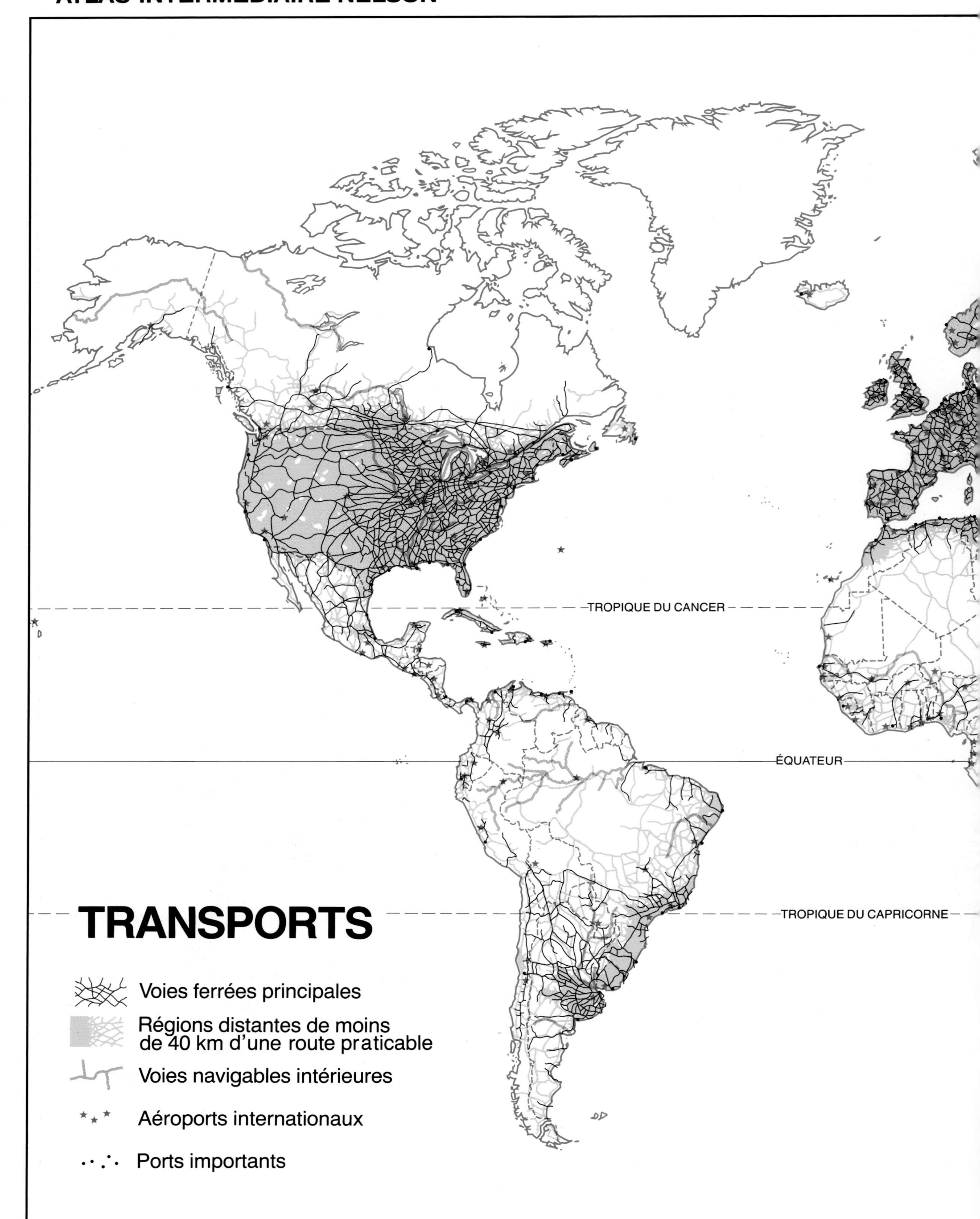
TROPIQUE DU CANCER
ÉQUATEUR
TROPIQUE DU CAPRICORNE
TRANSPORTS
Voies ferrées principales
Régions distantes de moins de 40 km d'une route praticable
Voies navigables intérieures
Aéroports internationaux
Ports importants

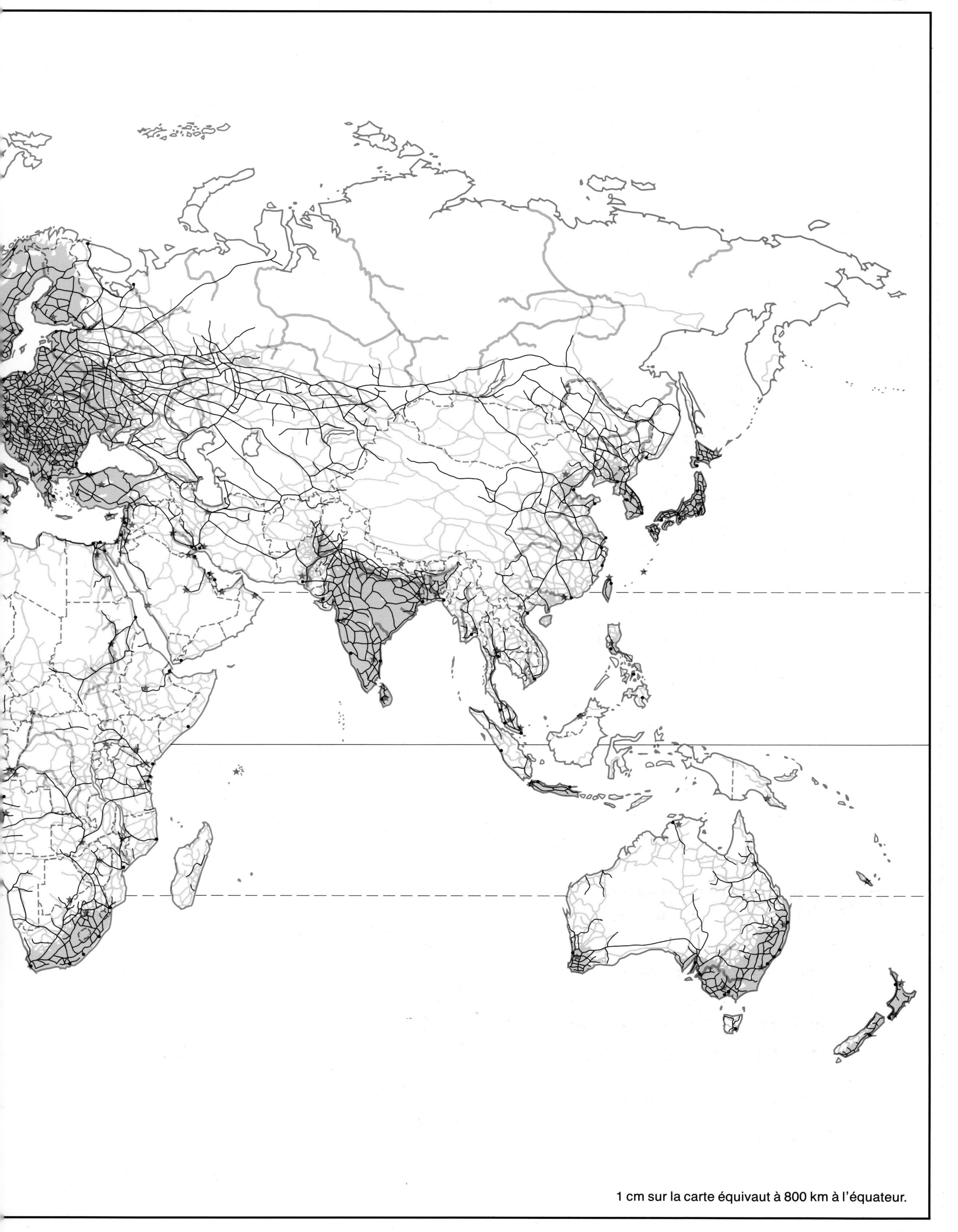
1 cm sur la carte équivaut à 800 km à l'équateur.

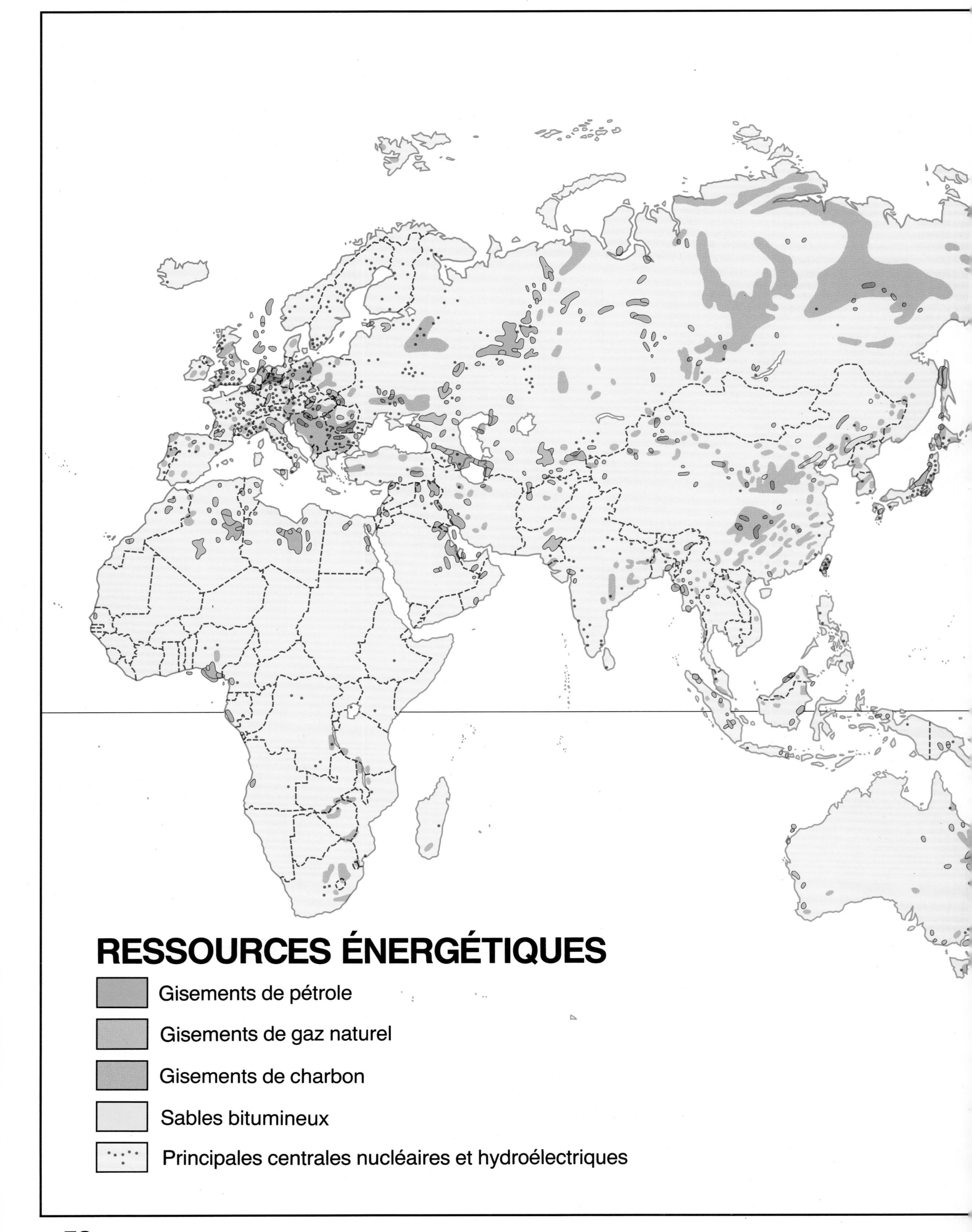
RESSOURCES ÉNERGÉTIQUES
Gisements de pétrole
Gisements de gaz naturel
Gisements de charbon
Sables bitumineux
Principales centrales nucléaires et hydroélectriques

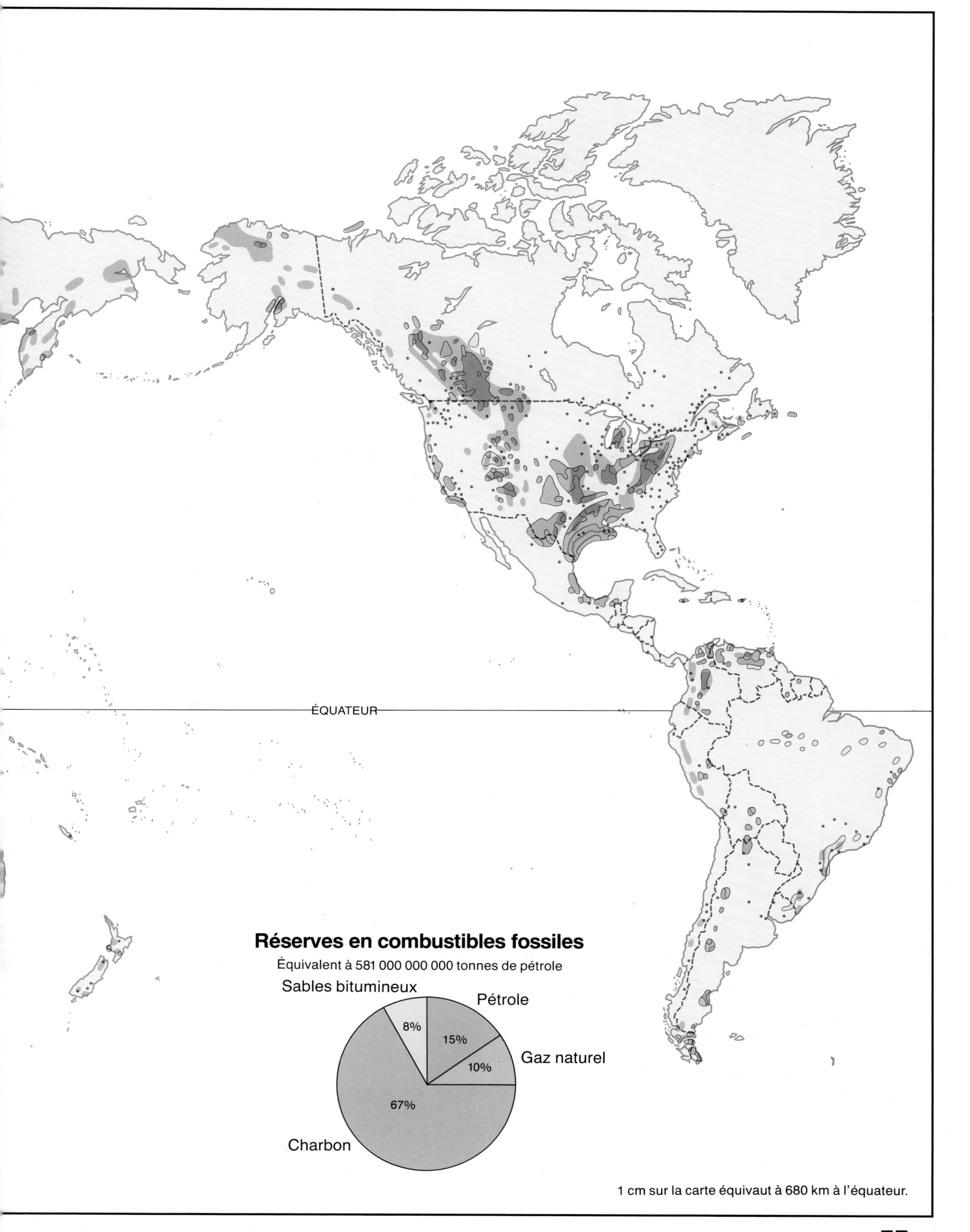
ÉQUATEUR
Réserves en combustibles fossiles
Équivalent à 581 000 000 000 tonnes de pétrole
Sables bitumineux
8%
Pétrole
15%
Gaz naturel
10%
67%
Charbon
1 cm sur la carte équivaut à 680 km à l'équateur.

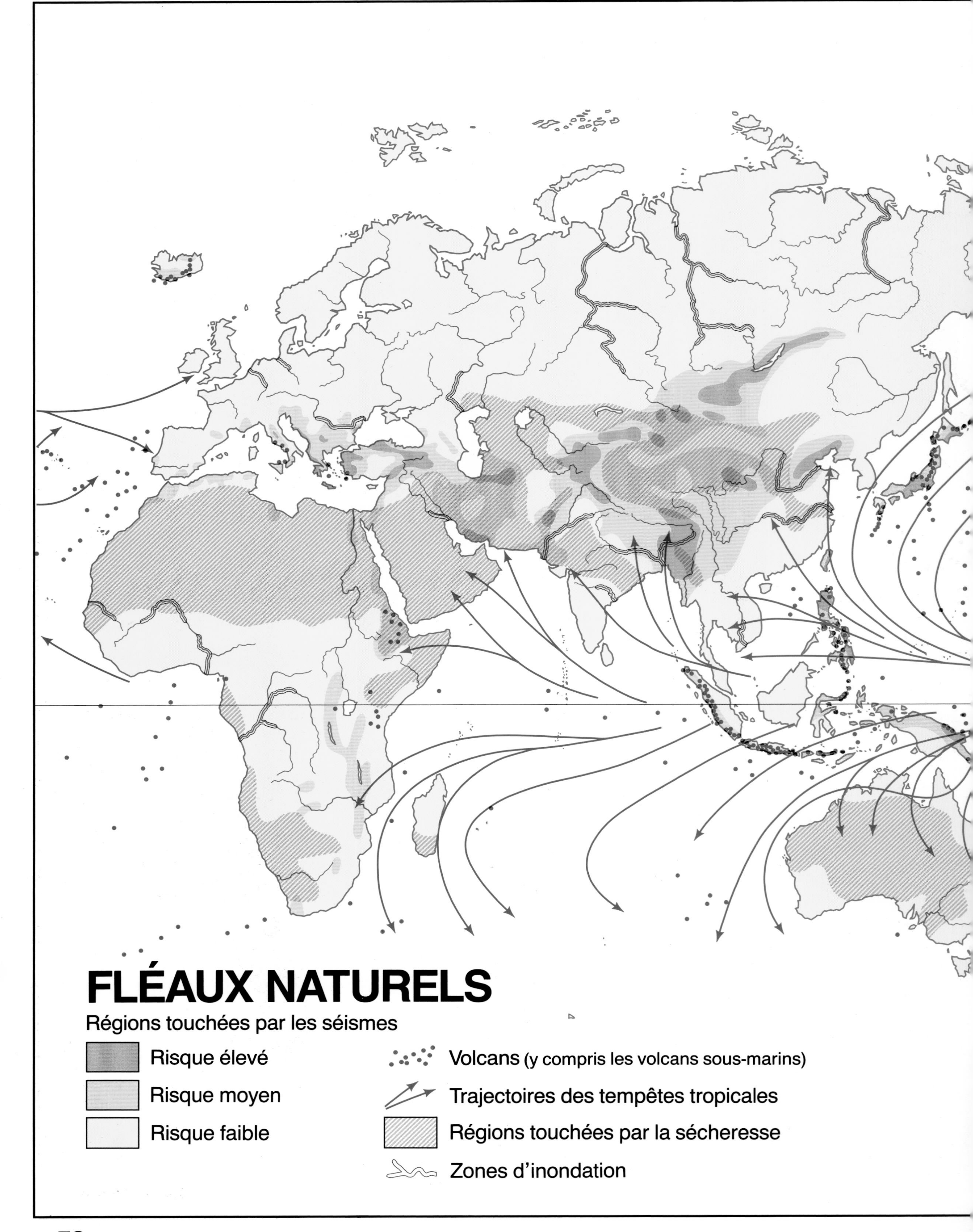

FLÉAUX NATURELS
Régions touchées par les séismes
Risque élevé
Risque moyen
Risque faible
Volcans (y compris les volcans sous-marins)
Trajectoires des tempêtes tropicales
Régions touchées par la sécheresse
Zones d'inondation

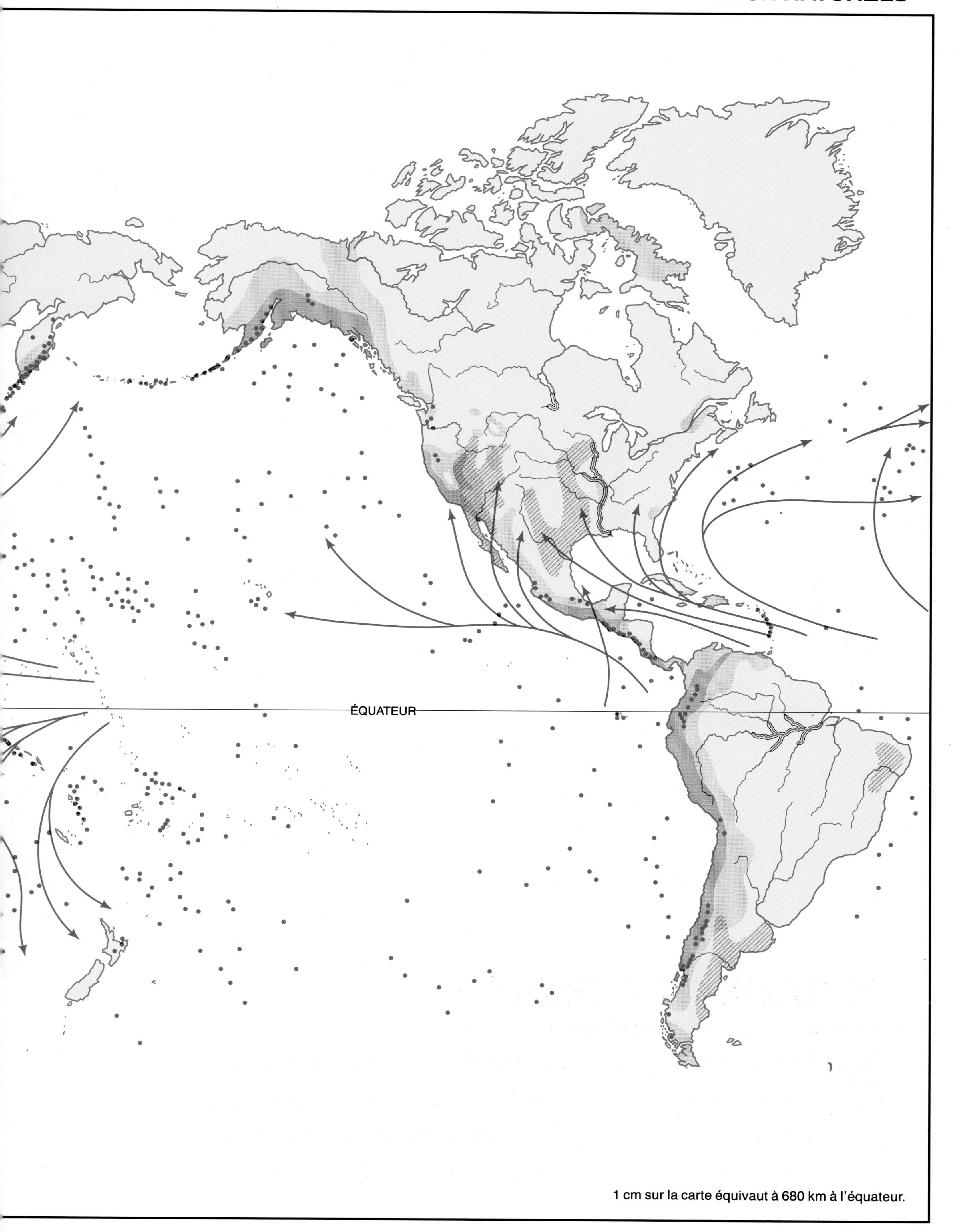
ÉQUATEUR
1 cm sur la carte équivaut à 680 km à l'équateur.

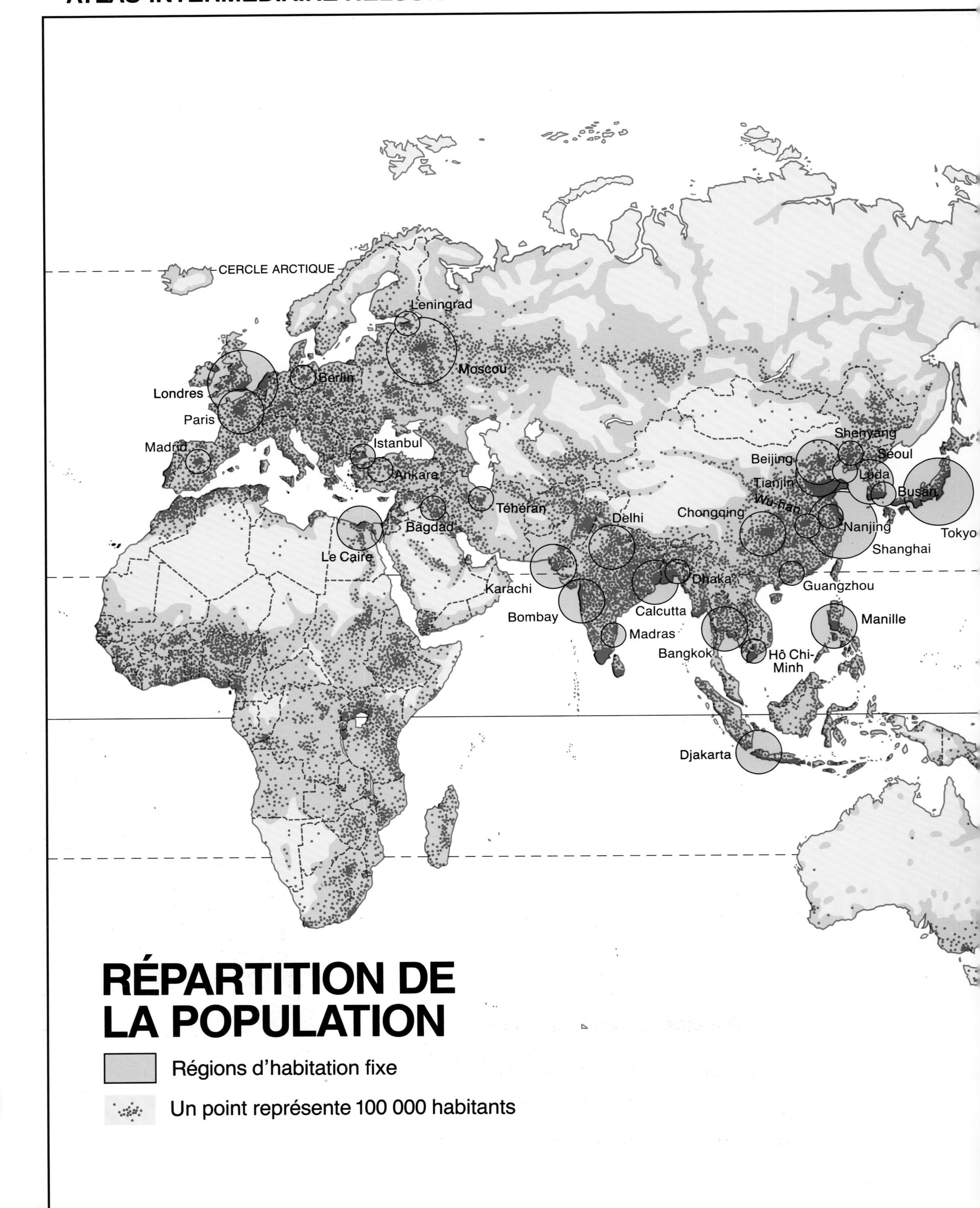

RÉPARTITION DE LA POPULATION

Régions d'habitation fixe

Un point représente 100 000 habitants

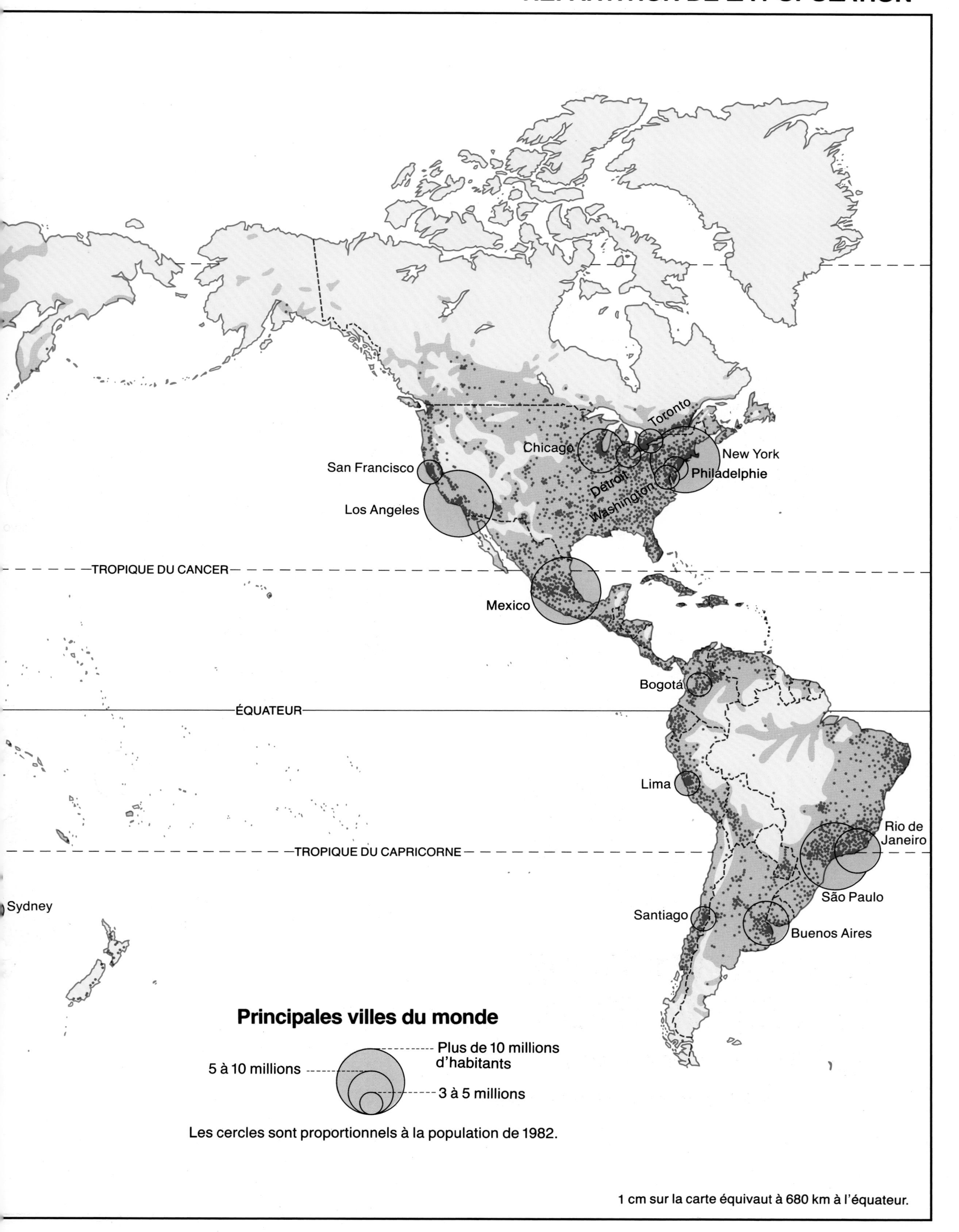
Toronto
Chicago
New York
Detroit
Philadelphie
Washington
San Francisco
Los Angeles
TROPIQUE DU CANCER
Mexico
Bogotá
ÉQUATEUR
Lima
Rio de Janeiro
TROPIQUE DU CAPRICORNE
São Paulo
Sydney
Santiago
Buenos Aires
Principales villes du monde
Plus de 10 millions d'habitants
5 à 10 millions
3 à 5 millions
Les cercles sont proportionnels à la population de 1982.
1 cm sur la carte équivaut à 680 km à l'équateur.

ISLANDE
GROENLAND
(Danemark)
MER DU GROENLAND
MÉRIDIEN D'ORIGINE
Nuuk
MER DU LABRADOR
TERRE-NEUVE
St. John's
SAINT-PIERRE-ET-MIQUELON
(France)
NOUVELLE-ÉCOSSE
Charlottetown
Î.-P.-É.
N.-B.
Fredericton
Québec
QUÉBEC
BAIE D'HUDSON
ONTARIO
PÔLE NORD
Pôle Nord magnétique
CERCLE ARCTIQUE
TERRITOIRES DU NORD-OUEST
CANADA
MANITOBA
Winnipeg
SASKATCHEWAN
Regina
Yellowknife
OCÉAN ARCTIQUE
MER DE BEAUFORT
ALBERTA
Edmonton
LIGNE DE CHANGEMENT DE DATE
TERRITOIRE DU YUKON
Whitehorse
COLOMBIE-BRITANNIQUE
WASHINGTON
Olympia
Victoria
MONTANA
ALASKA
(États-Unis)
Juneau
GOLFE DE L'ALASKA
U.R.S.S.
N

ÉTATS-UNIS
MEXIQUE
AMÉRIQUE DU SUD
OCÉAN ATLANTIQUE
OCÉAN PACIFIQUE
GOLFE DU MEXIQUE
MER DES CARAÏBES
TROPIQUE DU CANCER
Latitude nord
Longitude ouest
BERMUDES (R.-U.) Hamilton
PORTO RICO (É.-U.) San Juan
RÉPUBLIQUE DOMINICAINE Saint-Domingue
HAÏTI Port-au-Prince
JAMAÏQUE Kingston
BAHAMAS Nassau
CUBA La Havane
BELIZE Belmopan
GUATEMALA Guatemala
EL SALVADOR San Salvador
HONDURAS Tegucigalpa
NICARAGUA Managua
COSTA RICA San José
PANAMÁ Panamá
Mexico
Ottawa
Toronto
CALIFORNIE Sacramento
NEVADA Carson City
Boise
UTAH Salt Lake City
ARIZONA Phoenix
WYOMING Cheyenne
COLORADO Denver
NOUVEAU-MEXIQUE Santa Fe
DAKOTA DU SUD Pierre
NEBRASKA Lincoln
KANSAS Topeka
OKLAHOMA Oklahoma City
TEXAS Austin
IOWA Des Moines
MISSOURI Jefferson City
ARKANSAS Little Rock
LOUISIANE Bâton-Rouge
WISCONSIN Madison
St-Paul
ILLINOIS Springfield
MISS. Jackson
MICHIGAN Lansing
INDIANA Indianapolis
KENTUCKY Frankfort
TENNESSEE Nashville
ALABAMA Montgomery
GÉORGIE Atlanta
FLORIDE Tallahassee
OHIO Columbus
W.V. Charleston
VIRGINIE Richmond
CAROLINE DU NORD Raleigh
CAROLINE DU SUD Columbia
PENNSYLVANIE Harrisburg
NEW YORK Albany
D.C. Washington
MD. Annapolis
DEL. Dover
N.J. Trenton
CONN. Hartford
R.I. Providence
MASS. Boston
N.H. Concord
VT. Montpelier
1 cm sur la carte équivaut à 220 km.
0 500 1000 1500
KILOMÈTRES
HAWAÏ (capitale: Honolulu) n'apparaît pas sur cette carte.
Capitale nationale
Capitale d'état, provinciale ou territoriale
Frontière internationale
Frontière d'état, provinciale ou territoriale
Abréviations
N.-B. NOUVEAU-BRUNSWICK
Î.-P.-É. ÎLE-DU-PRINCE-ÉDOUARD
VT. VERMONT
N.H. NEW HAMPSHIRE
MASS. MASSACHUSETTS
R.I. RHODE ISLAND
CONN. CONNECTICUT
N.J. NEW JERSEY
DEL. DELAWARE
V.O. VIRGINIE OCCIDENTALE
MD. MARYLAND
D.C. DISTRICT DE COLUMBIA
MISS. MISSISSIPPI

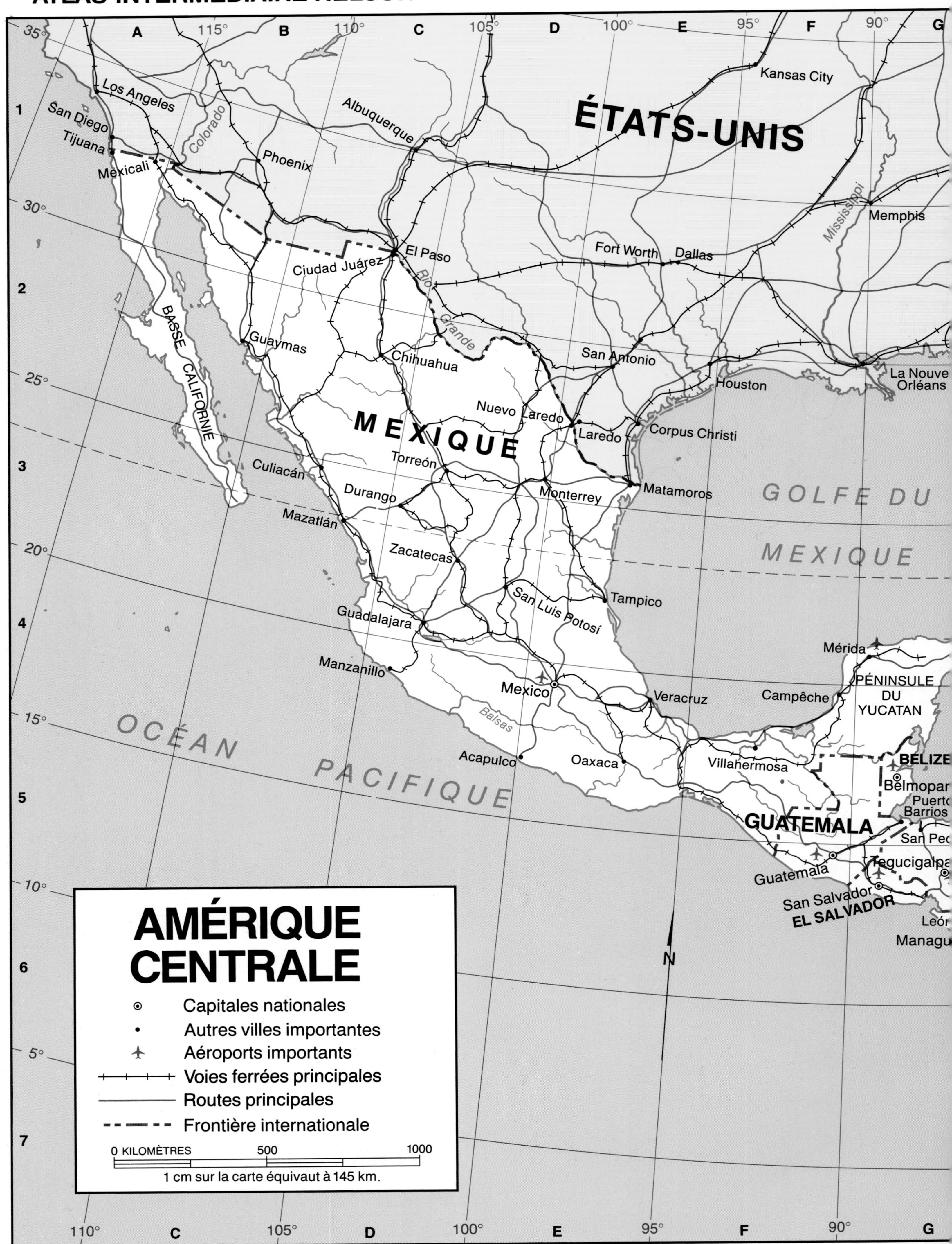
AMÉRIQUE CENTRALE
Capitales nationales
Autres villes importantes
Aéroports importants
Voies ferrées principales
Routes principales
Frontière internationale
0 KILOMÈTRES 500 1000
1 cm sur la carte équivaut à 145 km.
ÉTATS-UNIS
MEXIQUE
BASSE CALIFORNIE
GOLFE DU MEXIQUE
OCÉAN PACIFIQUE
PÉNINSULE DU YUCATAN
BELIZE
GUATEMALA
EL SALVADOR
Los Angeles
San Diego
Tijuana
Mexicali
Phoenix
Albuquerque
Kansas City
Memphis
El Paso
Ciudad Juárez
Fort Worth
Dallas
San Antonio
Houston
La Nouvelle Orléans
Corpus Christi
Guaymas
Chihuahua
Nuevo Laredo
Laredo
Torreón
Culiacán
Durango
Monterrey
Matamoros
Mazatlán
Zacatecas
Tampico
San Luis Potosí
Guadalajara
Manzanillo
Mexico
Veracruz
Mérida
Campêche
Acapulco
Oaxaca
Villahermosa
Belmopan
Puerto Barrios
Guatemala
San Salvador
Tegucigalpa
Managua
Colorado
Rio Grande
Mississippi
Balsas
N
A
B
C
D
E
F
G
1
2
3
4
5
6
7
35°
30°
25°
20°
15°
10°
5°
115°
110°
105°
100°
95°
90°

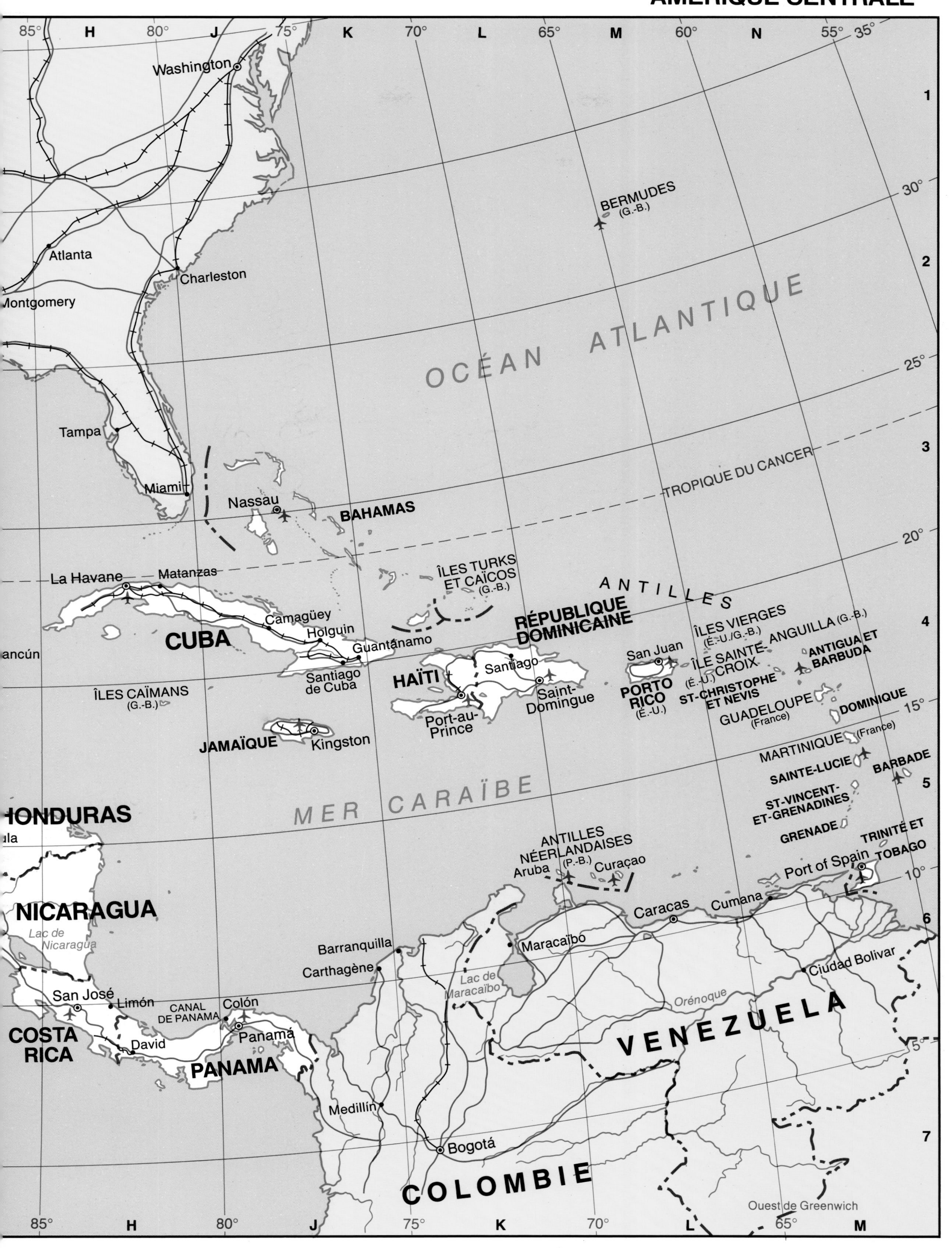
Washington
Atlanta
Charleston
Montgomery
Tampa
Miami
OCÉAN ATLANTIQUE
BERMUDES (G.-B.)
TROPIQUE DU CANCER
Nassau
BAHAMAS
La Havane
Matanzas
ÎLES TURKS ET CAÏCOS (G.-B.)
ANTILLES
Camagüey
Holguin
Guantánamo
CUBA
Santiago de Cuba
RÉPUBLIQUE DOMINICAINE
Santiago
HAÏTI
Port-au-Prince
Saint-Domingue
San Juan
PORTO RICO (É.-U.)
ÎLES VIERGES (É.-U./G.-B.)
ÎLE SAINTE-CROIX (É.-U.)
ANGUILLA (G.-B.)
ANTIGUA ET BARBUDA
ST-CHRISTOPHE ET NEVIS
GUADELOUPE (France)
DOMINIQUE
MARTINIQUE (France)
SAINTE-LUCIE
BARBADE
ST-VINCENT-ET-GRENADINES
GRENADE
TRINITÉ ET TOBAGO
Port of Spain
ancún
ÎLES CAÏMANS (G.-B.)
JAMAÏQUE
Kingston
MER CARAÏBE
HONDURAS
NICARAGUA
Lac de Nicaragua
San José
Limón
COSTA RICA
David
CANAL DE PANAMA
Colón
Panamá
PANAMA
ANTILLES NÉERLANDAISES (P.-B.)
Aruba
Curaçao
Caracas
Cumana
Barranquilla
Carthagène
Maracaïbo
Lac de Maracaïbo
Ciudad Bolivar
Orénoque
VENEZUELA
Medillín
Bogotá
COLOMBIE
Ouest de Greenwich
85°
80°
75°
70°
65°
60°
55°
35°
30°
25°
20°
15°
10°
5°
H
J
K
L
M
N
1
2
3
4
5
6
7

MER CARAÏBE
OCÉAN ATLANTIQUE NORD
ÉQUATEUR
Ouest de Greenwich
GUADELOUPE (France)
DOMINIQUE
MARTINIQUE (France)
SAINTE-LUCIE
BARBADE
Bridgetown
LE GRENADINES
GRENADE
TRINITÉ ET TOBAGO
Port-of-Spain
PANAMA
Panamá
Barranquilla
Carthagène
Lac de Maracaïbo
Maracaïbo
Caracas
VENEZUELA
Orénoque
GUYANA
Georgetown
Paramaribo
SURINAM
Cayenne
GUYANE FRANÇAISE
Medellín
Magdalena
Bucaramanga
Bogotá
Cali
COLOMBIE
Guaviare
Branco
Bouches de l'Amazone
Negro
Belém
Quito
ÉQUATEUR
Guayaquil
Manaus
Amazone
Iquitos
Solimões
Fortaleza
Teresina
Xingu
Natal
Marañón
Ucayali
PÉROU
Juruá
Purus
Madeira
Tapajós
Pôrto Velho
Tocantins
Recife
Francisco
São
Juruena
BRÉSIL
Lima
Cuzco
Mamoré
Araguaia
Salvador
Lac Titicaca
Cuiabá
Brasilia
Arequipa
La Paz
BOLIVIE
Goiânia
Sucre
Paraguay
Belo Horizonte
N
A
B
C
D
E
F
G
H
J
K
L
1
2
3
4
5
6
7
8
80°
75°
70°
65°
60°
55°
50°
45°
40°
35°
15°
10°
5°
0°

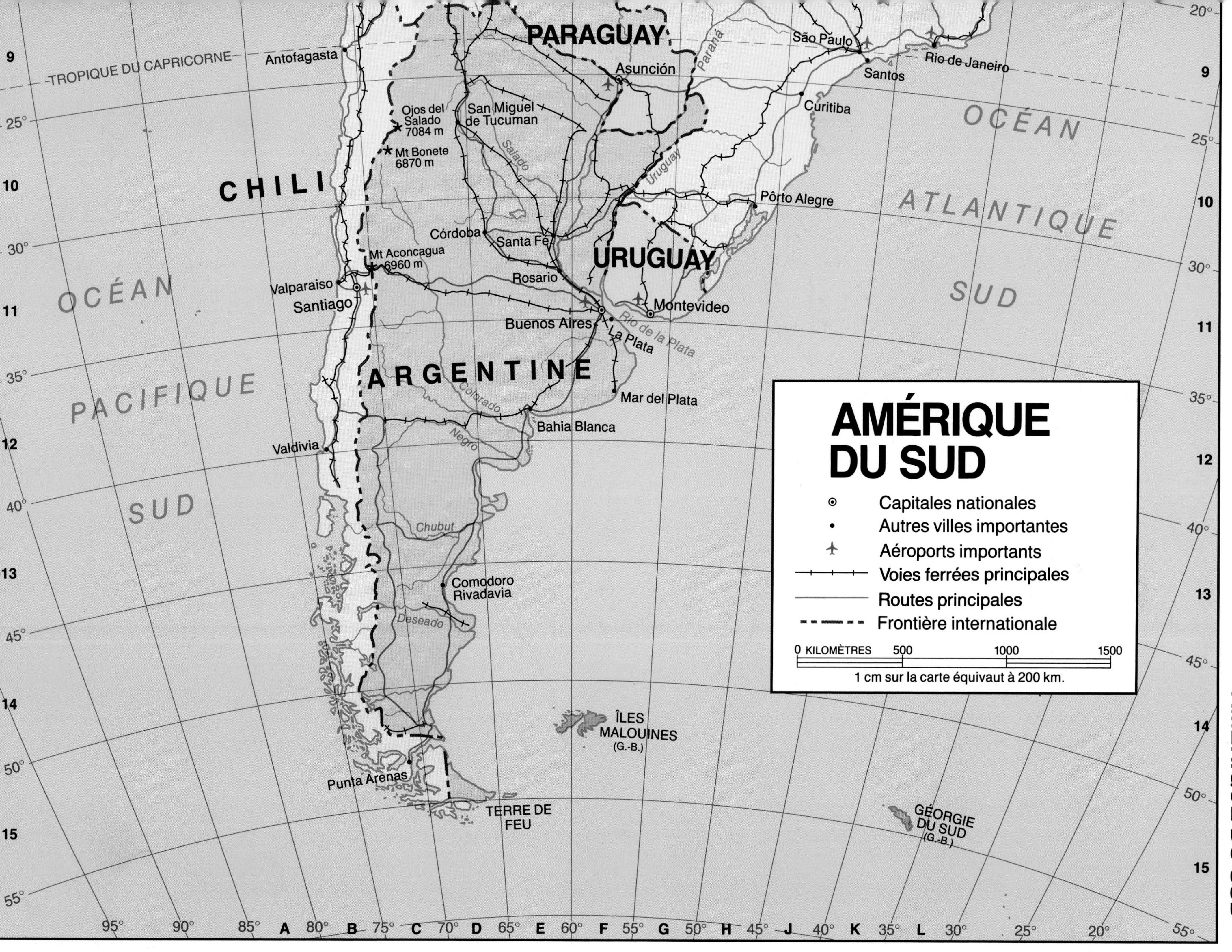
AMÉRIQUE DU SUD
Capitales nationales
Autres villes importantes
Aéroports importants
Voies ferrées principales
Routes principales
Frontière internationale
0 KILOMÈTRES 500 1000 1500
1 cm sur la carte équivaut à 200 km.
OCÉAN ATLANTIQUE SUD
OCÉAN PACIFIQUE SUD
TROPIQUE DU CAPRICORNE
PARAGUAY
URUGUAY
ARGENTINE
CHILI
Antofagasta
Asunción
São Paulo
Rio de Janeiro
Santos
Curitiba
Paraná
Uruguay
Ojos del Salado 7084 m
Mt Bonete 6870 m
San Miguel de Tucuman
Salado
Pôrto Alegre
Córdoba
Santa Fe
Mt Aconcagua 6960 m
Valparaiso
Santiago
Rosario
Montevideo
Buenos Aires
La Plata
Rio de la Plata
Mar del Plata
Colorado
Bahia Blanca
Negro
Valdivia
Chubut
Comodoro Rivadavia
Deseado
ÎLES MALOUINES (G.-B.)
Punta Arenas
TERRE DE FEU
GÉORGIE DU SUD (G.-B.)
9
10
11
12
13
14
15
A
B
C
D
E
F
G
H
J
K
L
20°
25°
30°
35°
40°
45°
50°
55°
60°
65°
70°
75°
80°
85°
90°
95°

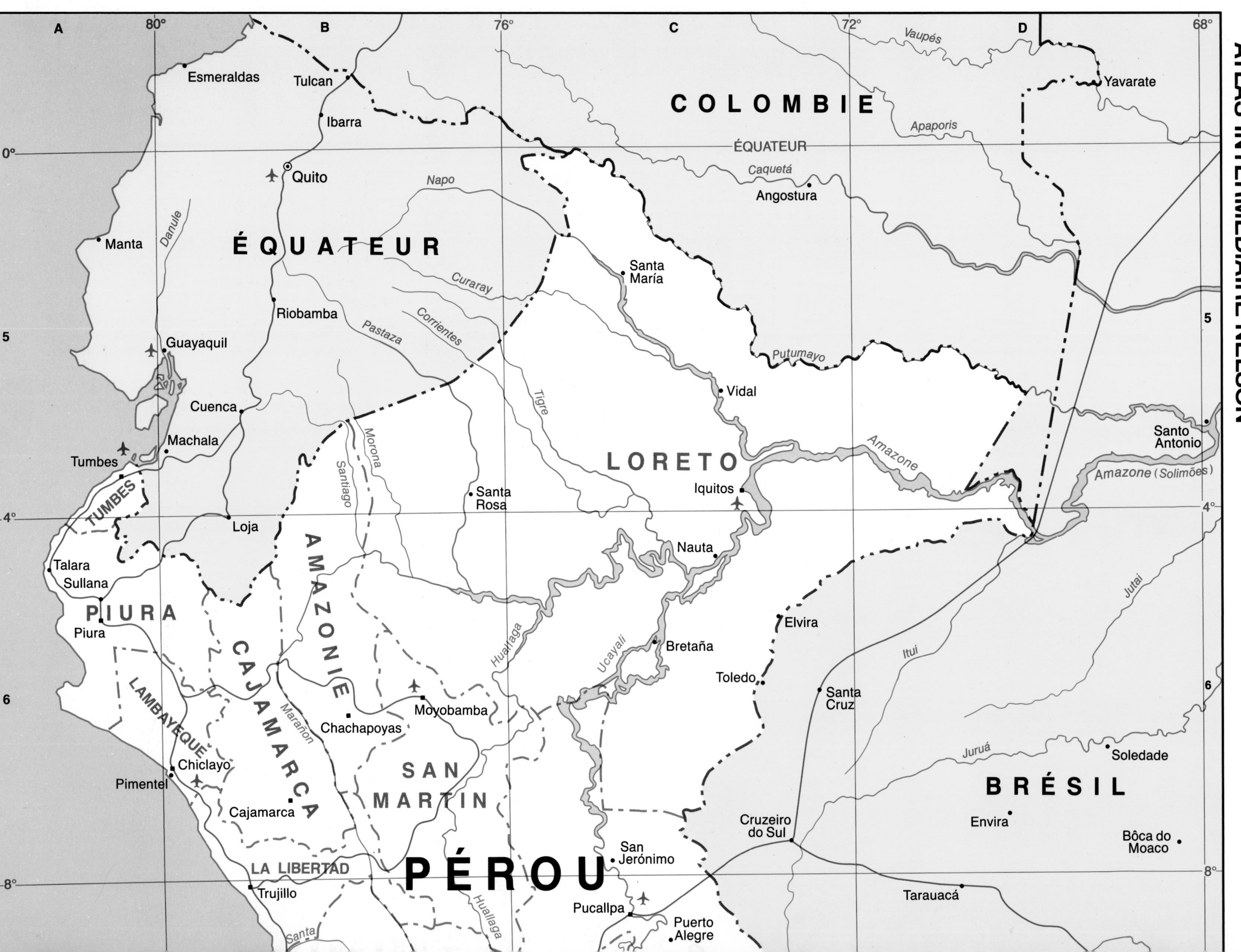
COLOMBIE
ÉQUATEUR
PÉROU
BRÉSIL
LORETO
AMAZONIE
SAN MARTIN
CAJAMARCA
LA LIBERTAD
LAMBAYEQUE
PIURA
TUMBES
Esmeraldas
Tulcan
Ibarra
Quito
Manta
Riobamba
Guayaquil
Cuenca
Machala
Tumbes
Loja
Talara
Sullana
Piura
Chiclayo
Pimentel
Cajamarca
Chachapoyas
Moyobamba
Trujillo
Santa Rosa
Santa María
Vidal
Iquitos
Nauta
Bretaña
Elvira
Toledo
Santa Cruz
Cruzeiro do Sul
San Jerónimo
Pucallpa
Puerto Alegre
Angostura
Yavarate
Santo Antonio
Soledade
Envira
Bôca do Moaco
Tarauacá
Napo
Curaray
Corrientes
Pastaza
Tigre
Morona
Santiago
Danule
Marañon
Huallaga
Ucayali
Santa
Putumayo
Caquetá
Apaporis
Vaupés
Amazone
Amazone (Solimões)
Jutaí
Ituí
Juruá
A
B
C
D
80°
76°
72°
68°
0°
4°
8°
5
6

PÉROU

- ⊙ Capitales nationales
- ▪ Capitales départementales
- • Autres villes importantes
- ✈ Aéroports importants
- Voies ferrées principales
- Routes principales
- Frontières départementales
- Frontières internationales

0 KILOMÈTRES 100 200 300

1 cm sur la carte équivaut à 53 km.

OCÉAN PACIFIQUE
ANCASH
HUÁNUCO
UCAYALI
PASCO
JUNÍN
LIMA
MADRE DE DIOS
CUZCO
HUANCAVELICA
AYACUCHO
APURIMAC
ICA
PUNO
AREQUIPA
MOQUEGUA
TACNA
BOLIVIE
CHILI
Chimbote
Huaraz
Huánuco
Puerto Portillo
Madureira
Rio Branco
Cerro de Pasco
São Francisco
Cobija
Huacho
La Oroya
Huancayo
Callao
Lima
Huancavelica
Ayacucho
Machu Picchu (Ruines)
Cuzco
Puerto Maldonado
Chincha Alta
Pisco
Abancay
Ica
Nazca
Puno
Lac Titicaca
Arequipa
La Paz
Mollendo
Moquegua
Tacna
Ucayali
Pachitea
Purus
Piedras
Madre de Dios
Apurimac
Inambari
Mala
Ocoña
Tambo
N
7
8
9
A
B
C
D
12°
16°
80°
76°
72°
68°
Ouest de Greenwich

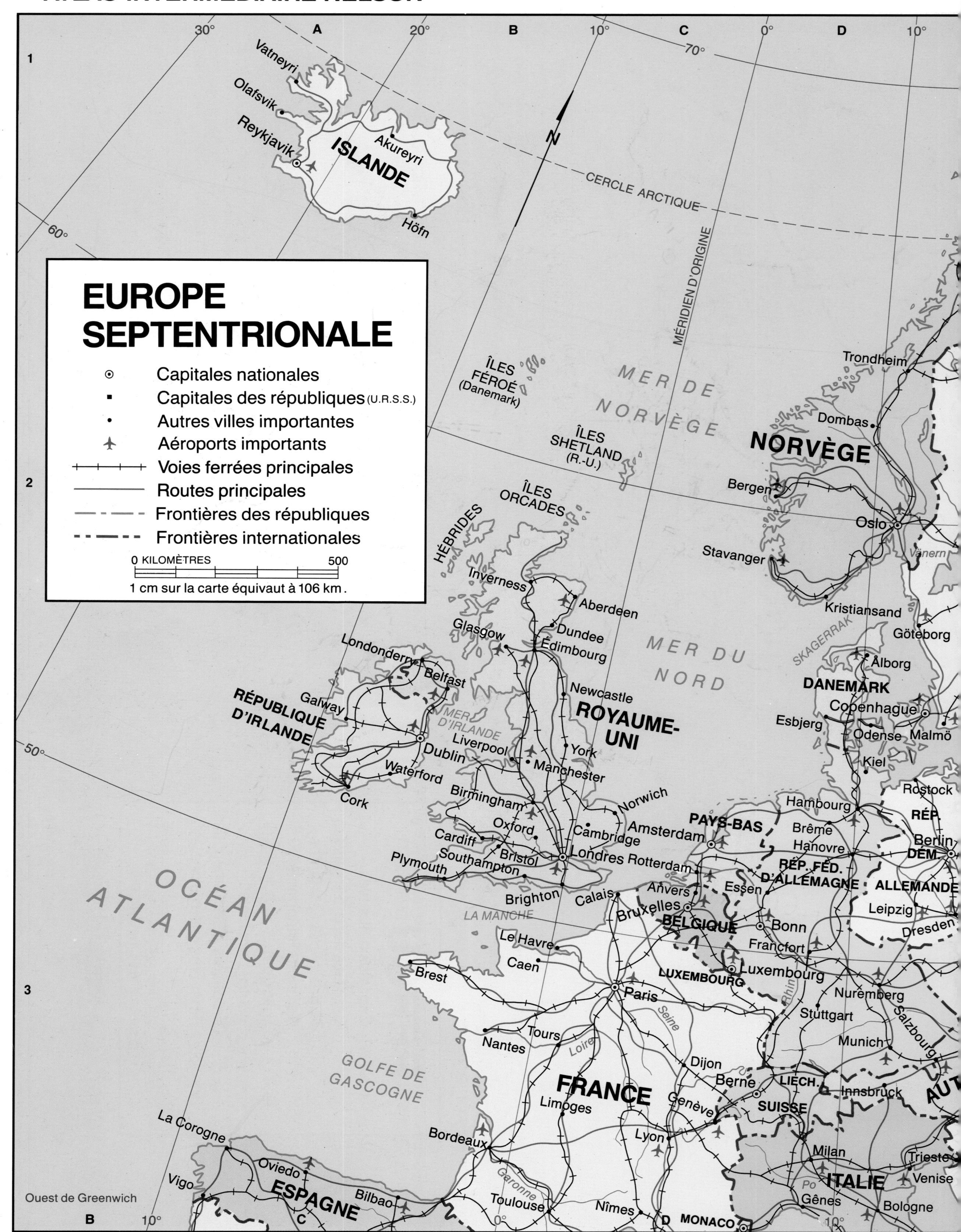
EUROPE SEPTENTRIONALE
Capitales nationales
Capitales des républiques (U.R.S.S.)
Autres villes importantes
Aéroports importants
Voies ferrées principales
Routes principales
Frontières des républiques
Frontières internationales
0 KILOMÈTRES 500
1 cm sur la carte équivaut à 106 km.
A
B
C
D
1
2
3
30°
20°
10°
0°
10°
70°
60°
50°
CERCLE ARCTIQUE
MÉRIDIEN D'ORIGINE
N
ISLANDE
Vatneyri
Olafsvik
Reykjavik
Akureyri
Höfn
ÎLES FÉROÉ (Danemark)
MER DE NORVÈGE
ÎLES SHETLAND (R.-U.)
ÎLES ORCADES
HÉBRIDES
NORVÈGE
Trondheim
Dombas
Bergen
Oslo
Stavanger
Kristiansand
Vänern
Göteborg
SKAGERRAK
Ålborg
DANEMARK
Copenhague
Esbjerg
Odense
Malmö
Kiel
Rostock
MER DU NORD
Inverness
Aberdeen
Dundee
Glasgow
Édimbourg
Londonderry
Belfast
Newcastle
ROYAUME-UNI
Galway
RÉPUBLIQUE D'IRLANDE
MER D'IRLANDE
Dublin
Liverpool
York
Manchester
Waterford
Cork
Birmingham
Norwich
Oxford
Cambridge
Cardiff
Bristol
Londres
Southampton
Plymouth
Brighton
Calais
Amsterdam
PAYS-BAS
Rotterdam
Hambourg
Brême
Hanovre
RÉP. DÉM. ALLEMANDE
Berlin
RÉP. FÉD. D'ALLEMAGNE
Essen
Anvers
Bruxelles
BELGIQUE
Bonn
Leipzig
Dresden
Francfort
LUXEMBOURG
Luxembourg
OCÉAN ATLANTIQUE
LA MANCHE
Le Havre
Caen
Brest
Paris
Seine
Rhin
Nuremberg
Stuttgart
Salzbourg
Munich
Tours
Loire
Nantes
GOLFE DE GASCOGNE
Dijon
Berne
LIECH.
Innsbruck
FRANCE
Genève
SUISSE
Limoges
Lyon
Bordeaux
Milan
Trieste
Venise
Po
ITALIE
Gênes
Bologne
La Corogne
Oviedo
Vigo
ESPAGNE
Bilbao
Garonne
Toulouse
Nîmes
MONACO
Ouest de Greenwich

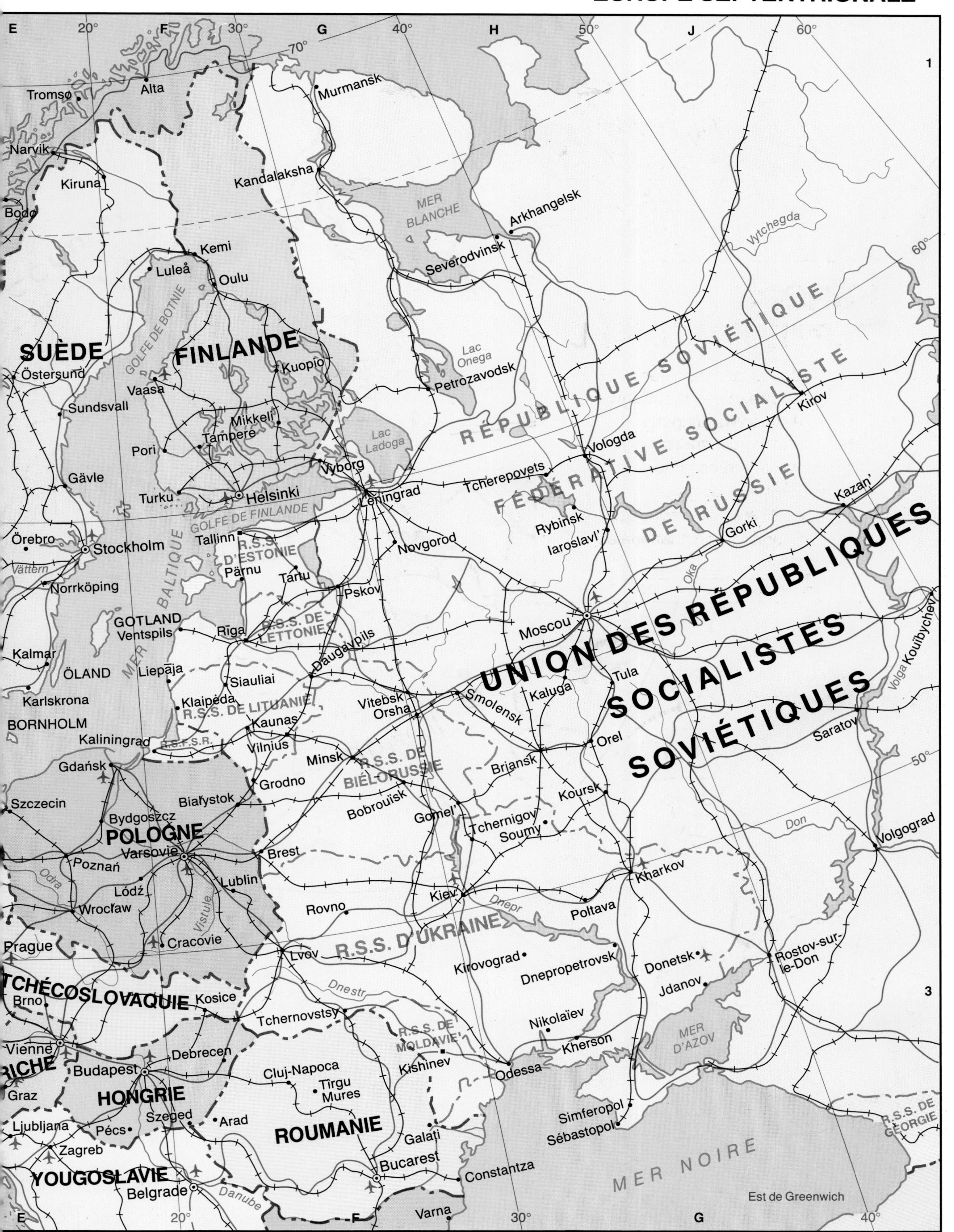
UNION DES RÉPUBLIQUES SOCIALISTES SOVIÉTIQUES
RÉPUBLIQUE SOVIÉTIQUE FÉDÉRATIVE SOCIALISTE DE RUSSIE
SUÈDE
FINLANDE
POLOGNE
TCHÉCOSLOVAQUIE
HONGRIE
ROUMANIE
YOUGOSLAVIE
R.S.S. D'ESTONIE
R.S.S. DE LETTONIE
R.S.S. DE LITUANIE
R.S.F.S.R.
R.S.S. DE BIÉLORUSSIE
R.S.S. D'UKRAINE
R.S.S. DE MOLDAVIE
R.S.S. DE GÉORGIE
MER BLANCHE
MER BALTIQUE
GOLFE DE BOTNIE
GOLFE DE FINLANDE
MER NOIRE
MER D'AZOV
Lac Onega
Lac Ladoga
Tromsø
Alta
Narvik
Kiruna
Bodø
Murmansk
Kandalaksha
Arkhangelsk
Severodvinsk
Kemi
Luleå
Oulu
Östersund
Vaasa
Kuopio
Petrozavodsk
Sundsvall
Mikkeli
Tampere
Pori
Vyborg
Gävle
Turku
Helsinki
Leningrad
Tcherepovets
Vologda
Kirov
Kazan'
Rybinsk
Iaroslavl'
Gorki
Örebro
Stockholm
Tallinn
Novgorod
Vättern
Pärnu
Tartu
Pskov
Norrköping
GOTLAND
Ventspils
Rīga
Daugavpils
Moscou
Kalmar
ÖLAND
Liepāja
Siauliai
Tula
Kaluga
Karlskrona
Klaipėda
Vitebsk
Orsha
Smolensk
BORNHOLM
Kaunas
Kaliningrad
Vilnius
Minsk
Orel
Saratov
Gdańsk
Briansk
Grodno
Szczecin
Białystok
Bobrouisk
Koursk
Bydgoszcz
Gomel'
Tchernigov
Soumy
Varsovie
Brest
Volgograd
Poznań
Kharkov
Odra
Lublin
Łódź
Kiev
Wrocław
Rovno
Dnepr
Poltava
Vistule
Prague
Cracovie
Lvov
Kirovograd
Dnepropetrovsk
Donetsk
Rostov-sur-le-Don
Brno
Kosice
Dnestr
Jdanov
Tchernovstsy
Nikolaïev
Vienne
Debrecen
Kherson
Kishinev
Budapest
Cluj-Napoca
Odessa
Graz
Tirgu Mures
Szeged
Arad
Simferopol
Ljubljana
Pécs
Sébastopol
Galati
Zagreb
Bucarest
Constantza
Belgrade
Danube
Varna
Oka
Volga
Kouïbychev
Don
Vytchegda
Est de Greenwich

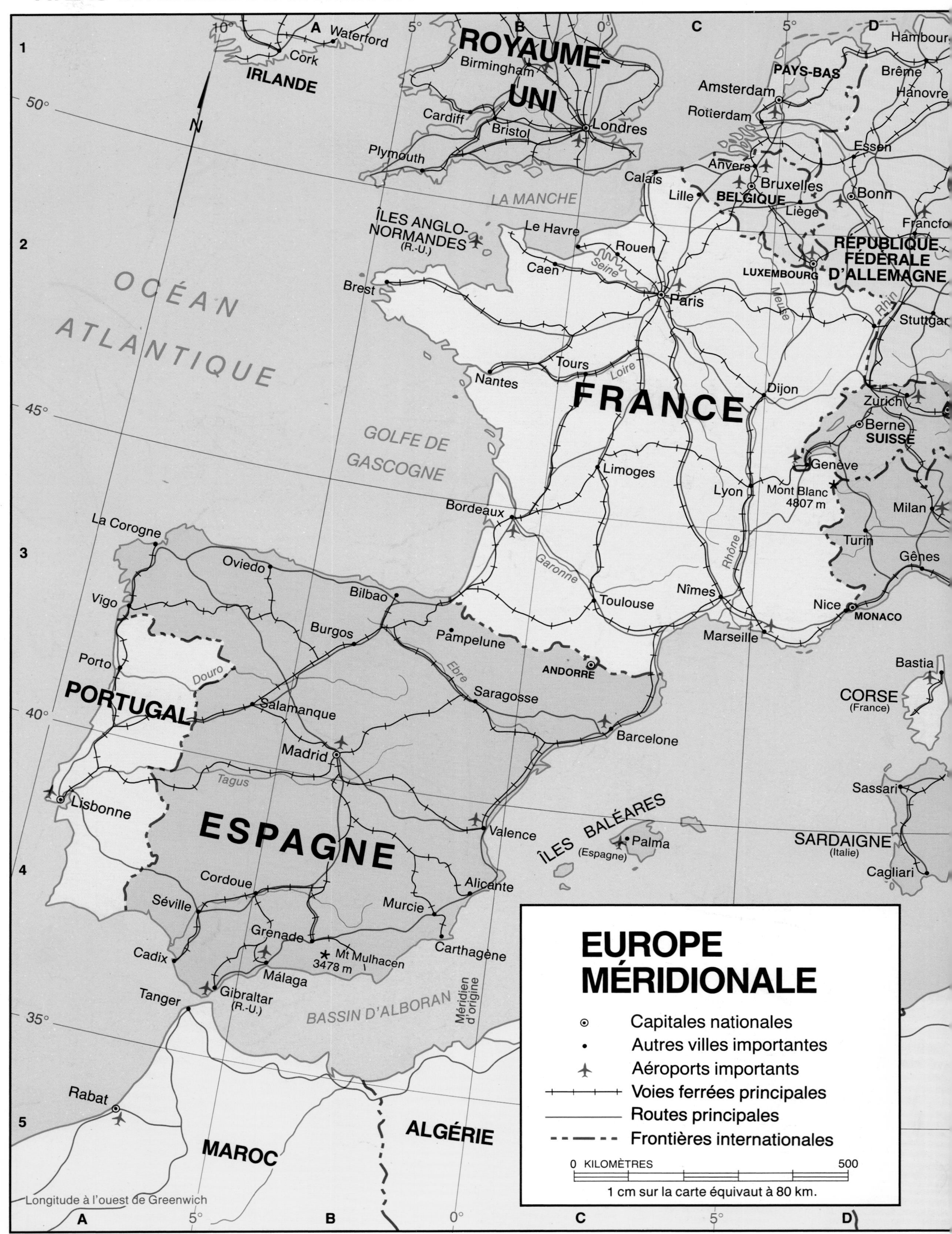
EUROPE MÉRIDIONALE
Capitales nationales
Autres villes importantes
Aéroports importants
Voies ferrées principales
Routes principales
Frontières internationales
0 KILOMÈTRES 500
1 cm sur la carte équivaut à 80 km.
OCÉAN ATLANTIQUE
LA MANCHE
GOLFE DE GASCOGNE
BASSIN D'ALBORAN
ROYAUME-UNI
IRLANDE
FRANCE
ESPAGNE
PORTUGAL
PAYS-BAS
BELGIQUE
LUXEMBOURG
RÉPUBLIQUE FÉDÉRALE D'ALLEMAGNE
SUISSE
MONACO
ANDORRE
MAROC
ALGÉRIE
ÎLES ANGLO-NORMANDES (R.-U.)
ÎLES BALÉARES (Espagne)
CORSE (France)
SARDAIGNE (Italie)
Waterford
Cork
Birmingham
Cardiff
Bristol
Plymouth
Londres
Amsterdam
Rotterdam
Hambour
Brême
Hanovre
Essen
Anvers
Bruxelles
Lille
Liège
Bonn
Francfo
Calais
Le Havre
Rouen
Caen
Brest
Paris
Stuttgar
Tours
Nantes
Dijon
Zurich
Berne
Genève
Mont Blanc 4807 m
Limoges
Lyon
Milan
Turin
Bordeaux
Gênes
La Corogne
Oviedo
Bilbao
Vigo
Burgos
Pampelune
Toulouse
Nîmes
Nice
Marseille
Porto
Salamanque
Saragosse
Bastia
Barcelone
Madrid
Lisbonne
Sassari
Valence
Palma
Cordoue
Alicante
Cagliari
Séville
Murcie
Grenade
Carthagène
Cadix
Mt Mulhacen 3478 m
Málaga
Gibraltar (R.-U.)
Tanger
Rabat
Seine
Loire
Meuse
Rhin
Garonne
Rhône
Douro
Ebre
Tagus
Méridien d'origine
Longitude à l'ouest de Greenwich
N
50°
45°
40°
35°
10°
5°
0°
A
B
C
D
1
2
3
4
5

UNION SOVIÉTIQUE
POLOGNE
RÉPUBLIQUE DÉMOCRATIQUE ALLEMANDE
TCHÉCOSLOVAQUIE
AUTRICHE
LIECHTENSTEIN
HONGRIE
ROUMANIE
YOUGOSLAVIE
BULGARIE
ITALIE
SAN MARINO
ALBANIE
GRÈCE
TURQUIE
TUNISIE
MALTE
SICILE
(Italie)
CRÈTE
MER NOIRE
MER ADRIATIQUE
MER TYRRHÉNIENNE
MER IONIENNE
MER ÉGÉE
MER DE CRÈTE
MER MÉDITERRANÉE
Szczecin
Bydgoszcz
Berlin
Poznan
Varsovie
Brest
Kiev
Lublin
Rovno
Leipzig
Dresde
Wroclaw
Lvov
Prague
Kraków
Nuremberg
Brno
Kosice
Tchernovtsy
Odessa
Munich
Salzbourg
Vienne
Debrecen
Budapest
Cluj-Napoca
Tirgu Mures
Innsbruck
Graz
Szeged
Arad
Galati
Ljubljana
Pécs
Trieste
Zagreb
Venise
Constantza
Bucarest
Belgrade
Craiova
Rousse
Bologne
Varna
Sarajevo
Florence
Split
Sofia
Ancône
Dubrovnik
Plovdiv
Istanbul
Skopje
Rome
Tirana
Bari
Thessaloniki
Bursa
Naples
Larissa
Izmir
Patras
Athènes
Palerme
Messine
Kalámai
Rhodes
Tunis
Heraklïon
La Valette
Elbe
Odra
Wista
Dniepr
Dniestr
Prut
Danube
Tisa
Sava
Po
Morava
15°
20°
25°
30°
50°
45°
40°
35°
0°
E
F
G
H
J
1
2
3
4
5
Longitude à l'est de Greenwich

FRANCE
Capitales nationales
Autres villes importantes
Aéroports importants
Voies ferrées principales
Routes principales
Frontières internationales
0 KILOMÈTRES 100 200
1 cm sur la carte équivaut à 35 km.
ROYAUME-UNI
ESPAGNE
MER CELTIQUE
LA MANCHE
OCÉAN ATLANTIQUE
GOLFE DE GASCOGNE
ÎLES ANGLO-NORMANDES (R.-U.)
Londres
Bristol
Southampton
Plymouth
Penzance
Dieppe
Cherbourg
Le Havre
Rouen
Caen
Brest
St-Brieuc
St-Malo
Alençon
Rennes
Laval
Le Mans
Lorient
Angers
Tours
St-Nazaire
Nantes
Poitiers
La Rochelle
Rochefort
Angoulême
Périgueux
Bordeaux
Agen
Bayonne
Pau
Tarbes
San Sebastian
Bilbao
Oviedo
La Corogne
Burgos
Vilaine
Vienne
Charente
Gironde
Dordogne
Garonne
Adour
Èbre
Méridien d'origine
Longitude à l'ouest de Greenwich
N
10° 8° 6° 4° 2° 0°
50° 48° 46° 44° 42°
A B C D E F
1 2 3 4 5

BELGIQUE
Ostende
Douvres
Calais
Dunkerque
Bruxelles
Boulogne
Lille
Lens
Douai
Arras
Liège
Cologne
Bonn
RÉPUBLIQUE FÉDÉRALE D'ALLEMAGNE
RÉPUBLIQUE DÉMOCRATIQUE ALLEMANDE
Francfort
Nuremberg
Munich
Somme
Amiens
Charleville-Mézières
LUXEMBOURG
Luxembourg
Moselle
Rhin
Oise
Reims
Metz
Meuse
Marne
Paris
Chalons
Nancy
Strasbourg
Seine
Chartres
Troyes
Épinal
Orléans
Mulhouse
Auxerre
Bâle
Loire
Cher
Dijon
Besançon
Lac de Neuchâtel
Berne
Bourges
Nevers
FRANCE
Chalon
SUISSE
Montluçon
Saône
Lac Léman
Rhône
Genève
Roanne
Annecy
Mont Blanc 4807 m
Limoges
Clermont-Ferrand
Lyon
Chambéry
St-Étienne
Grenoble
Turin
Po
Valence
ITALIE
Gênes
Bologne
Vérone
Innsbruck
AUTRICHE
Tarn
Montauban
Nîmes
Avignon
Durance
MONACO
Nice
Monaco
Arles
Aix
Cannes
Toulouse
Montpellier
Béziers
Marseille
Toulon
Carcassonne
Narbonne
GOLFE DU LION
GOLFE DE GÊNES
Pise
ANDORRE
Perpignan
Andorre
MER MÉDITERRANÉE
CORSE (France)
Ajaccio
Longitude à l'est de Greenwich
2°
4°
6°
8°
10°
12°
42°
44°
46°
48°
50°
G
H
J
K
L
1
2
3
4
5
M
N
9°
Rogliano
Bastia
Calvi
6
Corte
CORSE (France)
Ajaccio
Sartène
7
Bonifacio
0 KILOMÈTRES 25
1 cm sur la carte équivaut à 9 km.

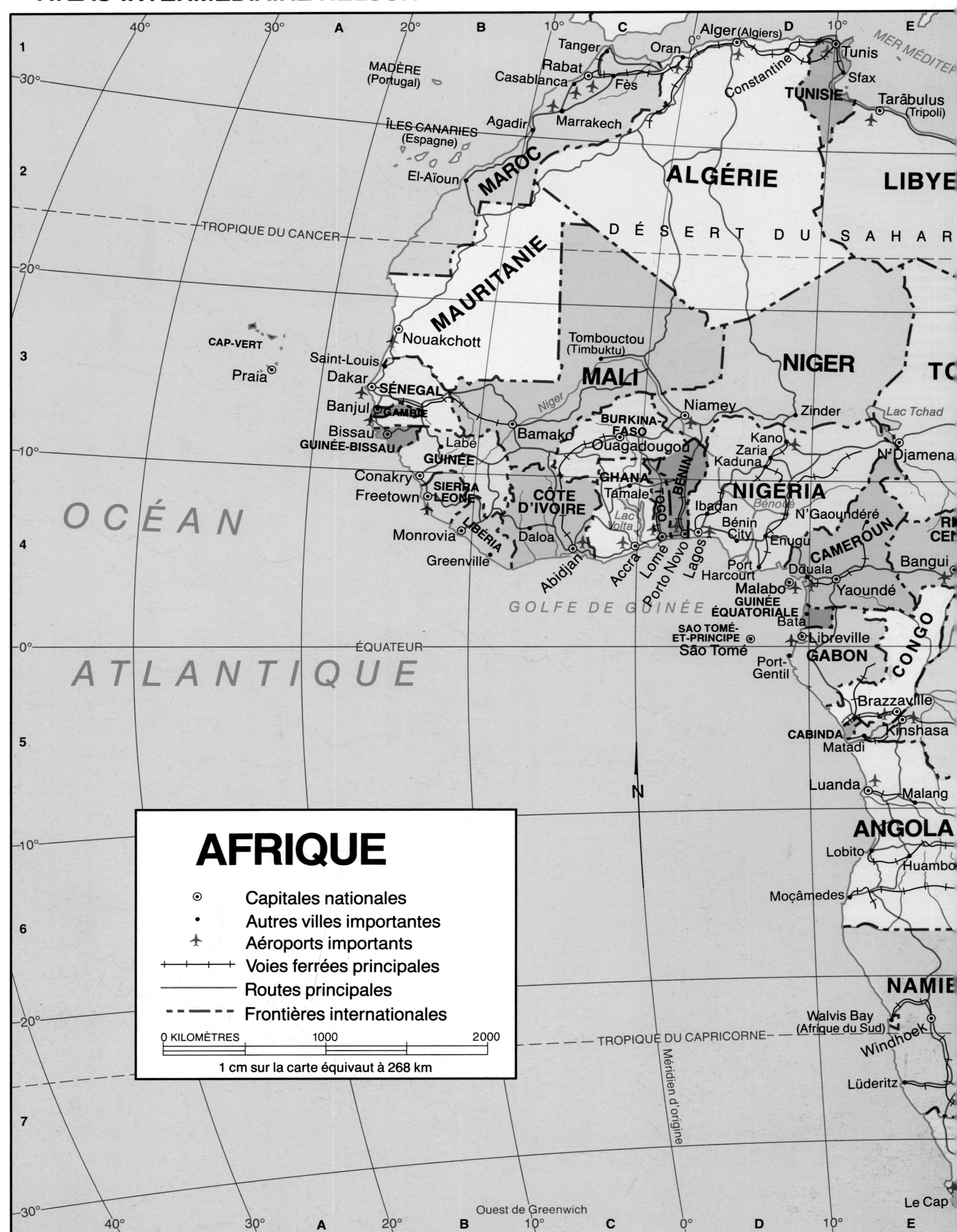
AFRIQUE
Capitales nationales
Autres villes importantes
Aéroports importants
Voies ferrées principales
Routes principales
Frontières internationales
0 KILOMÈTRES
1000
2000
1 cm sur la carte équivaut à 268 km
OCÉAN
ATLANTIQUE
GOLFE DE GUINÉE
MER MÉDITER
DÉSERT DU SAHAR
TROPIQUE DU CANCER
ÉQUATEUR
TROPIQUE DU CAPRICORNE
Méridien d'origine
Ouest de Greenwich
MADÈRE
(Portugal)
ÎLES CANARIES
(Espagne)
CAP-VERT
Praia
MAROC
ALGÉRIE
TUNISIE
LIBYE
MAURITANIE
MALI
NIGER
SÉNÉGAL
GAMBIE
GUINÉE-BISSAU
GUINÉE
SIERRA LEONE
LIBÉRIA
CÔTE D'IVOIRE
BURKINA-FASO
GHANA
TOGO
BÉNIN
NIGÉRIA
CAMEROUN
GUINÉE ÉQUATORIALE
SAO TOMÉ-ET-PRINCIPE
GABON
CONGO
CABINDA
ANGOLA
NAMIB
Tanger
Rabat
Casablanca
Fès
Oran
Alger (Algiers)
Constantine
Tunis
Sfax
Tarābulus
(Tripoli)
Agadir
Marrakech
El-Aïoun
Nouakchott
Tombouctou
(Timbuktu)
Saint-Louis
Dakar
Banjul
Bissau
Labé
Bamako
Niamey
Zinder
Lac Tchad
N'Djamena
Kano
Zaria
Kaduna
Ouagadougou
Conakry
Freetown
Tamale
Lac Volta
Niger
Ibadan
Bénoué
N'Gaoundéré
Monrovia
Greenville
Daloa
Abidjan
Accra
Lomé
Porto Novo
Lagos
Bénin City
Enugu
Port Harcourt
Douala
Malabo
Yaoundé
Bangui
Bata
Libreville
São Tomé
Port-Gentil
Brazzaville
Kinshasa
Matadi
Luanda
Malang
Lobito
Huambo
Moçâmedes
Walvis Bay
(Afrique du Sud)
Windhoek
Lüderitz
Le Cap
N
40°
30°
20°
10°
0°
A
B
C
D
E
1
2
3
4
5
6
7

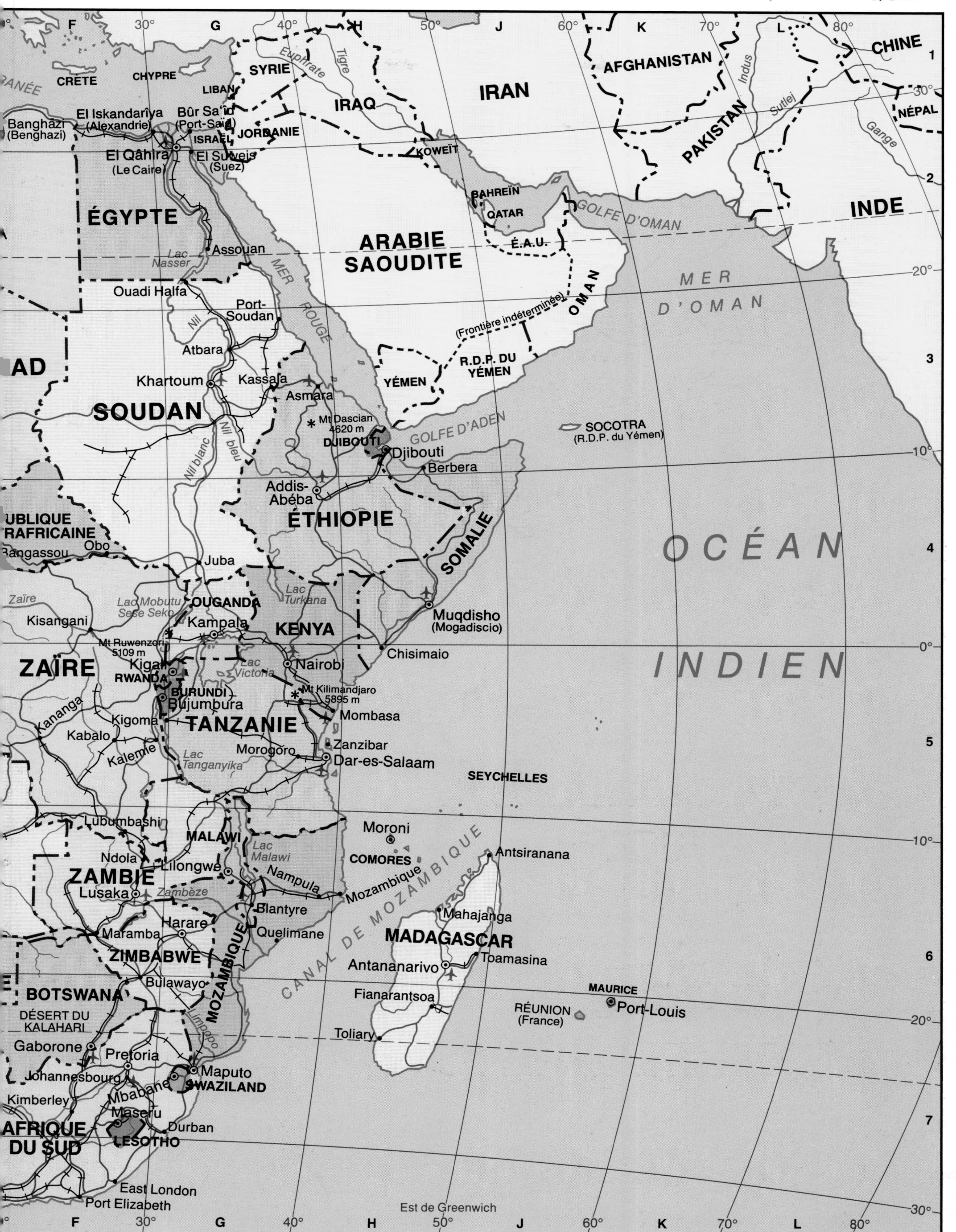
CRÈTE
CHYPRE
LIBAN
SYRIE
IRAQ
IRAN
AFGHANISTAN
PAKISTAN
CHINE
NÉPAL
INDE
Euphrate
Tigre
Indus
Sutlej
Gange
Banghāzi
(Benghazi)
El Iskandarîya
(Alexandrie)
Bûr Sa'îd
(Port-Saïd)
ISRAËL
JORDANIE
El Qâhira
(Le Caire)
El Suweis
(Suez)
KOWEÏT
BAHREÏN
QATAR
É.A.U.
GOLFE D'OMAN
ÉGYPTE
Assouan
Lac Nasser
ARABIE SAOUDITE
MER ROUGE
MER D'OMAN
OMAN
Ouadi Halfa
Port-Soudan
Nil
Atbara
(Frontière indéterminée)
R.D.P. DU YÉMEN
YÉMEN
Khartoum
Kassala
Asmara
SOUDAN
Mt Dascian 4620 m
DJIBOUTI
Djibouti
GOLFE D'ADEN
SOCOTRA
(R.D.P. du Yémen)
Nil blanc
Nil bleu
Berbera
Addis-Abéba
ÉTHIOPIE
SOMALIE
RÉPUBLIQUE CENTRAFRICAINE
Bangassou
Obo
Juba
OCÉAN
Zaïre
Lac Mobutu Sese Seko
OUGANDA
Lac Turkana
Muqdisho
(Mogadiscio)
Kisangani
Kampala
KENYA
Mt Ruwenzori 5109 m
Chisimaio
ZAÏRE
Kigali
RWANDA
Lac Victoria
Nairobi
INDIEN
BURUNDI
Bujumbura
Mt Kilimandjaro 5895 m
Kananga
Kigoma
TANZANIE
Mombasa
Kabalo
Zanzibar
Kalemie
Morogoro
Dar-es-Salaam
Lac Tanganyika
SEYCHELLES
Lubumbashi
Moroni
MALAWI
Lac Malawi
COMORES
Antsiranana
Ndola
Lilongwe
Nampula
Mozambique
CANAL DE MOZAMBIQUE
ZAMBIE
Lusaka
Zambèze
Blantyre
Mahajanga
Maramba
Harare
Quelimane
MADAGASCAR
ZIMBABWE
Antananarivo
Toamasina
Bulawayo
MOZAMBIQUE
BOTSWANA
Fianarantsoa
MAURICE
RÉUNION
(France)
Port-Louis
DÉSERT DU KALAHARI
Limpopo
Toliary
Gaborone
Pretoria
Maputo
Johannesbourg
SWAZILAND
Mbabane
Kimberley
Maseru
AFRIQUE DU SUD
Durban
LESOTHO
East London
Port Elizabeth
Est de Greenwich
F
G
H
J
K
L
30°
40°
50°
60°
70°
80°
20°
10°
0°
1
2
3
4
5
6
7

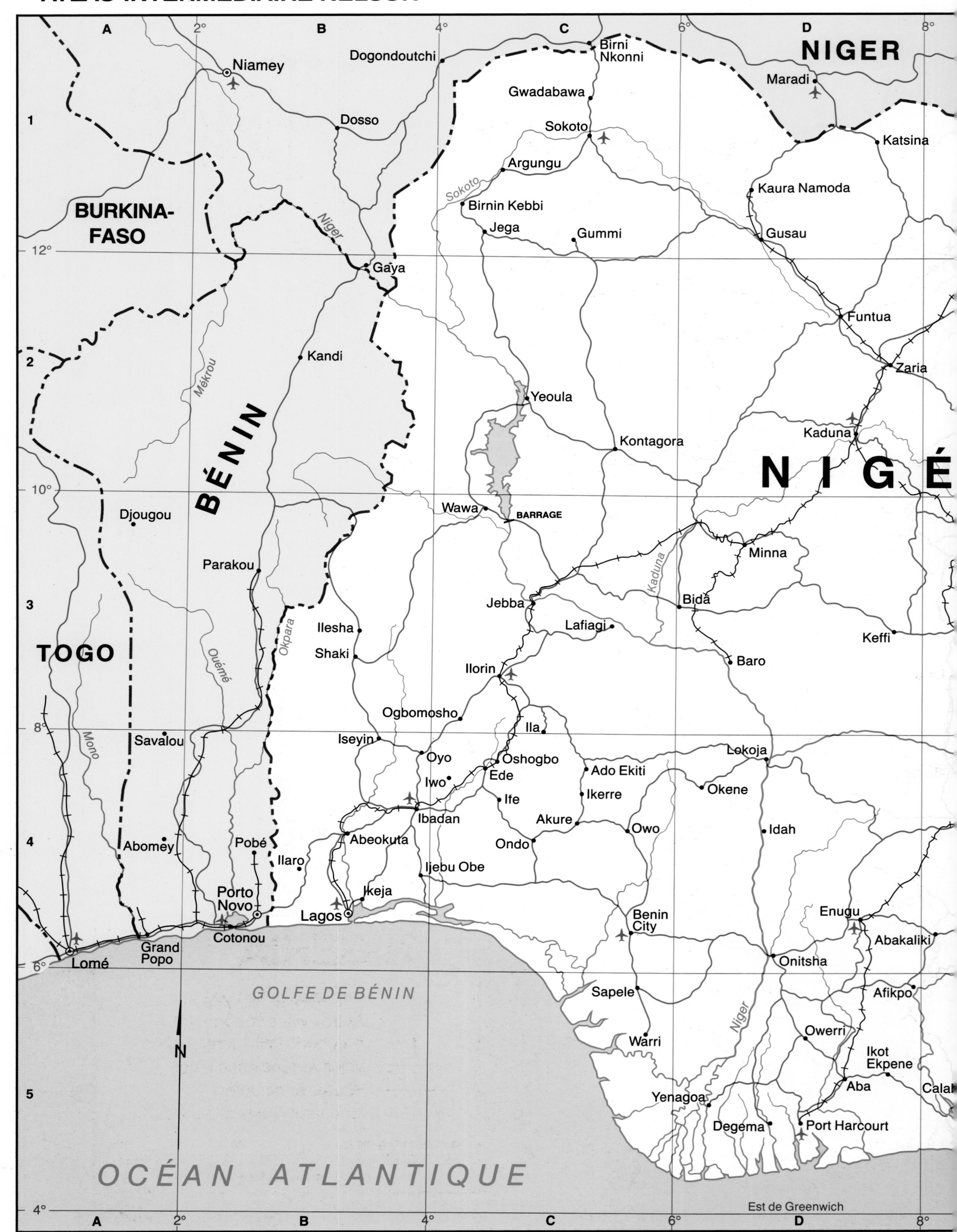
NIGER
BURKINA-FASO
BÉNIN
TOGO
NIGÉ
GOLFE DE BÉNIN
OCÉAN ATLANTIQUE
Niamey
Dogondoutchi
Birni Nkonni
Maradi
Gwadabawa
Dosso
Sokoto
Katsina
Argungu
Kaura Namoda
Birnin Kebbi
Jega
Gummi
Gusau
Gaya
Funtua
Kandi
Zaria
Yeoula
Kaduna
Kontagora
Djougou
Wawa
BARRAGE
Parakou
Minna
Jebba
Bida
Ilesha
Lafiagi
Shaki
Keffi
Ilorin
Baro
Ogbomosho
Savalou
Ila
Iseyin
Oyo
Oshogbo
Lokoja
Ede
Ado Ekiti
Iwo
Okene
Ife
Ikerre
Ibadan
Akure
Owo
Idah
Abomey
Pobé
Abeokuta
Ondo
Ilaro
Ijebu Obe
Porto Novo
Ikeja
Lagos
Cotonou
Benin City
Enugu
Lomé
Grand Popo
Abakaliki
Onitsha
Sapele
Afikpo
Warri
Owerri
Ikot Ekpene
Yenagoa
Aba
Degema
Port Harcourt
Sokoto
Niger
Mékrou
Ouémé
Okpara
Mono
Kaduna
N
Est de Greenwich
A
B
C
D
1
2
3
4
5
2°
4°
6°
8°
12°
10°
6°
4°

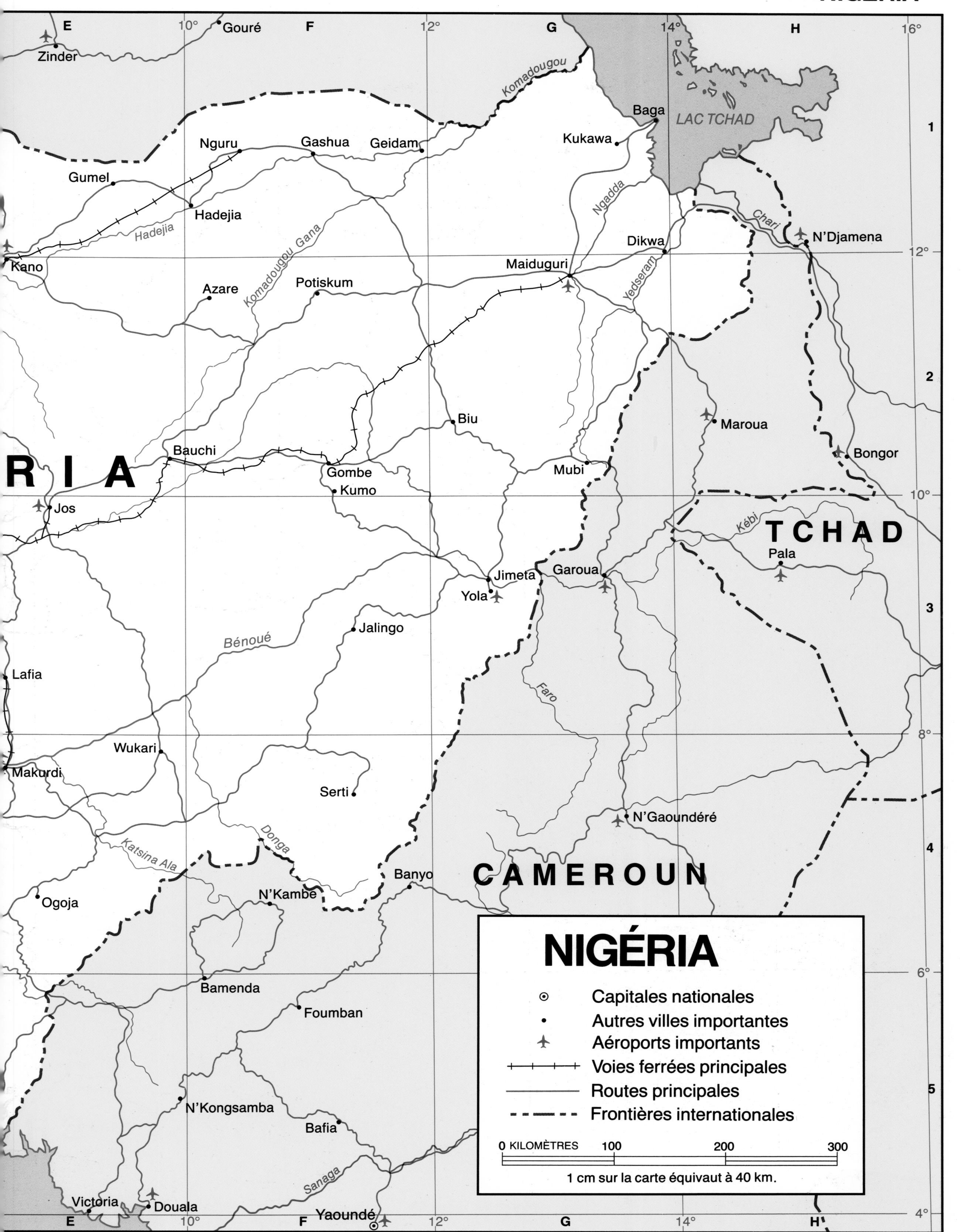
NIGÉRIA
Capitales nationales
Autres villes importantes
Aéroports importants
Voies ferrées principales
Routes principales
Frontières internationales
0 KILOMÈTRES 100 200 300
1 cm sur la carte équivaut à 40 km.
R I A
TCHAD
CAMEROUN
LAC TCHAD
Zinder
Gouré
Nguru
Gashua
Geidam
Gumel
Hadejia
Kano
Azare
Potiskum
Baga
Kukawa
Dikwa
Maiduguri
N'Djamena
Biu
Maroua
Bongor
Bauchi
Gombe
Kumo
Mubi
Jos
Pala
Garoua
Jimeta
Yola
Jalingo
Lafia
Wukari
Makurdi
Serti
N'Gaoundéré
Banyo
N'Kambe
Ogoja
Bamenda
Foumban
N'Kongsamba
Bafia
Victoria
Douala
Yaoundé
Komadougou
Komadougou Gana
Hadejia
Ngadda
Yedseram
Chari
Kébi
Bénoué
Faro
Donga
Katsina Ala
Sanaga
E
F
G
H
10°
12°
14°
16°
4°
6°
8°
1
2
3
4
5

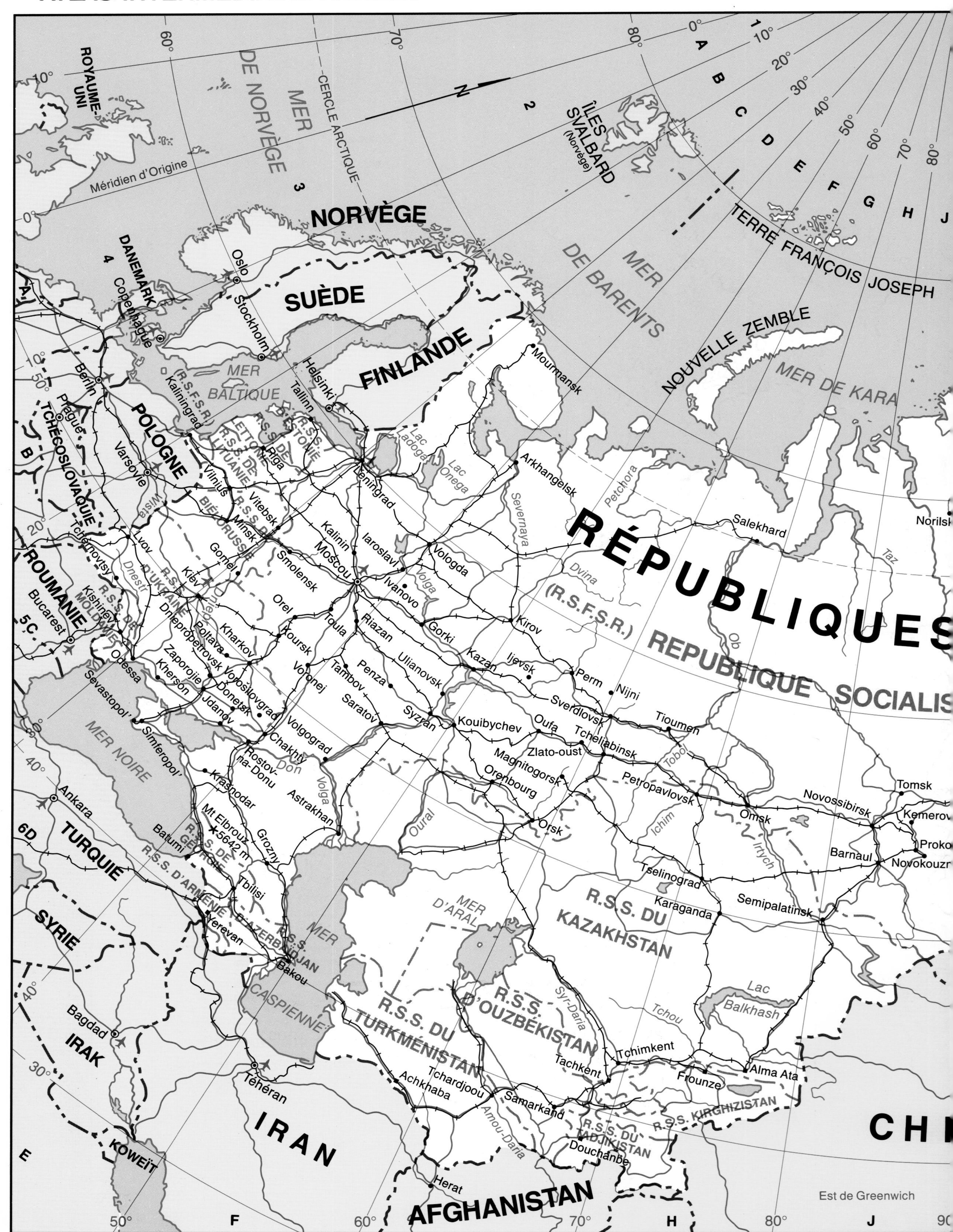

ROYAUME-UNI
MER DE NORVÈGE
CERCLE ARCTIQUE
ÎLES SVALBARD (Norvège)
Méridien d'Origine
NORVÈGE
DANEMARK
Copenhague
Oslo
Stockholm
SUÈDE
FINLANDE
Helsinki
Tallinn
MER BALTIQUE
MER DE BARENTS
TERRE FRANÇOIS JOSEPH
NOUVELLE ZEMBLE
MER DE KARA
Mourmansk
Berlin
Prague
POLOGNE
Varsovie
Kaliningrad
TCHÉCOSLOVAQUIE
Riga
Vilnius
Leningrad
Lac Ladoga
Lac Onega
Arkhangelsk
Petchora
Severnaya
RÉPUBLIQUES
(R.S.F.S.R.) REPUBLIQUE SOCIALIS
Salekhard
Norilsk
Taz
Ob
Dvina
Vitebsk
Minsk
Kalinin
Iaroslavl
Vologda
Smolensk
Moscou
Ivanovo
Volga
Lvov
Tchernovtsy
Gomel
Kiev
ROUMANIE
Bucarest
Kishinev
Dnestr
Orel
Toula
Riazan
Gorki
Kirov
Koursk
Kharkov
Poltava
Dniepropetrovsk
Odessa
Zaporojie
Kherson
Donetsk
Vorochilovgrad
Jdanov
Voronej
Tambov
Penza
Ulianovsk
Kazan
Ijevsk
Perm
Nijni
Sverdlovsk
Tioumen
Sevastopol'
Simferopol'
MER NOIRE
Saratov
Syzran
Kouibychev
Oufa
Tcheliabinsk
Zlato-oust
Volgograd
Chakhty
Rostov-na-Donu
Don
Magnitogorsk
Orenbourg
Tobol
Petropavlovsk
Omsk
Novossibirsk
Tomsk
Kemerov
Proko
Novokouzn
Barnaul
Krasnodar
Astrakhan
Mt Elbrouz 5642 m
Grozny
Batumi
Ouràl
Orsk
Ichim
Irtych
Ankara
TURQUIE
R.S.S. D'ARMÉNIE
Tbilisi
Yerevan
Bakou
SYRIE
MER CASPIENNE
MER D'ARAL
Tselinograd
Karaganda
Semipalatinsk
R.S.S. DU KAZAKHSTAN
Lac Balkhash
Tchou
Syr-Daria
R.S.S. D'OUZBÉKISTAN
R.S.S. DU TURKMÉNISTAN
Tchimkent
Tachkent
Frounze
Alma Ata
R.S.S. KIRGHIZISTAN
Bagdad
IRAK
Téhéran
IRAN
Achkhaba
Tchardjoou
Samarkand
Amou-Daria
R.S.S. DU TADJIKISTAN
Douchanbe
KOWEÏT
Herat
AFGHANISTAN
CHI
Est de Greenwich

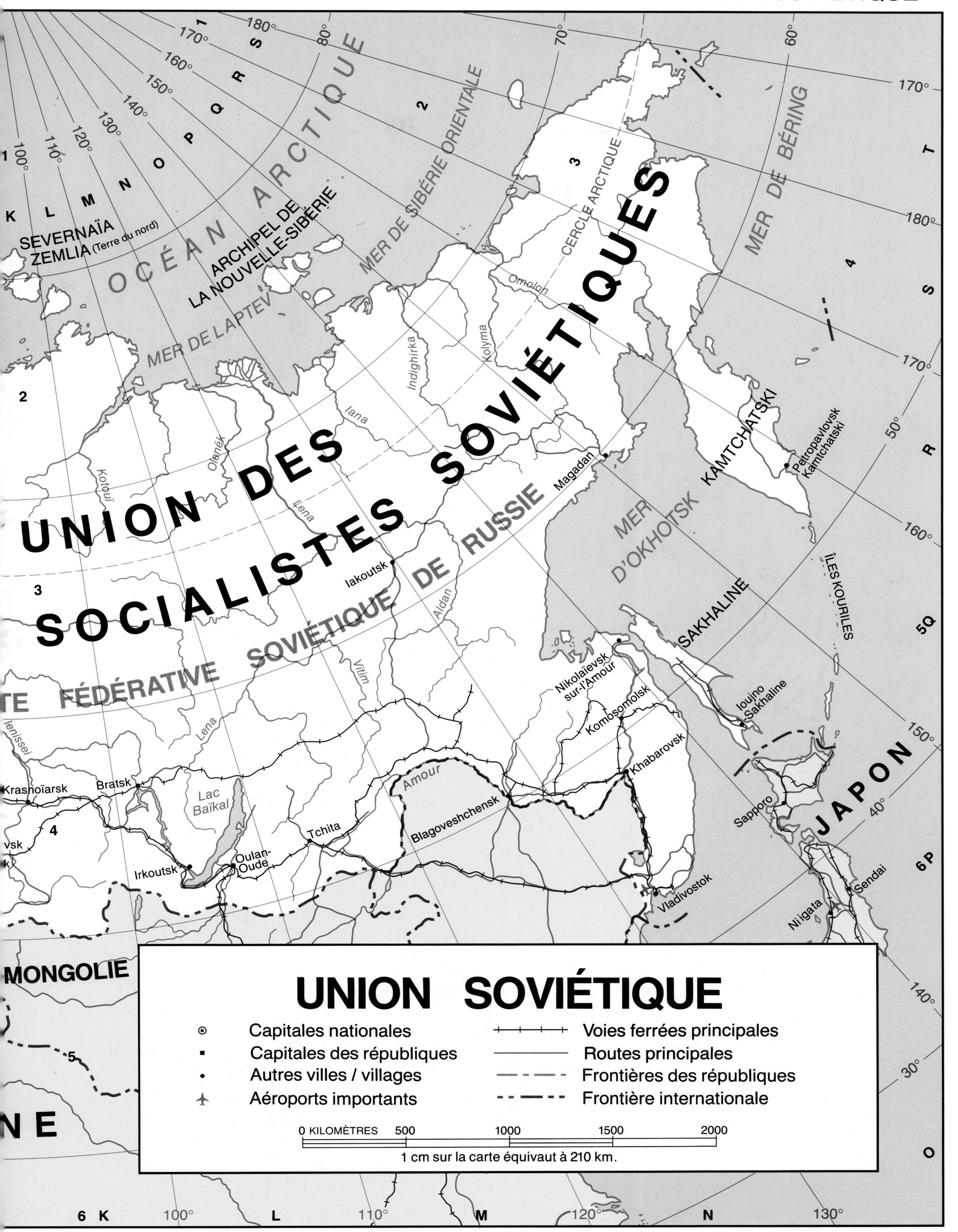
UNION SOVIÉTIQUE
Capitales nationales
Capitales des républiques
Autres villes / villages
Aéroports importants
Voies ferrées principales
Routes principales
Frontières des républiques
Frontière internationale
0 KILOMÈTRES 500 1000 1500 2000
1 cm sur la carte équivaut à 210 km.
UNION DES SOCIALISTES SOVIÉTIQUES
RÉPUBLIQUE SOCIALISTE FÉDÉRATIVE SOVIÉTIQUE DE RUSSIE
OCÉAN ARCTIQUE
MER DE SIBÉRIE ORIENTALE
MER DE LAPTEV
MER DE BÉRING
MER D'OKHOTSK
SEVERNAÏA ZEMLIA (Terre du nord)
ARCHIPEL DE LA NOUVELLE-SIBÉRIE
CERCLE ARCTIQUE
KAMTCHATSKI
SAKHALINE
ÎLES KOURILES
JAPON
MONGOLIE
Omolon
Kolyma
Indighirka
Iana
Olenëk
Kotouï
Lena
Aldan
Vitim
Ienisseï
Amour
Lac Baïkal
Magadan
Petropavlovsk Kamtchatski
Iakoutsk
Nikolaievsk sur-l'Amour
Komsomolsk
Khabarovsk
Ioujno Sakhaline
Sapporo
Sendai
Niigata
Vladivostok
Blagoveshchensk
Tchita
Oulan-Oude
Irkoutsk
Bratsk
Krasnoïarsk
K L M N O P Q R S T
100° 110° 120° 130° 140° 150° 160° 170° 180°
80° 70° 60° 50° 40° 30°

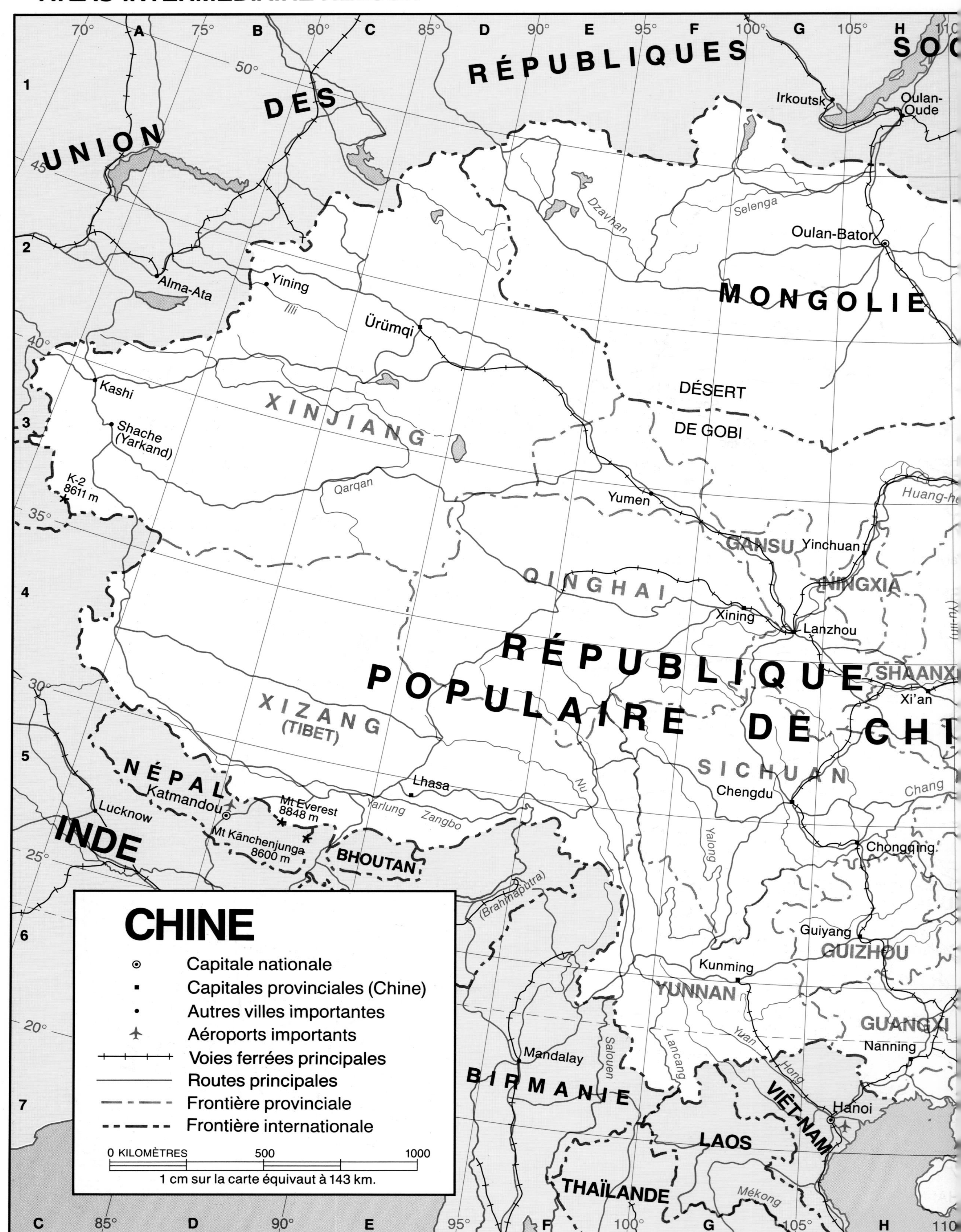
CHINE
Capitale nationale
Capitales provinciales (Chine)
Autres villes importantes
Aéroports importants
Voies ferrées principales
Routes principales
Frontière provinciale
Frontière internationale
0 KILOMÈTRES 500 1000
1 cm sur la carte équivaut à 143 km.
UNION DES RÉPUBLIQUES SOC
MONGOLIE
RÉPUBLIQUE POPULAIRE DE CHI
XINJIANG
XIZANG (TIBET)
QINGHAI
GANSU
NINGXIA
SHAANXI
SICHUAN
GUIZHOU
YUNNAN
GUANGXI
NÉPAL
INDE
BHOUTAN
BIRMANIE
LAOS
THAÏLANDE
VIÊT-NAM
DÉSERT DE GOBI
Irkoutsk
Oulan-Oude
Oulan-Bator
Alma-Ata
Yining
Ürümqi
Kashi
Shache (Yarkand)
K-2 8611 m
Yumen
Yinchuan
Xining
Lanzhou
Xi'an
Lhasa
Katmandou
Lucknow
Mt Everest 8848 m
Mt Känchenjunga 8600 m
Chengdu
Chongqing
Guiyang
Kunming
Nanning
Hanoi
Mandalay
Selenga
Dzavhan
Illi
Qarqan
Huang-he
Nu
Yarlung Zangbo
Brahmaputra
Yalong
Chang
Salouen
Lancang
Yuan
Hong
Mékong
50°
45°
40°
35°
30°
25°
20°
70°
75°
80°
85°
90°
95°
100°
105°
110°
A B C D E F G H
1 2 3 4 5 6 7

SOVIÉTIQUES
MER D'OKHOTSK
SAKHALINE
Khabarovsk
HEILONGJIANG
Heilongjiang
(Amour)
Qiqihar
Harbin
Songhua
Herlen
MONGOL
Changchun
Jilin
JILIN
Vladivostok
HOKKAIDŌ
Sapporo
HONSHU
RÉPUBLIQUE POPULAIRE DÉMOCRATIQUE DE CORÉE
(CORÉE DU NORD)
Shenyang
Fushun
Anshan
LIAONING
Jinzhou
Dandong
Hohhot
Zhangjiakou
BEIJING SHI
Beijing
Tangshan
Tianjin
TIANJIN SHI
Lüda
P'yongyang
Séoul
Inch'on
MER DE JAPON
Sendai
JAPON
Niigata
Tōkyō
Yokohama
Kanazawa
Nagoya
Kyōto
Osaka
Shijiazhuang
HEBEI
SHANXI
Jinan
SHANDONG
Qingdao
RÉPUBLIQUE DE CORÉE
(CORÉE DU SUD)
Pusan
Hiroshima
Kitakyūshū
Fukuoka
SHIKOKU
Nagasaki
KYŪSHŪ
MER JAUNE
Da Yunhe
Zhengzhou
HENAN
Xuzhou
Bengbu
JIANGSU
Nanjing
Hefei
Wuxi
Suzhou
Shanghai
SHANGHAI SHI
HUBEI
ANHUI
Wuhan
Hangzhou
(Yang-Tsé-Kiang)
Ningbo
ZHEJIANG
Nanchang
Wenzhou
ÎLES RYŪKYŪ
OKINAWA-JIMA
(Japon)
Naha
Changsha
HUNAN
JIANGXI
Hengyang
FUJIAN
Fuzhou
Xiang
Taipei
TROPIQUE DU CANCER
Xiamen
TAIWAN
T'ainan
Kaohsiung
GUANGDONG
Guangzhou
Shantou
Hongshui
HONG KONG
(G.-B.)
MACAO
(Portugal)
OCÉAN PACIFIQUE
Zhanjiang
MER DE CHINE MÉRIDIONALE
Haikou
HAI-NAN
PHILIPPINES
LUÇON
Est de Greenwich
J K L M N O P Q
115° 120° 125° 130° 135° 140° 145° 150°
50° 45° 40° 35° 30° 25° 20°
1 2 3 4 5 6 7
N

CORÉE ET JAPON
Capitales nationales
Autres villes importantes
Aéroports importants
Voies ferrées principales
Routes principales
Frontières internationales
0
100
200
300
KILOMÈTRES
1 cm sur la carte équivaut à 60 km.
CHINE
RÉPUBLIQUE POPULAIRE DÉMOCRATIQUE DE CORÉE
(CORÉE DU NORD)
RÉPUBLIQUE DE CORÉE
(CORÉE DU SUD)
GOLFE DE POHAI
MER JAUNE
MER DE CHINE ORIENTALE
DÉTROIT DE CORÉE
KYŪSHŪ
CHEJU-DO
(Corée du Sud)
Songhua Jiang
Lac Khanka
Changchun
Jilin
Vladivostok
Unggi
Najin
Ch'ŏngjin
Kilchu
Fushun
Shenyang
Anshan
Benxi
Dandong
Sinŭiju
Hamhŭng
Hŭngnam
Anju
Wŏnsan
P'yŏngyang
Tianjin (Tientsin)
Lüshun
Lüda
Haeju
Kaesŏng
Chunchon
Sŏul (Séoul)
Inch'on
Wŏnju
Chongju
Taejŏn
Kunsan
Chŏnju
Taegu
P'ohang
Ulsan
Chinju
Kwangju
Masan
Pusan
Mokp'o
Nankin
(Nanking)
Hiroshima
Shimonoseki
Kitakyūshū
Fukuoka
Kurume
Sasebo
Ōmuta
Kumamoto
Nagasaki
Miyazaki
Kagoshima

U.R.S.S.
MER DU JAPON
OCÉAN PACIFIQUE
HOKKAIDŌ
HONSHŪ
JAPON
SHIKOKU
N
Asahigawa
Sapporo
Kushiro
Muroran
Hakodate
Aomori
Hachinohe
Akita
Morioka
Yamagata
Sendai
Niigata
Takaoka
Kanazawa
Toyama
Nagano
Utsunomiya
Maebashi
Hitachi
Tōkyō
Kawasaki
Yokohama
Yokosuka
Kōfu
Gifu
Kyōto
Nagoya
Shizuoka
Hamamatsu
Himeji
Kōbe
Ōsaka
Okayama
Takamatsu
Tokushima
Wakayama
Matsuyama
Kōchi
ÎLES RYUKYU
(Japon)
OKINAWA-JIMA
Gushikawa
Naha
Est de Greenwich

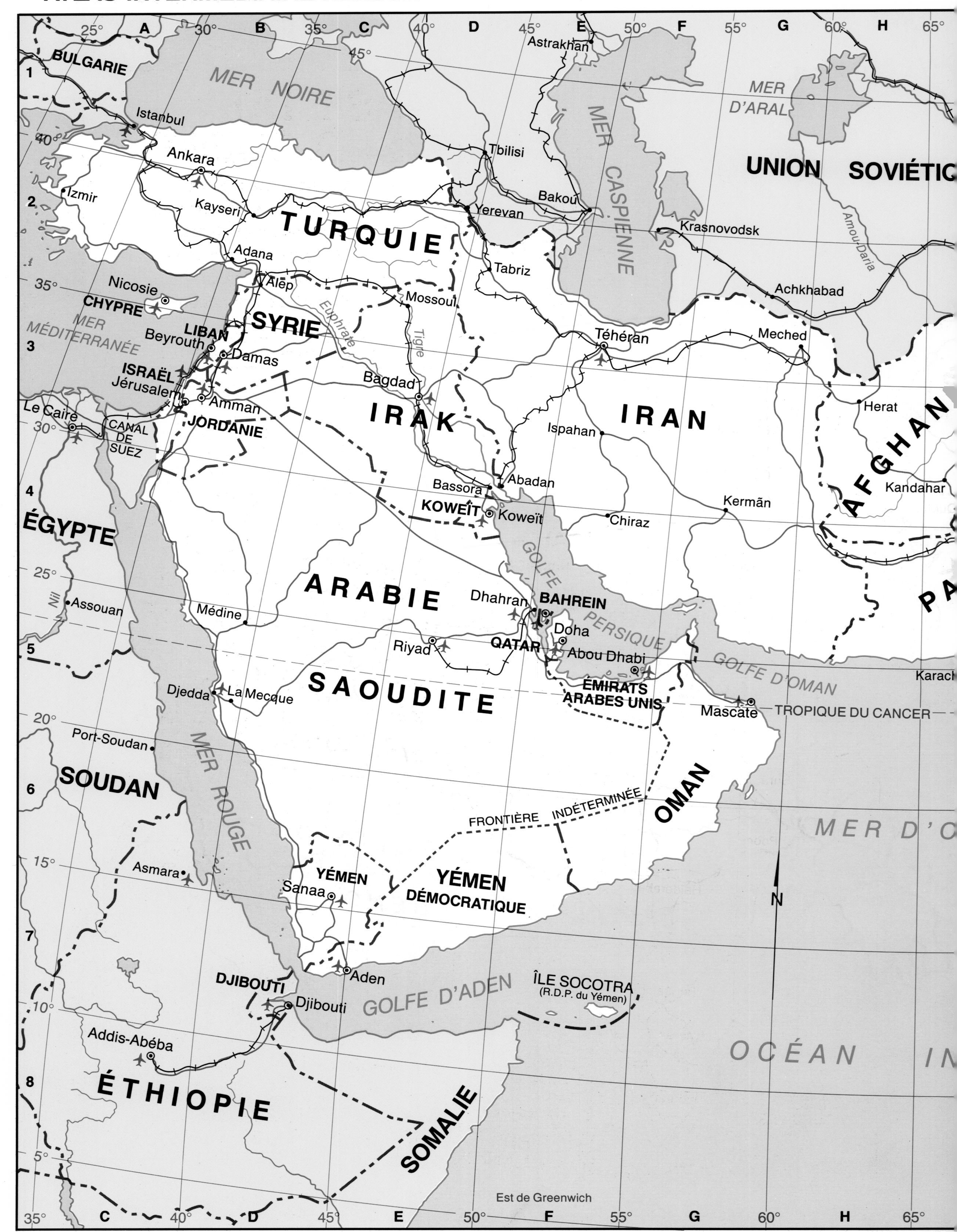

MER NOIRE
MER CASPIENNE
MER D'ARAL
MER MÉDITERRANÉE
MER ROUGE
GOLFE PERSIQUE
GOLFE D'OMAN
GOLFE D'ADEN
MER D'O
OCÉAN IN
TROPIQUE DU CANCER
FRONTIÈRE INDÉTERMINÉE
BULGARIE
TURQUIE
UNION SOVIÉTIC
CHYPRE
SYRIE
LIBAN
ISRAËL
JORDANIE
IRAK
IRAN
AFGHAN
PA
KOWEÏT
ÉGYPTE
ARABIE SAOUDITE
BAHREIN
QATAR
ÉMIRATS ARABES UNIS
OMAN
SOUDAN
YÉMEN
YÉMEN DÉMOCRATIQUE
DJIBOUTI
ÉTHIOPIE
SOMALIE
ÎLE SOCOTRA
(R.D.P. du Yémen)
CANAL DE SUEZ
Istanbul
Ankara
Izmir
Kayseri
Adana
Alep
Nicosie
Beyrouth
Damas
Jérusalem
Amman
Le Caire
Mossoul
Bagdad
Euphrate
Tigre
Astrakhan
Tbilisi
Bakou
Yerevan
Tabriz
Krasnovodsk
Amou-Daria
Achkhabad
Téhéran
Meched
Herat
Kandahar
Ispahan
Abadan
Bassora
Koweït
Kermãn
Chiraz
Assouan
Nil
Médine
Dhahran
Doha
Riyad
Abou Dhabi
Djedda
La Mecque
Mascate
Karach
Port-Soudan
Asmara
Sanaa
Aden
Djibouti
Addis-Abéba
N
Est de Greenwich
A B C D E F G H
1 2 3 4 5 6 7 8
25° 30° 35° 40° 45° 50° 55° 60° 65°
40° 35° 30° 25° 20° 15° 10° 5°

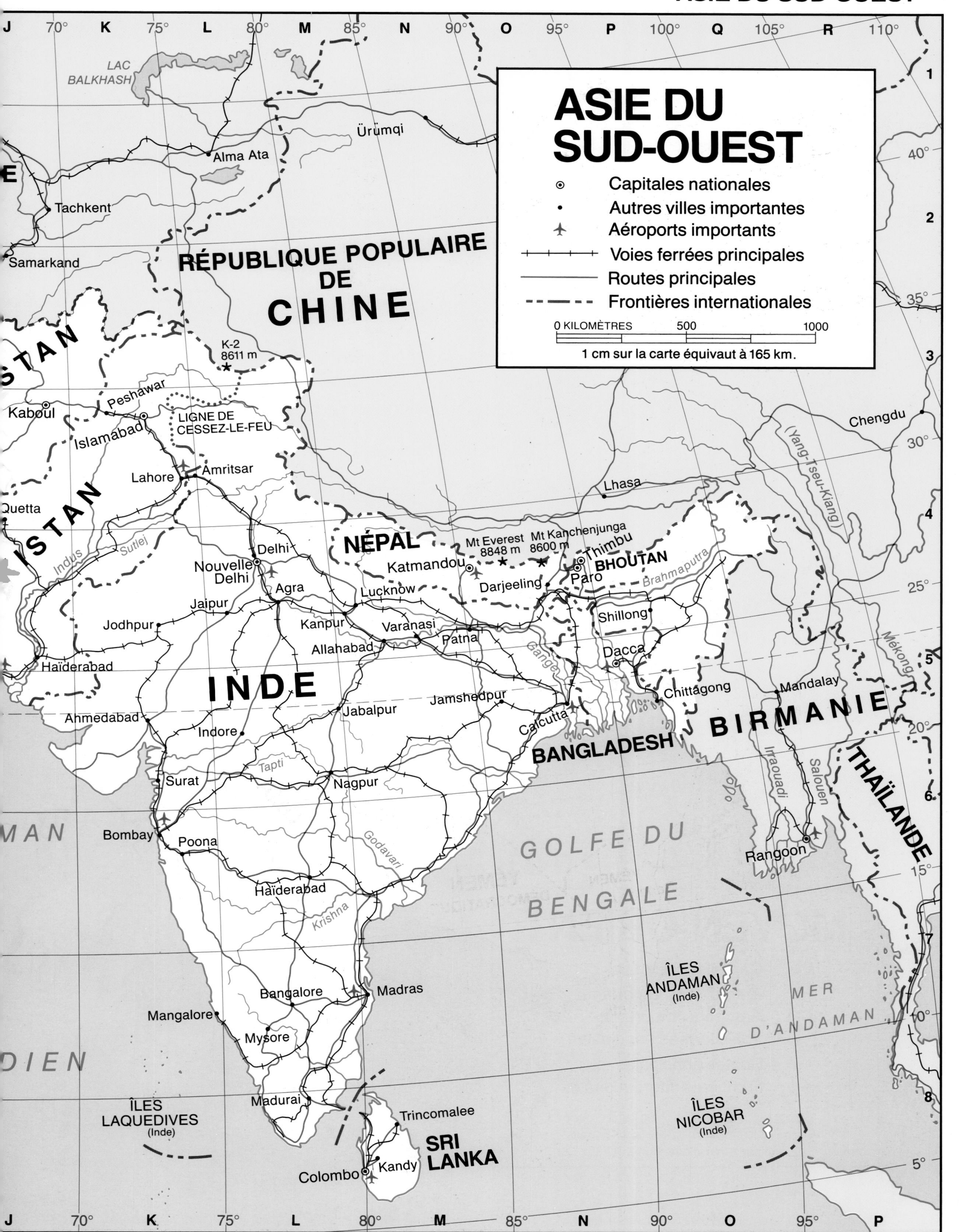
ASIE DU SUD-OUEST
Capitales nationales
Autres villes importantes
Aéroports importants
Voies ferrées principales
Routes principales
Frontières internationales
0 KILOMÈTRES 500 1000
1 cm sur la carte équivaut à 165 km.
RÉPUBLIQUE POPULAIRE DE CHINE
LAC BALKHASH
Ürümqi
Alma Ata
Tachkent
Samarkand
K-2 8611 m
Kaboul
Peshawar
Islamabad
LIGNE DE CESSEZ-LE-FEU
Lahore
Amritsar
Quetta
Lhasa
Chengdu
(Yang-Tseu-Kiang)
NÉPAL
Mt Everest 8848 m
Mt Kanchenjunga 8600 m
Thimbu
BHOUTAN
Paro
Katmandou
Darjeeling
Brahmaputra
Delhi
Nouvelle Delhi
Agra
Lucknow
Jaipur
Indus
Sutlej
Jodhpur
Kanpur
Varanasi
Patna
Allahabad
Shillong
Dacca
Gange
Mékong
Haïderabad
INDE
Jamshedpur
Jabalpur
Chittagong
Mandalay
Ahmedabad
Indore
Calcutta
BANGLADESH
BIRMANIE
THAÏLANDE
Tapti
Surat
Nagpur
Irraouadi
Salouen
Bombay
Poona
Godavari
GOLFE DU BENGALE
Rangoon
Haïderabad
Krishna
ÎLES ANDAMAN (Inde)
MER D'ANDAMAN
Bangalore
Madras
Mangalore
Mysore
Madurai
Trincomalee
ÎLES LAQUEDIVES (Inde)
ÎLES NICOBAR (Inde)
SRI LANKA
Kandy
Colombo
STAN
ISTAN
MAN
DIEN
70° 75° 80° 85° 90° 95° 100° 105° 110°
40° 35° 30° 25° 20° 15° 10° 5°
J K L M N O P Q R
1 2 3 4 5 6 7 8

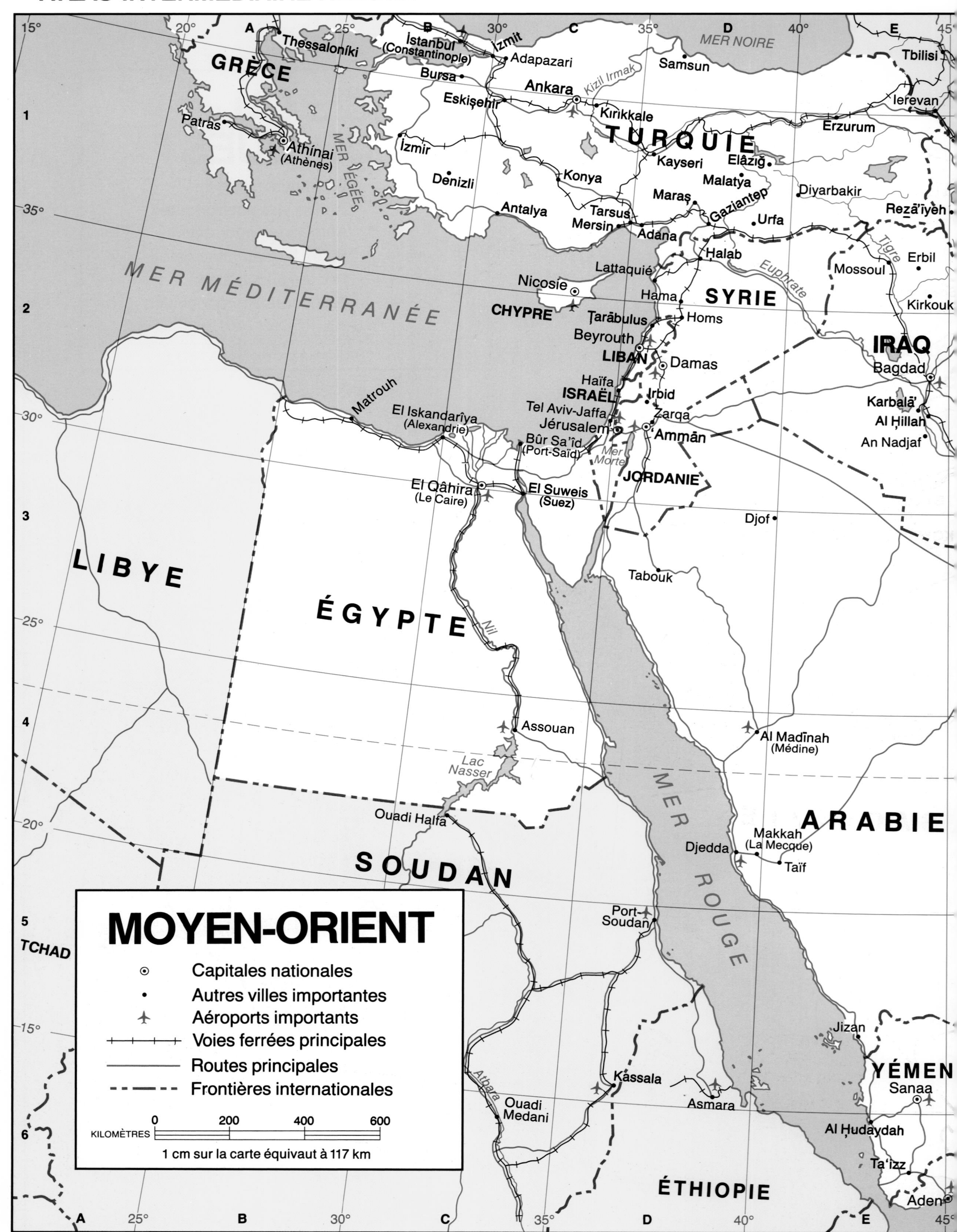
MOYEN-ORIENT
Capitales nationales
Autres villes importantes
Aéroports importants
Voies ferrées principales
Routes principales
Frontières internationales
KILOMÈTRES
0
200
400
600
1 cm sur la carte équivaut à 117 km
GRÈCE
TURQUIE
SYRIE
IRAQ
LIBAN
ISRAËL
JORDANIE
CHYPRE
LIBYE
ÉGYPTE
SOUDAN
ARABIE
YÉMEN
ÉTHIOPIE
TCHAD
MER NOIRE
MER MÉDITERRANÉE
MER ÉGÉE
MER ROUGE
Mer Morte
Lac Nasser
Kizil Irmak
Euphrate
Tigre
Nil
Atbara
Thessaloníki
Patras
Athínai (Athènes)
İstanbul (Constantinople)
Izmit
Adapazari
Bursa
Eskişehir
Ankara
Kırıkkale
Samsun
Erzurum
Tbilisi
Ierevan
İzmir
Denizli
Konya
Antalya
Kayseri
Elâzığ
Malatya
Maraş
Diyarbakir
Gaziantep
Urfa
Tarsus
Mersin
Adana
Reza'iyeh
Halab
Lattaquié
Mossoul
Erbil
Nicosie
Hama
Kirkouk
Ţarābulus
Homs
Beyrouth
Damas
Bagdad
Haïfa
Irbid
Karbalā'
Al Ḩillah
An Nadjaf
Tel Aviv-Jaffa
Jérusalem
Zarqa
Ammān
Matrouh
El Iskandarîya (Alexandrie)
Bûr Sa'îd (Port-Saïd)
El Qâhira (Le Caire)
El Suweis (Suez)
Djof
Tabouk
Assouan
Al Madīnah (Médine)
Ouadi Halfa
Makkah (La Mecque)
Djedda
Taïf
Port-Soudan
Jizan
Sanaa
Kassala
Asmara
Ouadi Medani
Al Ḩudaydah
Ta'izz
Aden
15°
20°
25°
30°
35°
40°
45°
A
B
C
D
E
1
2
3
4
5
6

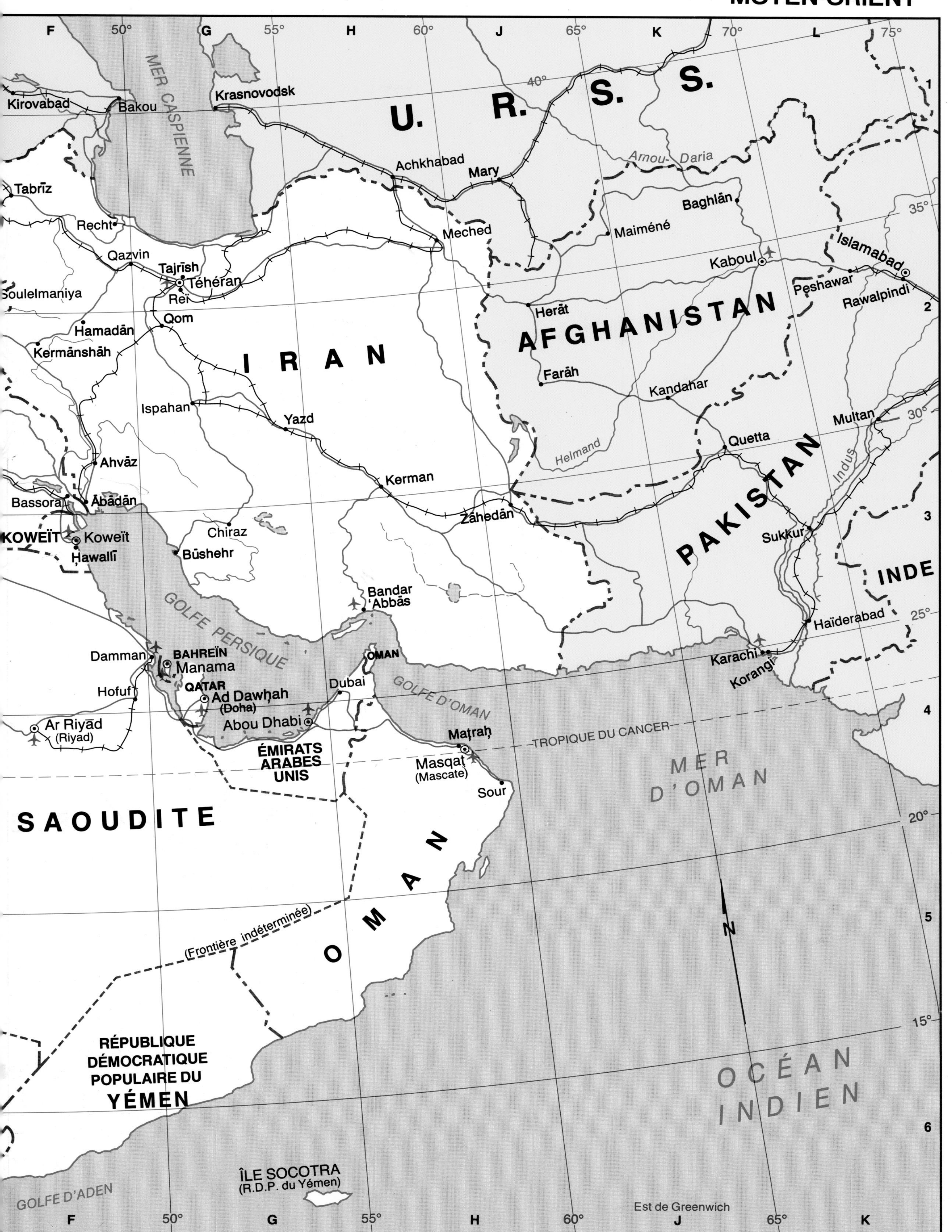

U. R. S. S.
MER CASPIENNE
Kirovabad
Bakou
Krasnovodsk
Achkhabad
Mary
Arnou-Daria
Tabrīz
Recht
Qazvin
Tajrīsh
Téhéran
Reï
Soulelmaniya
Hamadān
Kermānshāh
Qom
IRAN
Ispahan
Yazd
Ahvāz
Bassora
Ābādān
KOWEÏT
Koweït
Ḥawallī
Chiraz
Būshehr
Kerman
Zāhedān
Meched
Maiméné
Baghlān
Kaboul
Islamabad
Peshawar
Rawalpindi
Herāt
AFGHANISTAN
Farāh
Kandahar
Helmand
Quetta
Multan
PAKISTAN
Indus
Sukkur
INDE
Haïderabad
Karachi
Korangi
Bandar 'Abbās
GOLFE PERSIQUE
Damman
BAHREÏN
Manama
QATAR
Ad Dawḥah (Doha)
Hofuf
Ar Riyāḍ (Riyad)
Dubai
OMAN
Abou Dhabi
ÉMIRATS ARABES UNIS
GOLFE D'OMAN
Maṭraḥ
TROPIQUE DU CANCER
Masqaṭ (Mascate)
Sour
MER D'OMAN
SAOUDITE
OMAN
(Frontière indéterminée)
RÉPUBLIQUE DÉMOCRATIQUE POPULAIRE DU YÉMEN
OCÉAN INDIEN
ÎLE SOCOTRA (R.D.P. du Yémen)
GOLFE D'ADEN
Est de Greenwich
N
F G H J K L
50° 55° 60° 65° 70° 75°
40° 35° 30° 25° 20° 15°
1 2 3 4 5 6

INDE
RÉPUBLIQUE POPULAIRE DE
CHINE
Myitkyina
Kunming
Hong-Ha (Fleuve Rouge)
Da (Fleuve Noir)
Lao Cai
Guangzhou (Canton)
HONG KONG (G.-B.)
Taipei
TAIWAN
Kaohsiung
DÉTROIT DE LUÇON
Mandalay
BIRMANIE
Keng-Toung
Sittwe
Hanoi
Haiphong
Zhanjiang
Luang Prabang
HAINÁN
Irraouadi
Salouen
Chiang Mai
Vientiane
LAOS
Mékong
Aparri
LUÇON
Rangoon
Moulmein
THAÏLANDE
Huê
Da Nang
Ubon Ratchathani
Krung Thep (Bangkok)
VIÊT-NAM
MER DE CHINE MÉRIDIONALE
Manille
MINDORO
ÎLES ANDAMAN (Inde)
Mergui
KÂMPUCHÉA
Phnom Penh
Nha-Trang
PANAY
Iloilo
Cebu
GOLFE DE SIAM
MER D'ANDAMAN
Hô-Chi-Minh (Saïgon)
PALAOUAN
NEGROS
Surat Thani
MER DE SOULOU
ÎLES NICOBAR (Inde)
Zamboanga
Kota Bharu
BRUNEI
Bandar Seri Begawan
Sandakan
Banda Aceh
Penang
DÉTROIT DE MALACCA
MALAISIE
MALAISIE
MER DE CÉLÈBES
Médine
Kuala-Lumpur
SARAWAK
SINGAPOUR
Paloh
Kuching
Manado
ÉQUATEUR
Pontianak
BORNÉO
Kapuas
Padang
SUMATRA
Samarinda
DÉTROIT DE MACASSAR
BANGKA
SULAWESI
Barito
Palembang
Banjarmasin
Ujung Pandang
Teluk Betung
Jakarta
Surabaya
INDONÉSIE
JAVA
OCÉAN INDIEN
Bandung
Yogyakarta
BALI
LOMBOK
Raba
FLORES
Larantuka
Denpasar
Mataram
SUMBAWA
Ruteng
SUMBA
Memboro
Baing
Kupang
MER DE
Est de Greenwich
A
B
C
100°
110°
120°
20°
10°
0°
1
2
3
4
5

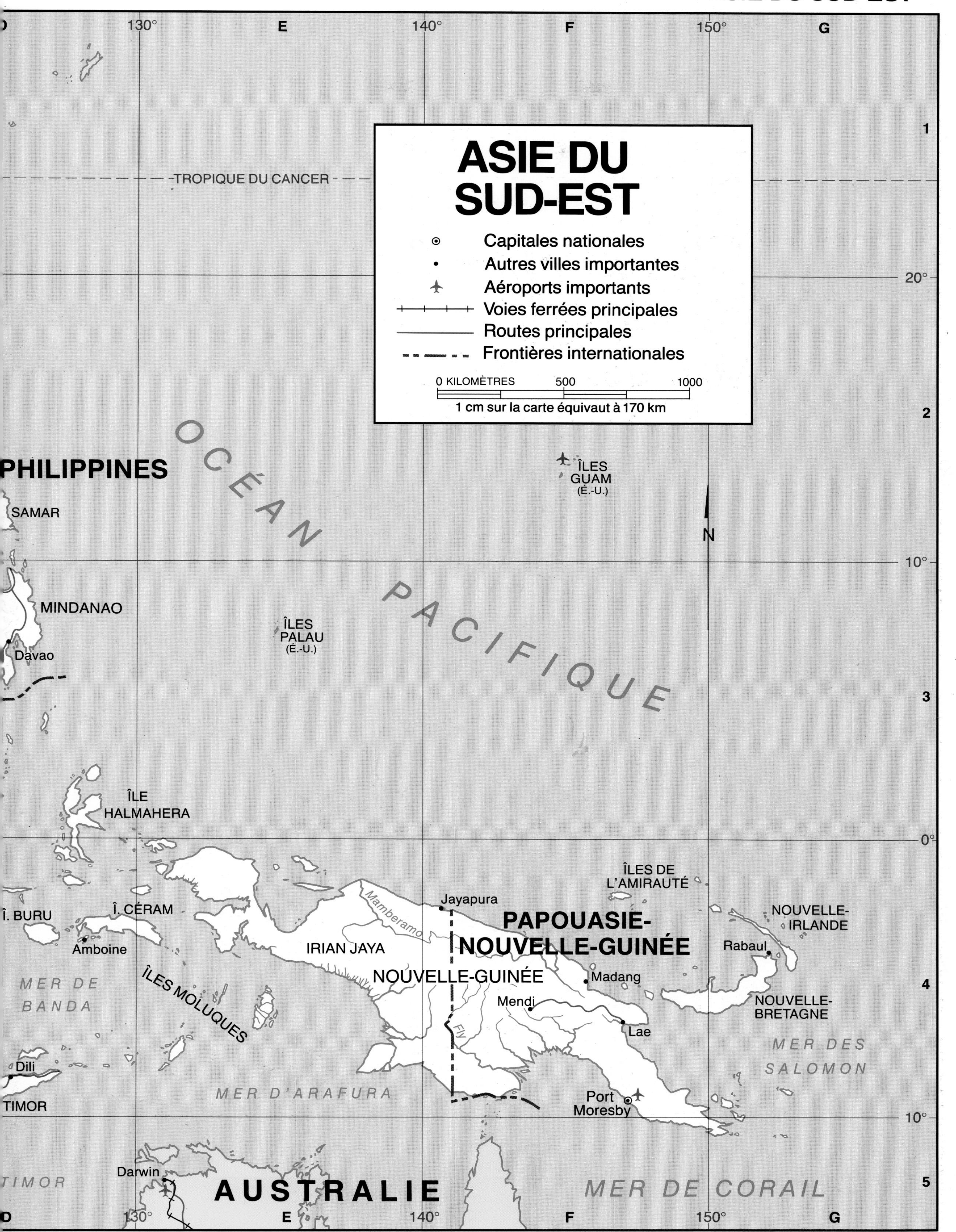

ASIE DU SUD-EST
Capitales nationales
Autres villes importantes
Aéroports importants
Voies ferrées principales
Routes principales
Frontières internationales
0 KILOMÈTRES 500 1000
1 cm sur la carte équivaut à 170 km
130°
140°
150°
E
F
G
1
2
3
4
5
20°
10°
0°
10°
TROPIQUE DU CANCER
OCÉAN PACIFIQUE
PHILIPPINES
SAMAR
MINDANAO
Davao
ÎLES PALAU (É.-U.)
ÎLES GUAM (É.-U.)
N
ÎLE HALMAHERA
ÎLES DE L'AMIRAUTÉ
Î. BURU
Î. CÉRAM
Amboine
Jayapura
Mamberamo
PAPOUASIE-NOUVELLE-GUINÉE
NOUVELLE-IRLANDE
Rabaul
IRIAN JAYA
NOUVELLE-GUINÉE
Madang
Mendi
Lae
NOUVELLE-BRETAGNE
Fly
MER DE BANDA
ÎLES MOLUQUES
MER DES SALOMON
Dili
TIMOR
MER D'ARAFURA
Port Moresby
TIMOR
Darwin
AUSTRALIE
MER DE CORAIL

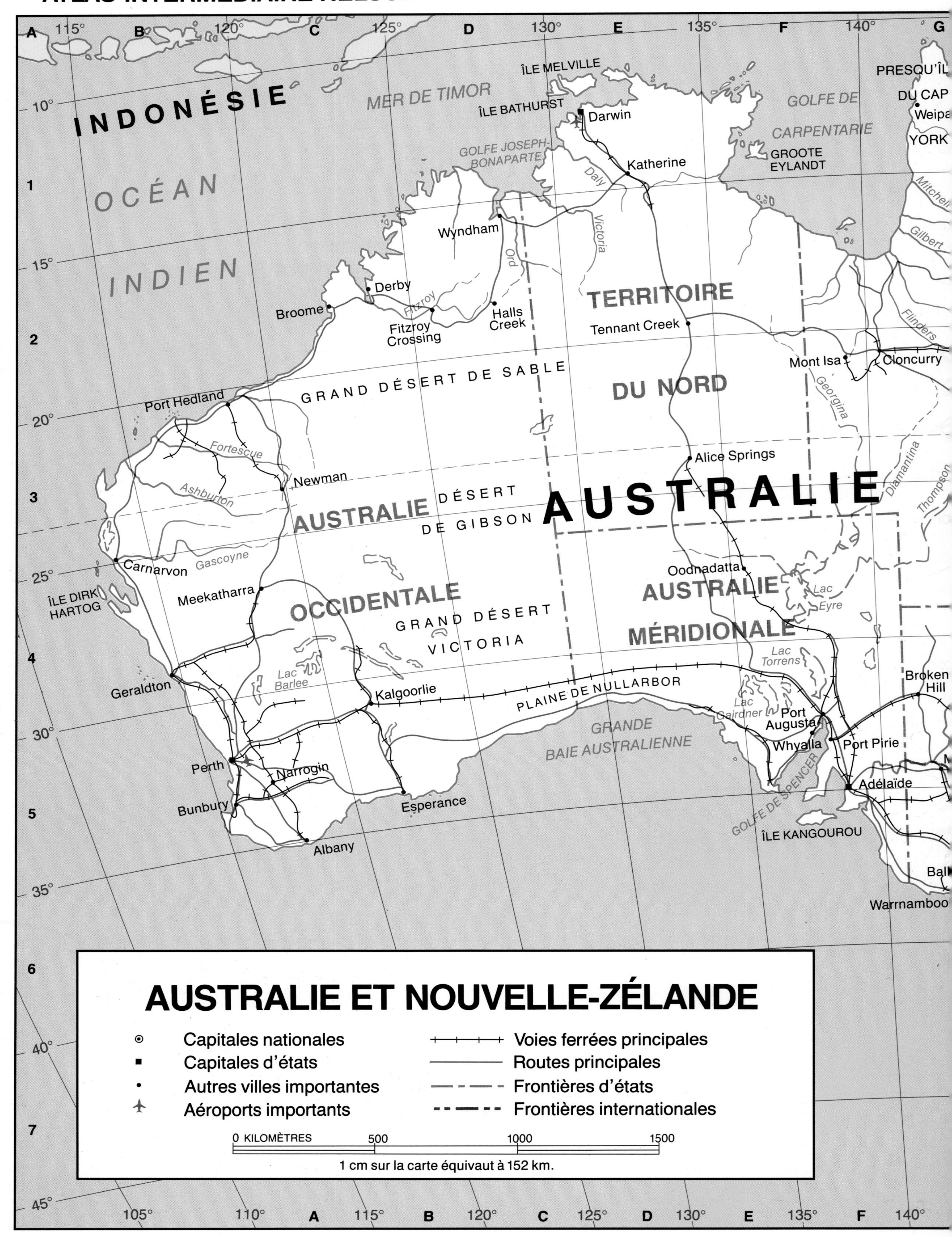
AUSTRALIE ET NOUVELLE-ZÉLANDE
Capitales nationales
Capitales d'états
Autres villes importantes
Aéroports importants
Voies ferrées principales
Routes principales
Frontières d'états
Frontières internationales
0 KILOMÈTRES
500
1000
1500
1 cm sur la carte équivaut à 152 km.
INDONÉSIE
OCÉAN INDIEN
MER DE TIMOR
ÎLE MELVILLE
ÎLE BATHURST
GOLFE JOSEPH-BONAPARTE
GOLFE DE CARPENTARIE
GROOTE EYLANDT
PRESQU'ÎL
DU CAP
YORK
Weipa
Darwin
Katherine
Wyndham
Derby
Broome
Fitzroy Crossing
Halls Creek
Tennant Creek
TERRITOIRE DU NORD
Mont Isa
Cloncurry
GRAND DÉSERT DE SABLE
Port Hedland
Newman
Alice Springs
AUSTRALIE
AUSTRALIE OCCIDENTALE
DÉSERT DE GIBSON
Carnarvon
ÎLE DIRK HARTOG
Meekatharra
Oodnadatta
AUSTRALIE MÉRIDIONALE
GRAND DÉSERT VICTORIA
Lac Eyre
Lac Torrens
Lac Barlee
Lac Gairdner
Geraldton
Kalgoorlie
PLAINE DE NULLARBOR
Broken Hill
Port Augusta
Whyalla
Port Pirie
GRANDE BAIE AUSTRALIENNE
Perth
Narrogin
Bunbury
Esperance
Albany
Adélaïde
GOLFE DE SPENCER
ÎLE KANGOUROU
Warrnamboo
Daly
Victoria
Ord
Fitzroy
Fortescue
Ashburton
Gascoyne
Georgina
Diamantina
Thompson
Flinders
Gilbert
Mitchell

PAPOUASIE-NOUVELLE-GUINÉE
GUADACANAL
ÎLES SALOMON
SAN CRISTOBAL
ÎLES SANTA CRUZ (G.-B.)
RÉCIFS DE LA GRANDE BARRIÈRE
MER DE CORAIL
ESPIRITU SANTO
MALEKULA
VANUATU
Vila
EFATE
Cairns
Innisfail
Townsville
Bowen
Mackay
QUEENSLAND
Longreach
Rockhampton
NOUVELLE-CALÉDONIE
(France)
Nouméa
TROPIQUE DU CAPRICORNE
Bundaberg
Charleville
Toowoomba
Brisbane
Gold Coast
OCÉAN PACIFIQUE
ÎLE NORFOLK (Australie)
Darling
Narrabri
NOUVELLE-GALLES DU SUD
Tamworth
ÎLE LORD HOWE (Australie)
Dubbo
Orange
Maitland
Newcastle
Lachlan
Sydney
Wollongong
Wagga Wagga
Canberra
DISTRICT DE LA CAPITALE AUSTRALIENNE
Murray
Albury
Mt Kosciusko 2227 m
VICTORIA
Melbourne
Geelong
MER DE TASMAN
Auckland
ÎLE DU NORD
DÉTROIT DE BASS
ÎLE FLINDERS
DÉTROIT DE COOK
NOUVELLE-ZÉLANDE
Napier
N
Launceston
TASMANIE
Hobart
Wellington
ÎLE DU SUD
Mt Cook 3764 m
Christchurch
ÎLES CHATHAM (N.-Z.)
Dunedin
ÎLE STEWART
Longitude est de Greenwich
145° H 150° J 155° K 160° L 165° M 170° N 175° O 180°
10° 15° 20° 25° 30° 35° 40° 45°
1 2 3 4 5 6 7 8

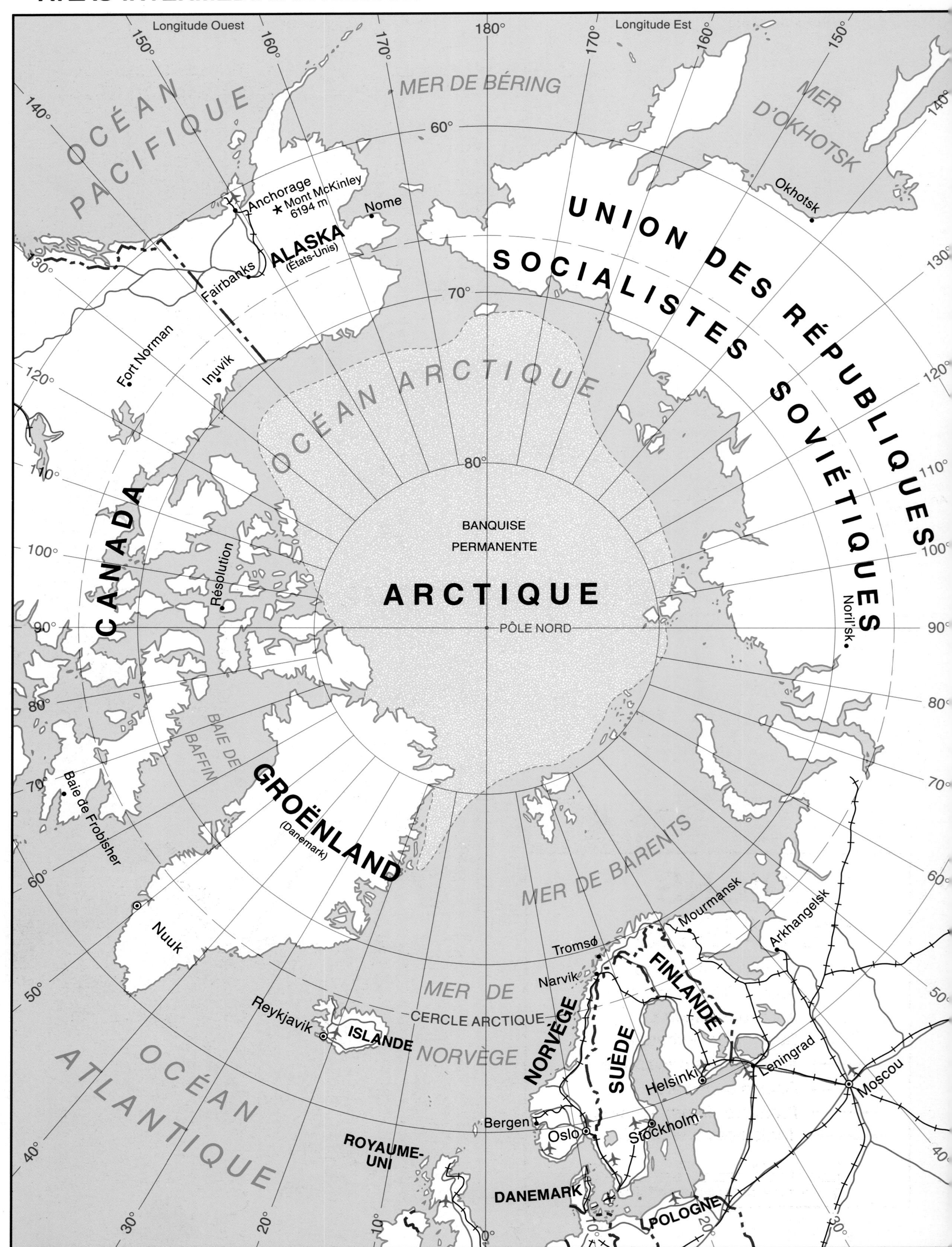
Longitude Ouest
Longitude Est
MER DE BÉRING
MER D'OKHOTSK
OCÉAN PACIFIQUE
Anchorage
Mont McKinley 6194 m
Nome
Okhotsk
ALASKA (États-Unis)
Fairbanks
UNION DES RÉPUBLIQUES SOCIALISTES SOVIÉTIQUES
Fort Norman
Inuvik
OCÉAN ARCTIQUE
CANADA
Résolution
BANQUISE PERMANENTE
ARCTIQUE
PÔLE NORD
Noril'sk
BAIE DE BAFFIN
Baie de Frobisher
GROËNLAND (Danemark)
MER DE BARENTS
Nuuk
Mourmansk
Arkhangelsk
Tromsø
Narvik
FINLANDE
MER DE NORVÈGE
CERCLE ARCTIQUE
Reykjavik
ISLANDE
NORVÈGE
SUÈDE
Helsinki
Leningrad
Moscou
OCÉAN ATLANTIQUE
Bergen
Oslo
Stockholm
ROYAUME-UNI
DANEMARK
POLOGNE

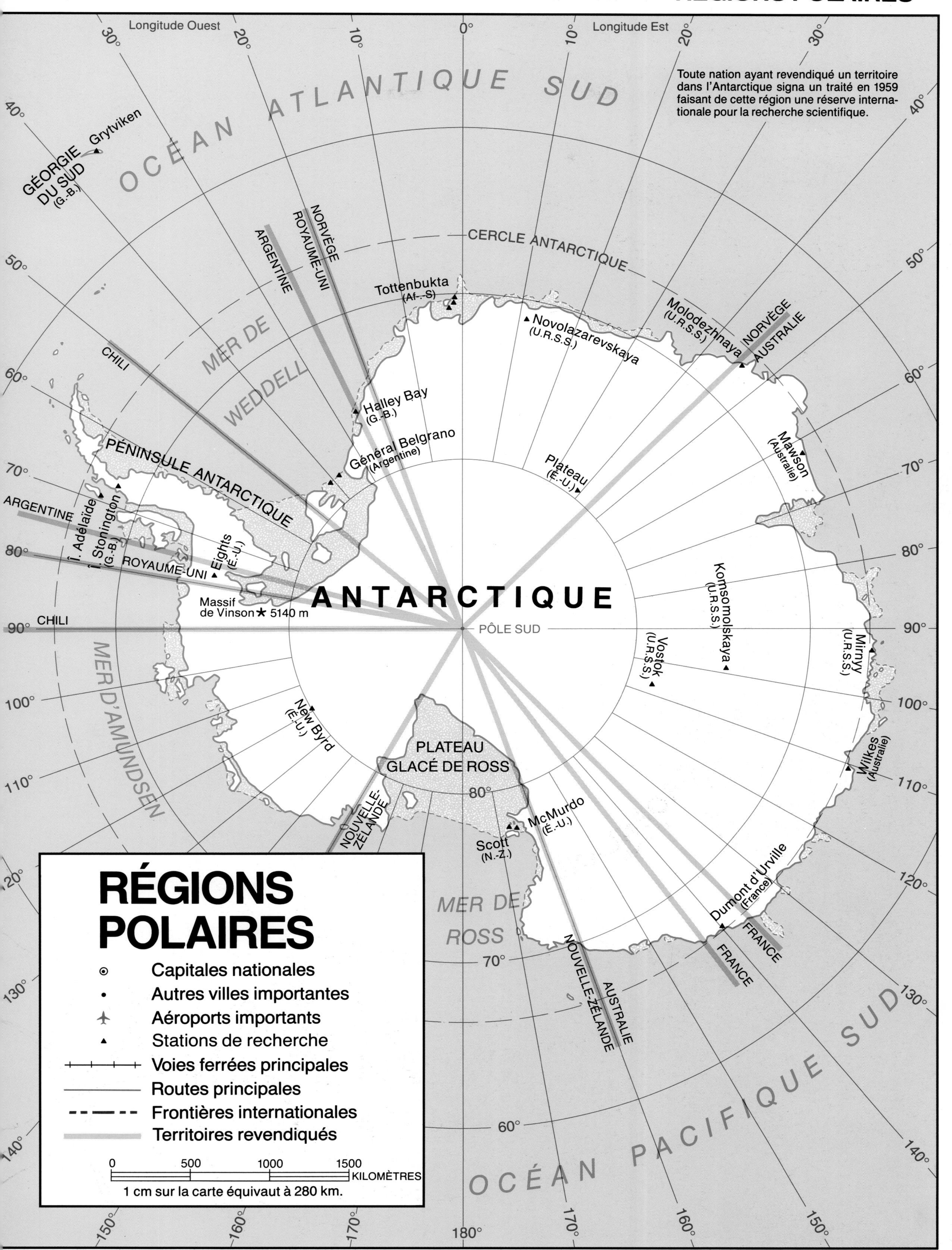
RÉGIONS POLAIRES
Capitales nationales
Autres villes importantes
Aéroports importants
Stations de recherche
Voies ferrées principales
Routes principales
Frontières internationales
Territoires revendiqués
0 500 1000 1500 KILOMÈTRES
1 cm sur la carte équivaut à 280 km.
Toute nation ayant revendiqué un territoire dans l'Antarctique signa un traité en 1959 faisant de cette région une réserve internationale pour la recherche scientifique.
Longitude Ouest
Longitude Est
OCÉAN ATLANTIQUE SUD
OCÉAN PACIFIQUE SUD
CERCLE ANTARCTIQUE
ANTARCTIQUE
PÔLE SUD
PÉNINSULE ANTARCTIQUE
PLATEAU GLACÉ DE ROSS
MER DE WEDDELL
MER D'AMUNDSEN
MER DE ROSS
GÉORGIE DU SUD (G.-B.)
Grytviken
Tottenbukta (Af.-S)
Novolazarevskaya (U.R.S.S.)
Molodezhnaya (U.R.S.S.)
Halley Bay (G.-B.)
Général Belgrano (Argentine)
Plateau (É.-U.)
Mawson (Australie)
Komsomolskaya (U.R.S.S.)
Vostok (U.R.S.S.)
Mirnyy (U.R.S.S.)
Wilkes (Australie)
New Byrd (É.-U.)
McMurdo (É.-U.)
Scott (N.-Z.)
Dumont d'Urville (France)
Eights (É.-U.)
Î. Adélaïde
Î. Stonington (G.-B.)
Massif de Vinson ★ 5140 m
NORVÈGE
ROYAUME-UNI
ARGENTINE
CHILI
AUSTRALIE
NOUVELLE-ZÉLANDE
FRANCE
0°
10°
20°
30°
40°
50°
60°
70°
80°
90°
100°
110°
120°
130°
140°
150°
160°
170°
180°

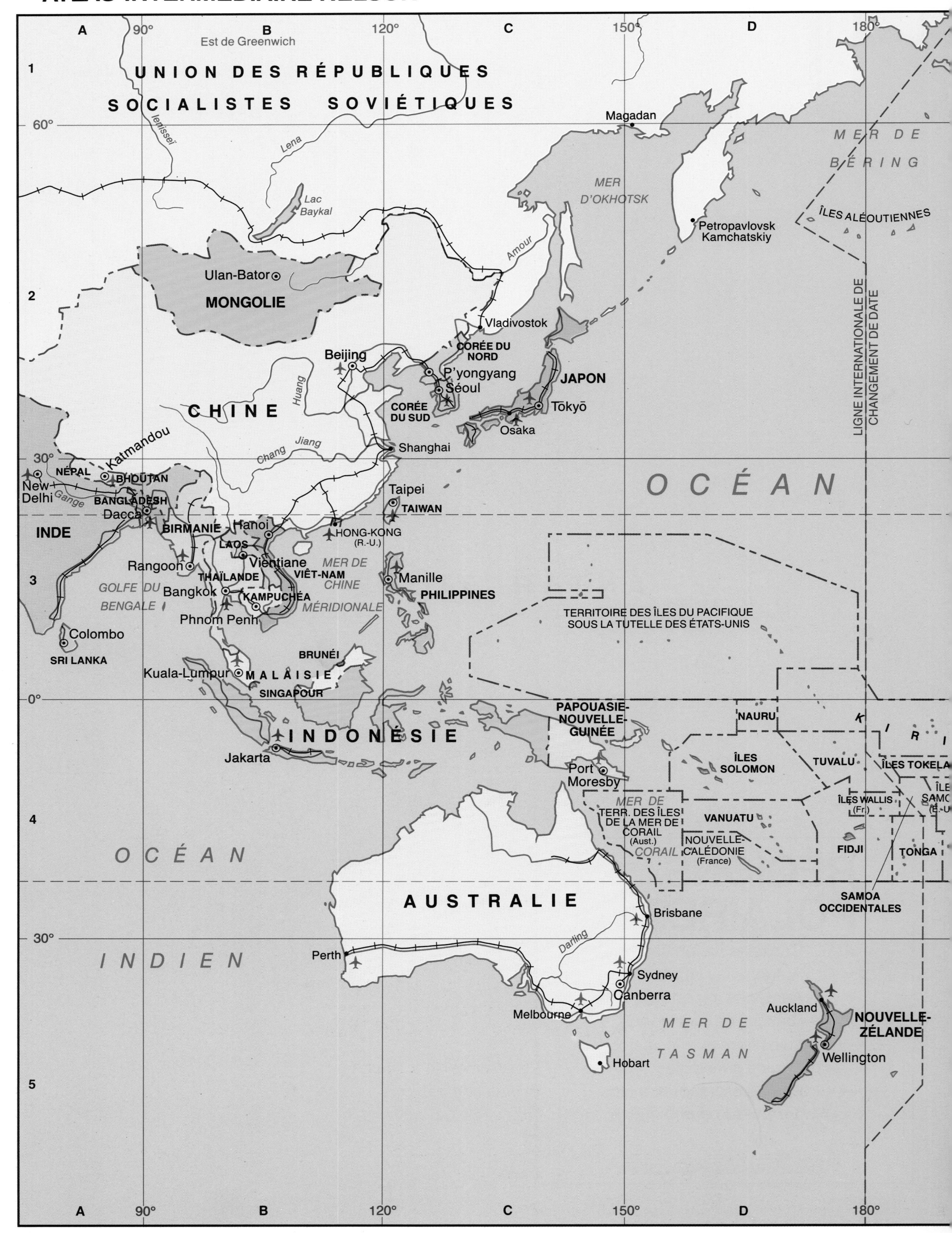

UNION DES RÉPUBLIQUES SOCIALISTES SOVIÉTIQUES
Est de Greenwich
Magadan
MER DE BÉRING
MER D'OKHOTSK
Petropavlovsk Kamchatskiy
ÎLES ALÉOUTIENNES
Lac Baykal
Lena
Ienisseï
Amour
Ulan-Bator
MONGOLIE
Vladivostok
CORÉE DU NORD
P'yongyang
Séoul
JAPON
Tōkyō
Osaka
CORÉE DU SUD
Beijing
CHINE
Huang
Chang Jiang
Shanghai
Katmandou
NÉPAL
BHOUTAN
New Delhi
Gange
BANGLADESH
Dacca
INDE
BIRMANIE
Hanoi
LAOS
Vientiane
VIÊT-NAM
HONG-KONG (R.-U.)
Taipei
TAIWAN
Rangoon
THAÏLANDE
Bangkok
KAMPUCHÉA
Phnom Penh
GOLFE DU BENGALE
MER DE CHINE MÉRIDIONALE
Manille
PHILIPPINES
Colombo
SRI LANKA
BRUNÉI
Kuala-Lumpur
MALAISIE
SINGAPOUR
INDONÉSIE
Jakarta
OCÉAN
TERRITOIRE DES ÎLES DU PACIFIQUE SOUS LA TUTELLE DES ÉTATS-UNIS
LIGNE INTERNATIONALE DE CHANGEMENT DE DATE
PAPOUASIE-NOUVELLE-GUINÉE
Port Moresby
NAURU
KIRI
ÎLES SOLOMON
TUVALU
ÎLES TOKELA
ÎLES WALLIS (Fr.)
MER DE CORAIL
TERR. DES ÎLES DE LA MER DE CORAIL (Aust.)
VANUATU
NOUVELLE-CALÉDONIE (France)
FIDJI
TONGA
SAMOA OCCIDENTALES
OCÉAN INDIEN
AUSTRALIE
Brisbane
Darling
Perth
Sydney
Canberra
Melbourne
Hobart
MER DE TASMAN
Auckland
NOUVELLE-ZÉLANDE
Wellington
A B C D
90° 120° 150° 180°
60° 30° 0°
1 2 3 4 5

CEINTURE DU PACIFIQUE
Capitales nationales
Autres villes importantes
Aéroports importants
Voies ferrées principales
Routes principales
Frontières internationales
0 1000 2000 3000 4000 5000 KILOMÈTRES
1 cm sur la carte équivaut à 600 km à l'équateur.
Ouest de Greenwich
150°
120°
90°
60°
30°
0°
E
F
G
H
J
1
2
3
4
5
Yukon
ALASKA
(États-Unis)
Mackenzie
GOLFE D'ALASKA
Juneau
BAIE D'HUDSON
Nelson
CANADA
Vancouver
Victoria
Seattle
Columbia
Missouri
Saint-Laurent
Ottawa
ÉTATS-UNIS
Washington
Ohio
San Francisco
Mississippi
OCÉAN
ATLANTIQUE
PACIFIQUE
Rio Grande
GOLFE DE MEXIQUE
TROPIQUE DU CANCER
MEXIQUE
BAHAMAS
CUBA
RÉP. DOMINICAINE
HAWAÏ
(États-Unis)
Mexico
JAMAÏQUE
PORTO RICO
(É.-U.)
BELIZE
HAÏTI
GUATEMALA
HONDURAS
MER DES CARAÏBES
EL SALVADOR
NICARAGUA
PANAMA
COSTA RICA
VENEZUELA
Bogotá
COLOMBIE
ÉQUATEUR
Quito
ÎLES GALAPAGOS
(Équateur)
ÉQUATEUR
Amazone
KIRIBATI
PÉROU
Madeira
BRÉSIL
Lima
La Paz
ÎLES COOK
(N.-Z.)
POLYNÉSIE FRANÇAISE
(France)
BOLIVIE
TROPIQUE DU CAPRICORNE
(R.-U.)
Paraguay
CHILI
Santiago
ARGENTINE
ÎLES FALKLAND
(R.-U.)

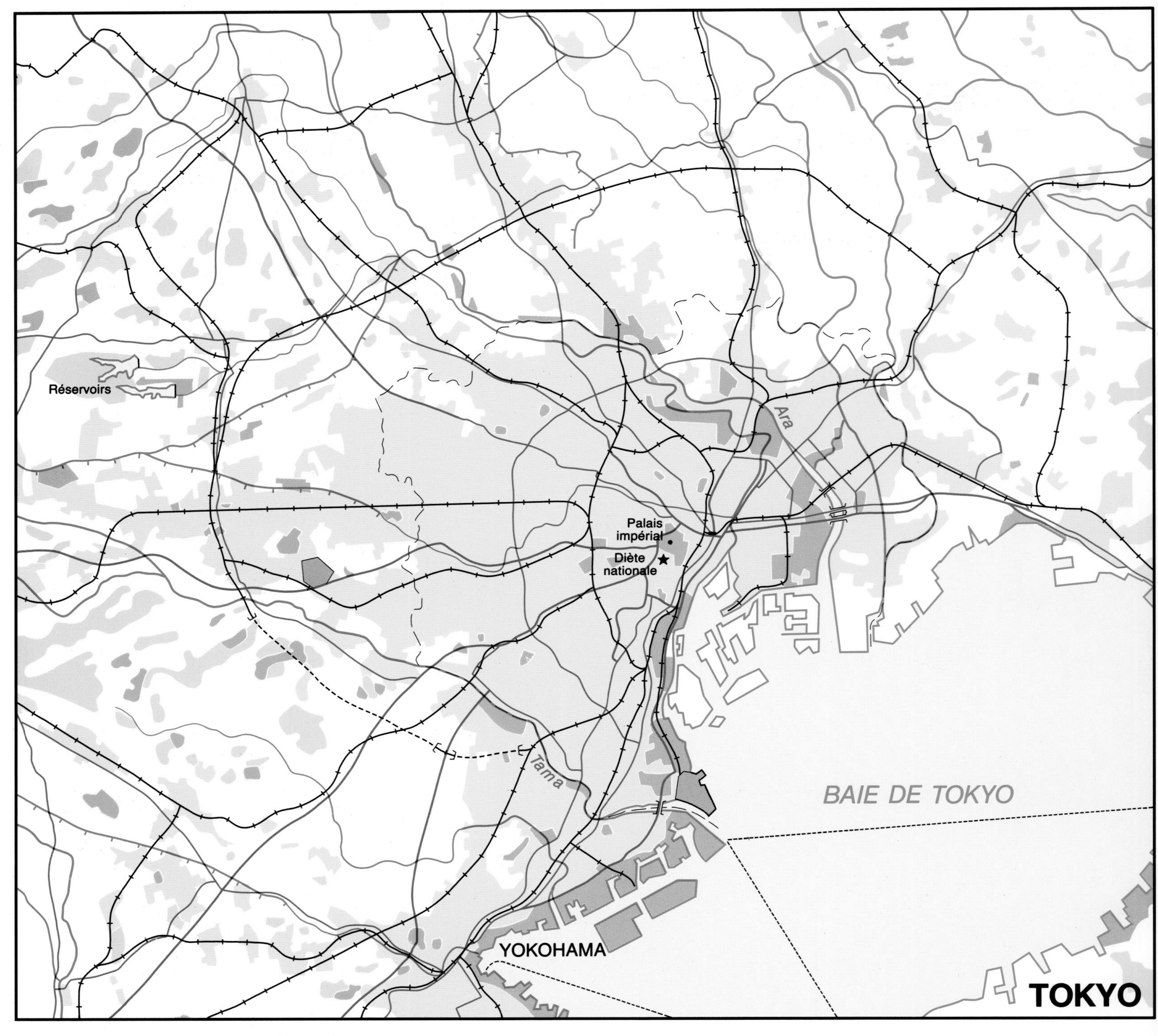
Réservoirs
Ara
Palais impérial
Diète nationale
Tama
BAIE DE TOKYO
YOKOHAMA
TOKYO

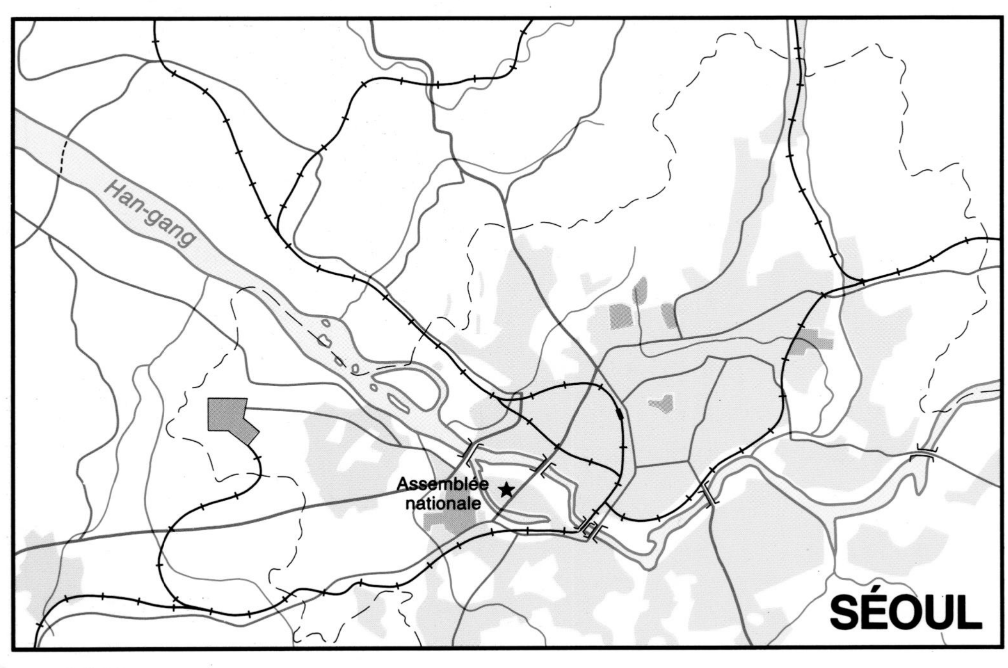
Han-gang
Assemblée nationale
SÉOUL

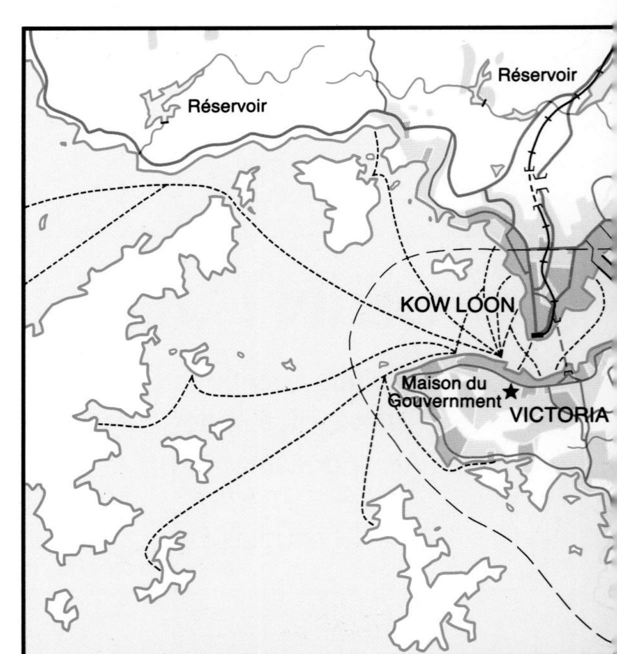
Réservoir
Réservoir
KOWLOON
Maison du Gouvernment
VICTORIA

VILLES DE LA CEINTURE DU PACIFIQUE

- Quartiers résidentiels
- Quartiers industriels et commerciaux
- Aéroports importants
- Parcs
- Régions boisées
- Voies ferrées et gares principales
- Routes principales
- Tunnel
- Pont
- Canaux
- Barrages
- Itinéraires des traversiers
- Limites de la ville

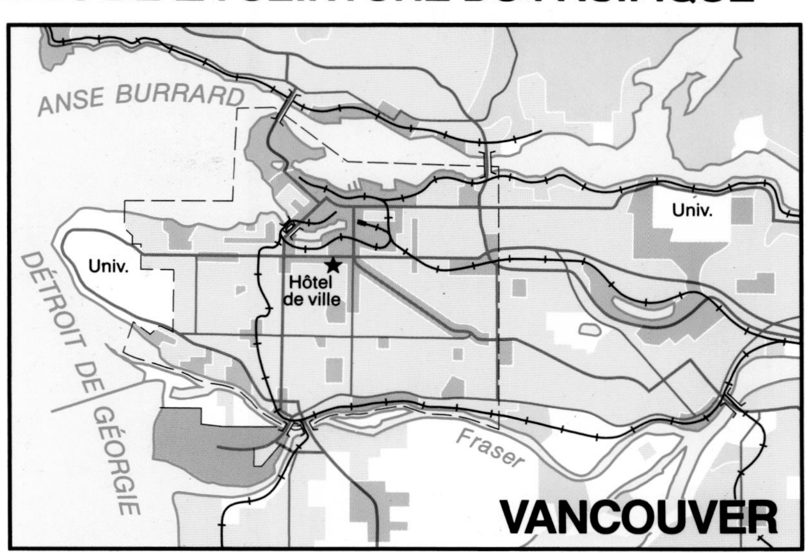

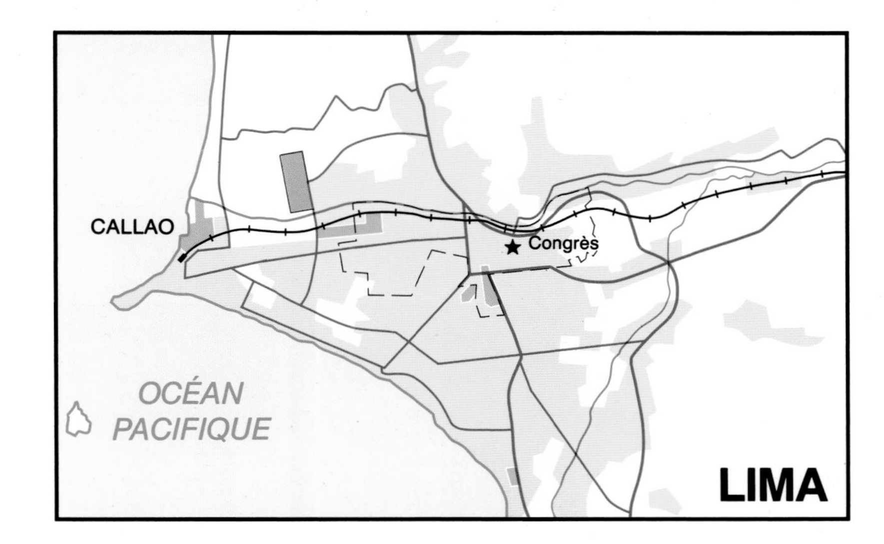

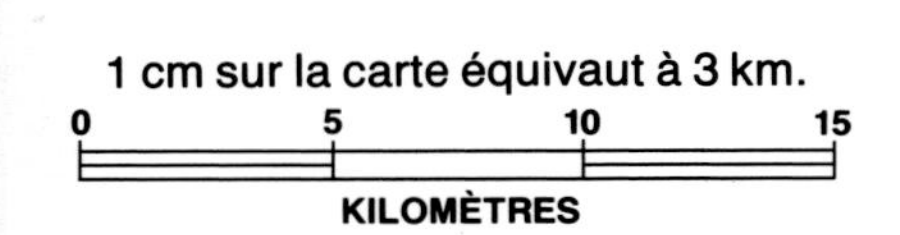

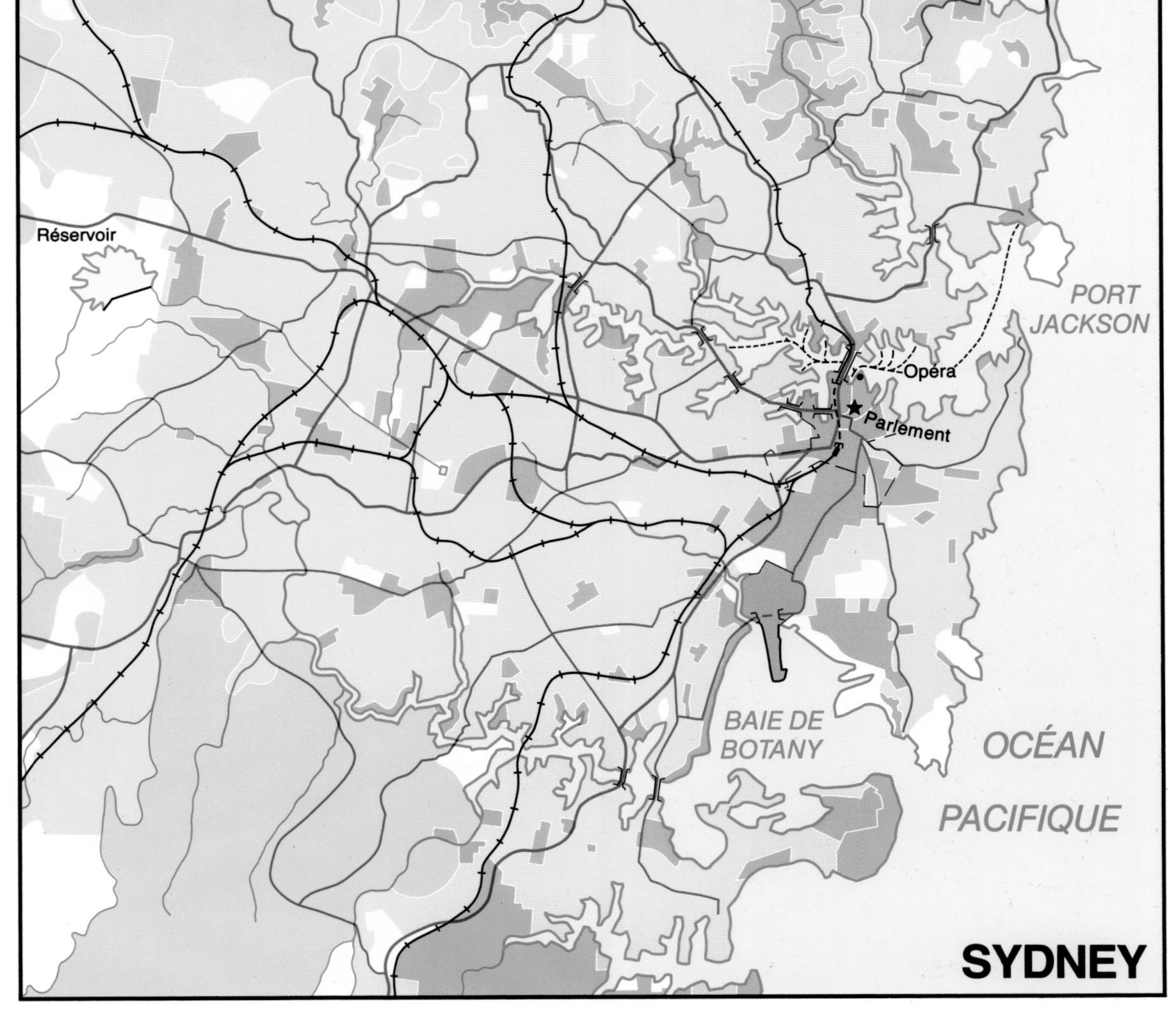

VANCOUVER

HONG-KONG

TOKYO

SYDNEY

SÉOUL

LIMA

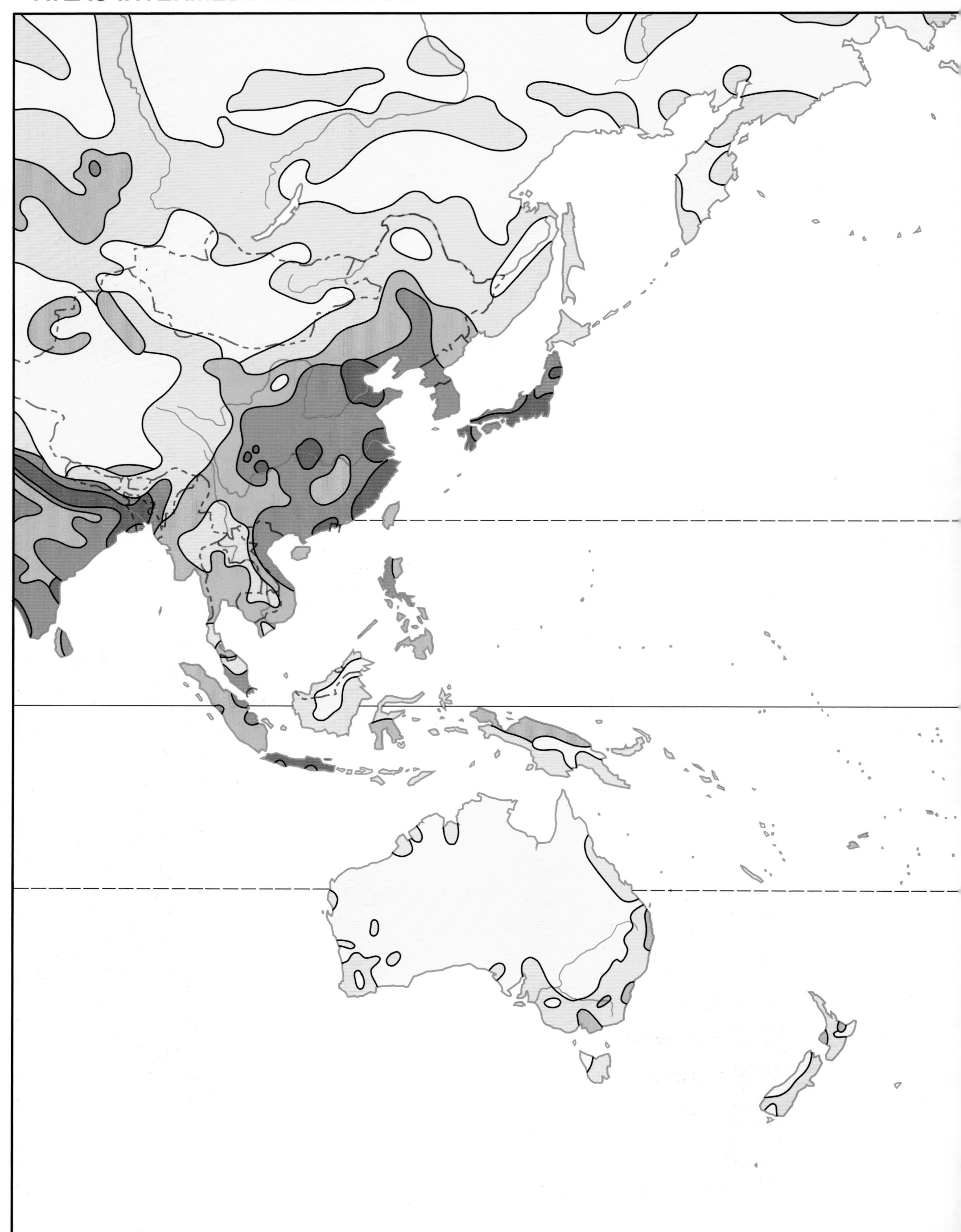

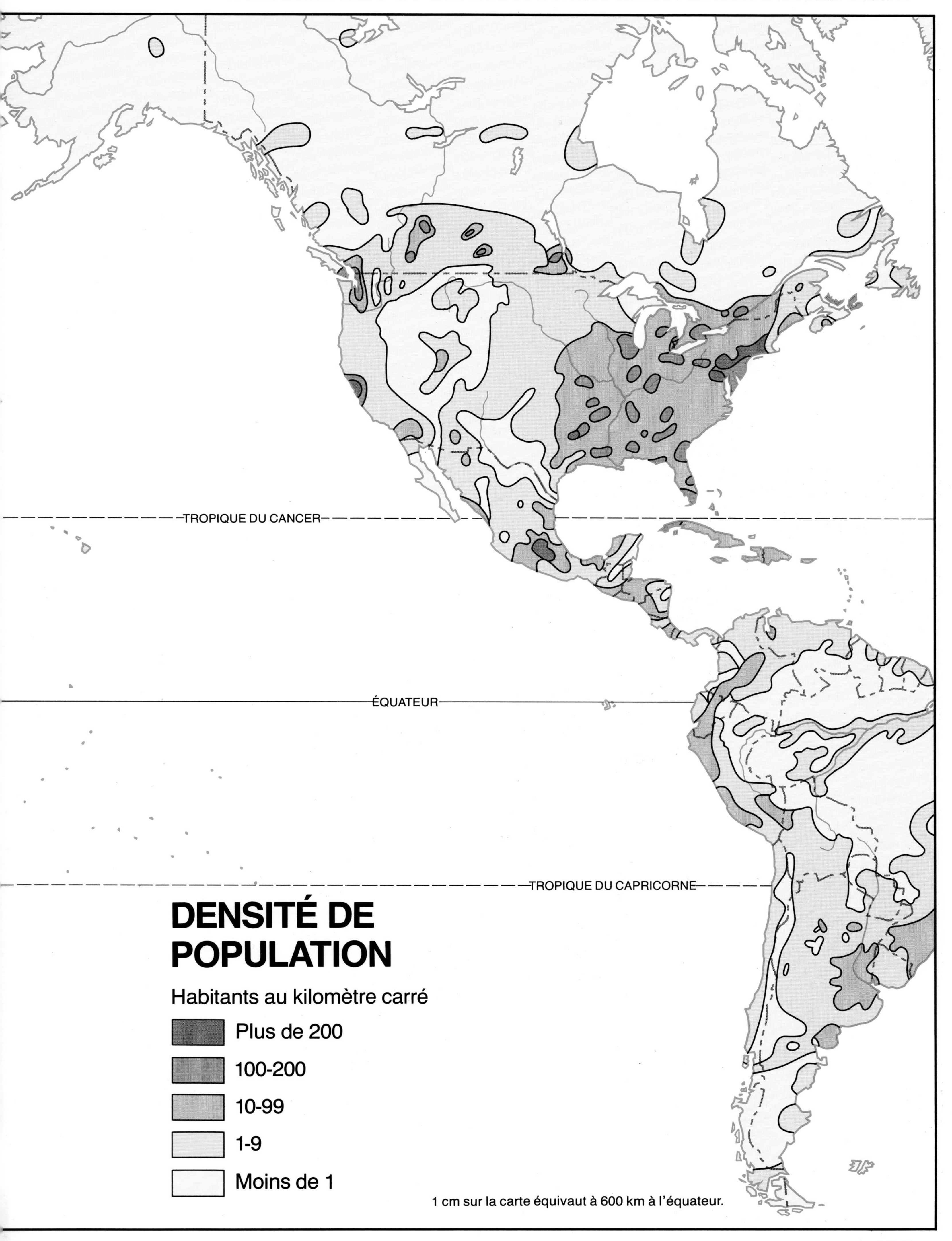
TROPIQUE DU CANCER
ÉQUATEUR
TROPIQUE DU CAPRICORNE
DENSITÉ DE POPULATION
Habitants au kilomètre carré
Plus de 200
100-200
10-99
1-9
Moins de 1
1 cm sur la carte équivaut à 600 km à l'équateur.

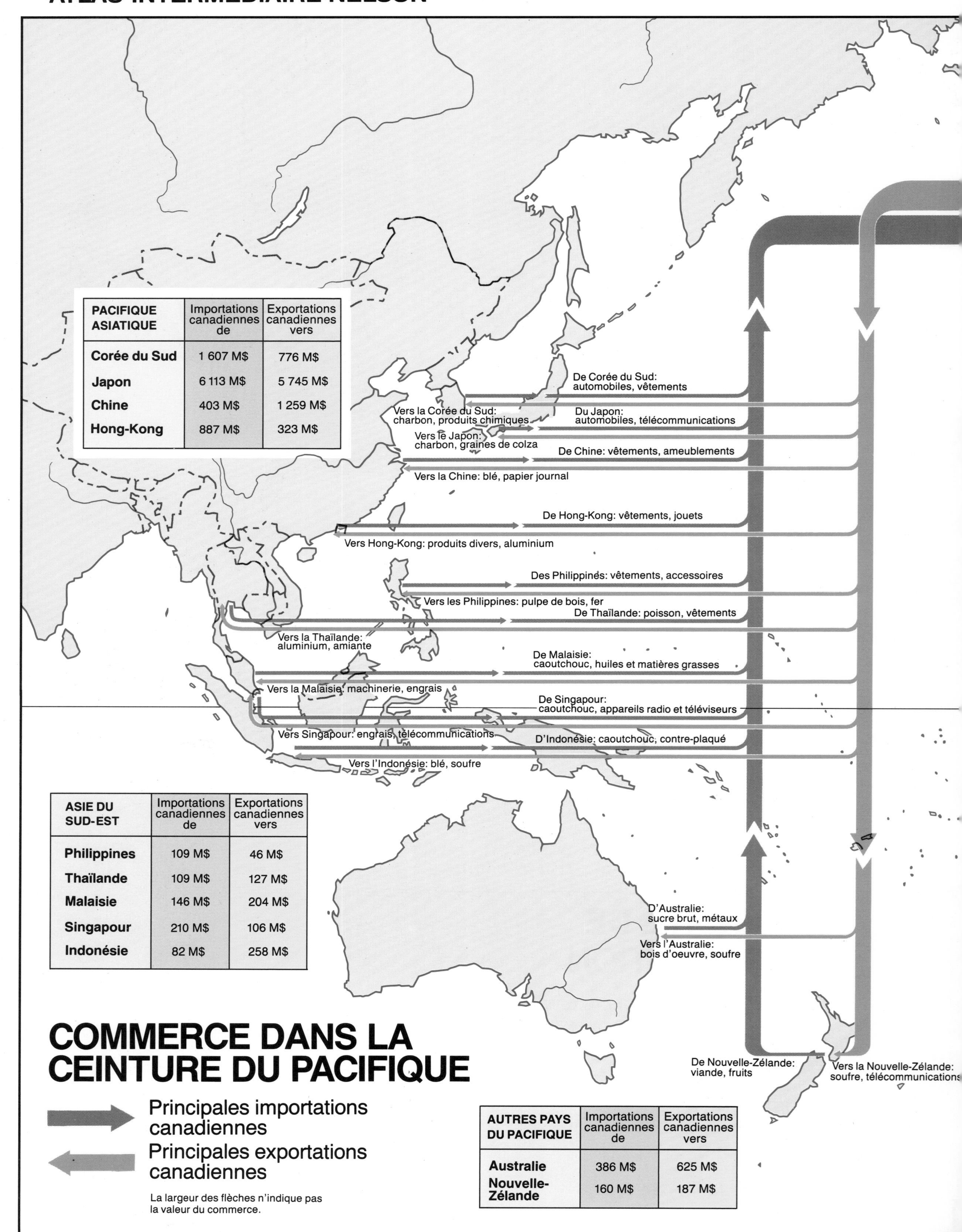

PACIFIQUE ASIATIQUE	Importations canadiennes de	Exportations canadiennes vers
Corée du Sud	1 607 M$	776 M$
Japon	6 113 M$	5 745 M$
Chine	403 M$	1 259 M$
Hong-Kong	887 M$	323 M$

ASIE DU SUD-EST	Importations canadiennes de	Exportations canadiennes vers
Philippines	109 M$	46 M$
Thaïlande	109 M$	127 M$
Malaisie	146 M$	204 M$
Singapour	210 M$	106 M$
Indonésie	82 M$	258 M$

COMMERCE DANS LA CEINTURE DU PACIFIQUE

Principales importations canadiennes

Principales exportations canadiennes

La largeur des flèches n'indique pas la valeur du commerce.

AUTRES PAYS DU PACIFIQUE	Importations canadiennes de	Exportations canadiennes vers
Australie	386 M$	625 M$
Nouvelle-Zélande	160 M$	187 M$

COMMERCE DANS LA CEINTURE DU PACIFIQUE

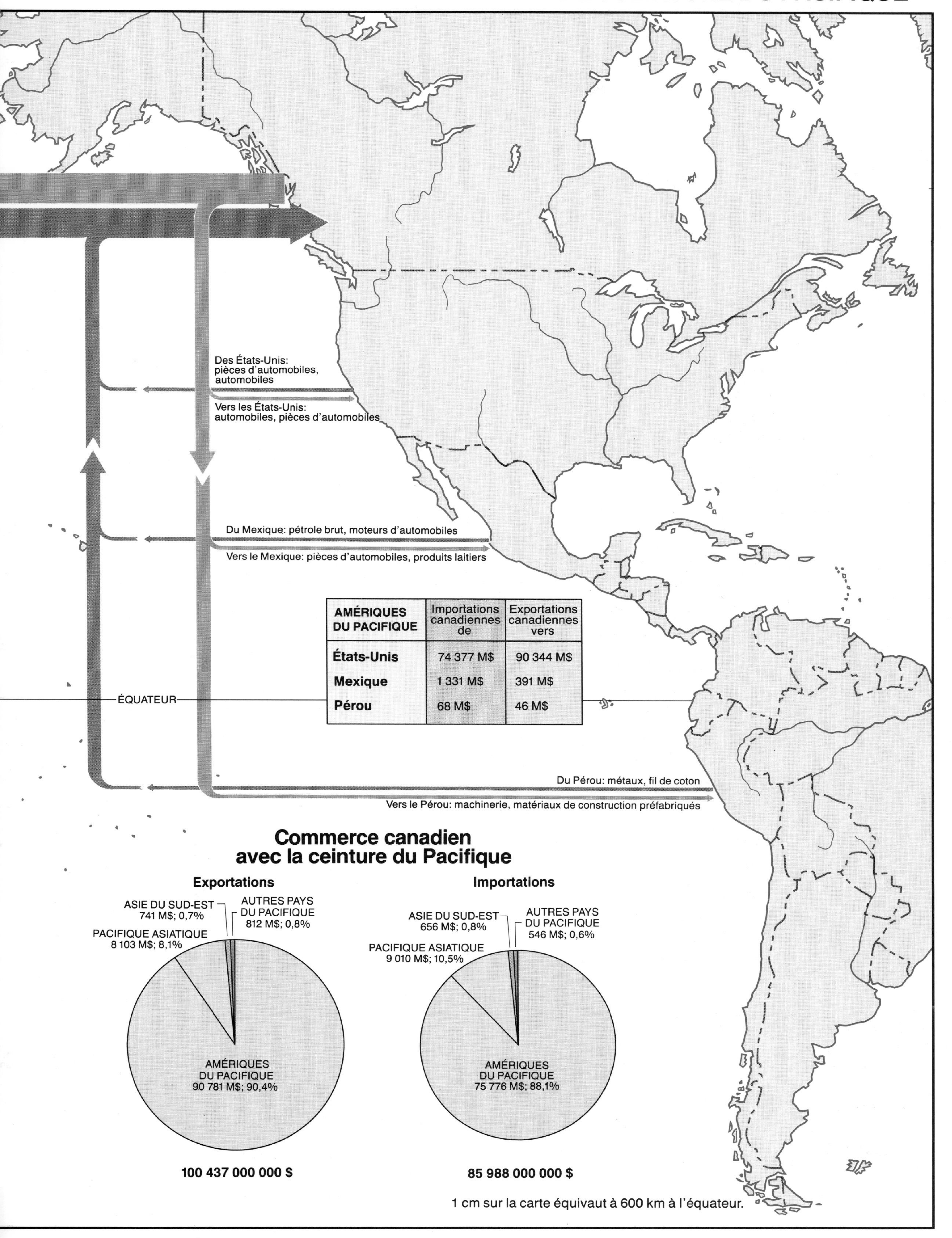

AMÉRIQUES DU PACIFIQUE	Importations canadiennes de	Exportations canadiennes vers
États-Unis	74 377 M$	90 344 M$
Mexique	1 331 M$	391 M$
Pérou	68 M$	46 M$

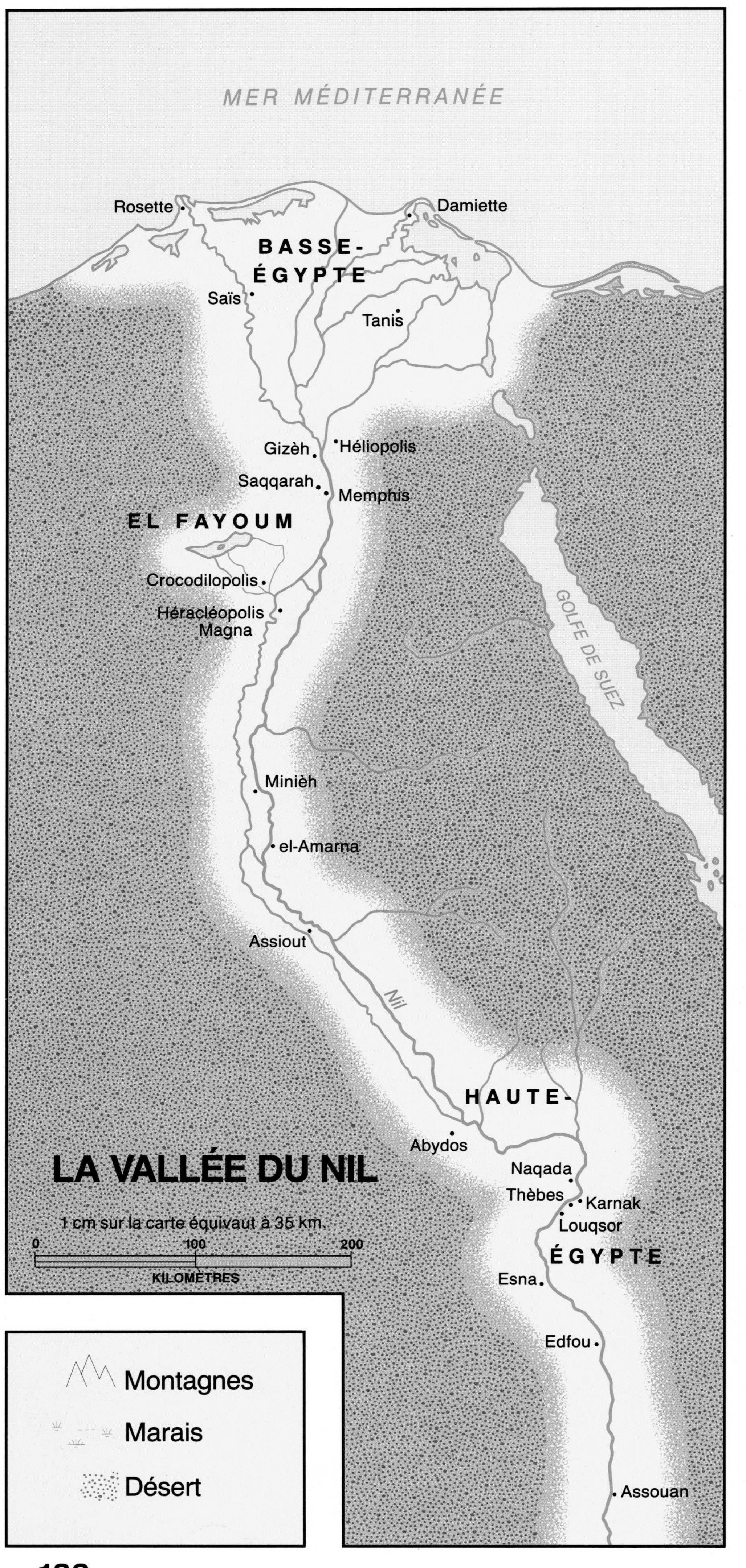

Montagnes

Marais

Désert

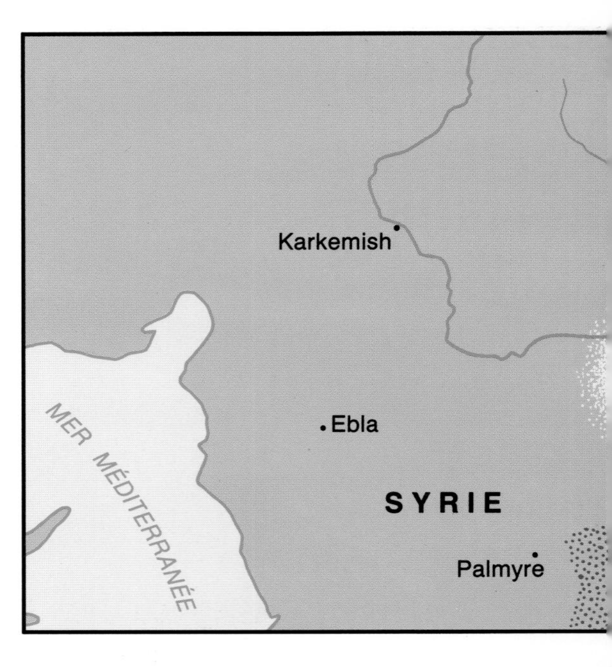

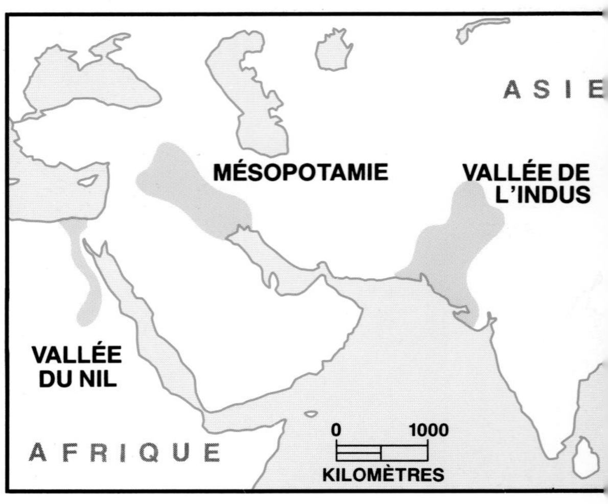

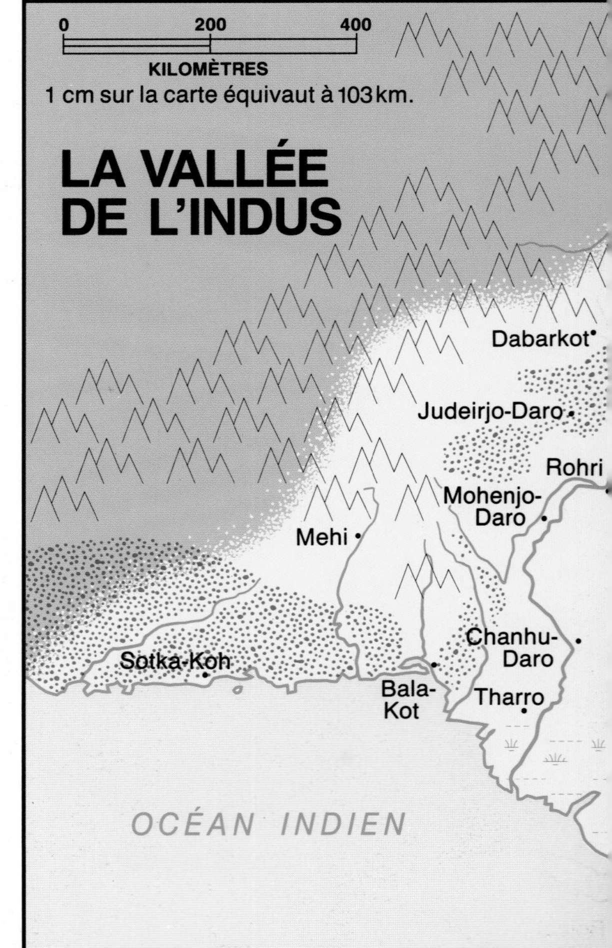

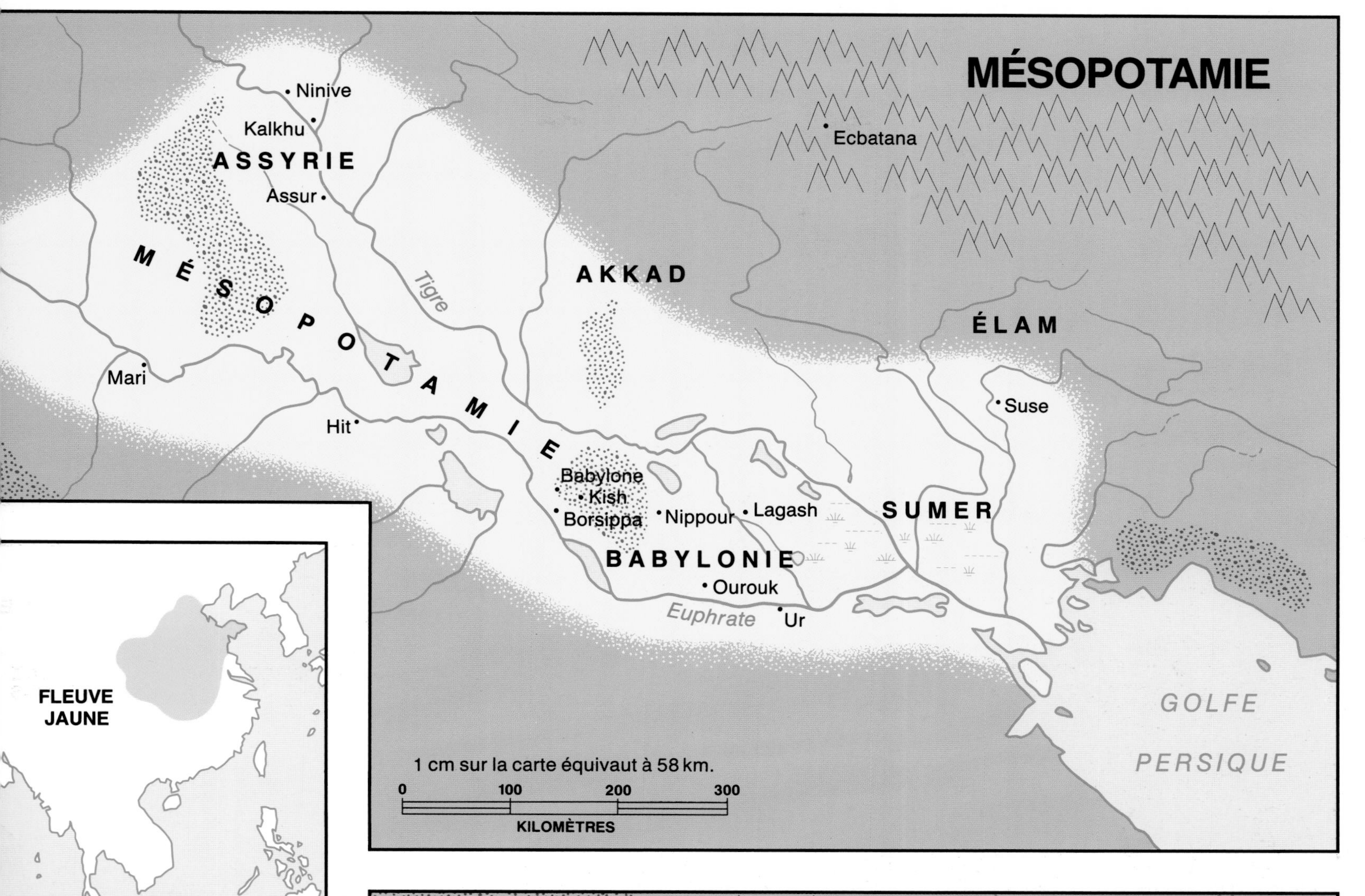
MÉSOPOTAMIE
Ninive
Kalkhu
ASSYRIE
Assur
MÉSOPOTAMIE
Tigre
AKKAD
Ecbatana
ÉLAM
Mari
Hit
Suse
Babylone
Kish
Borsippa
Nippour
Lagash
SUMER
BABYLONIE
Ourouk
Euphrate
Ur
GOLFE
PERSIQUE
1 cm sur la carte équivaut à 58 km.
0
100
200
300
KILOMÈTRES

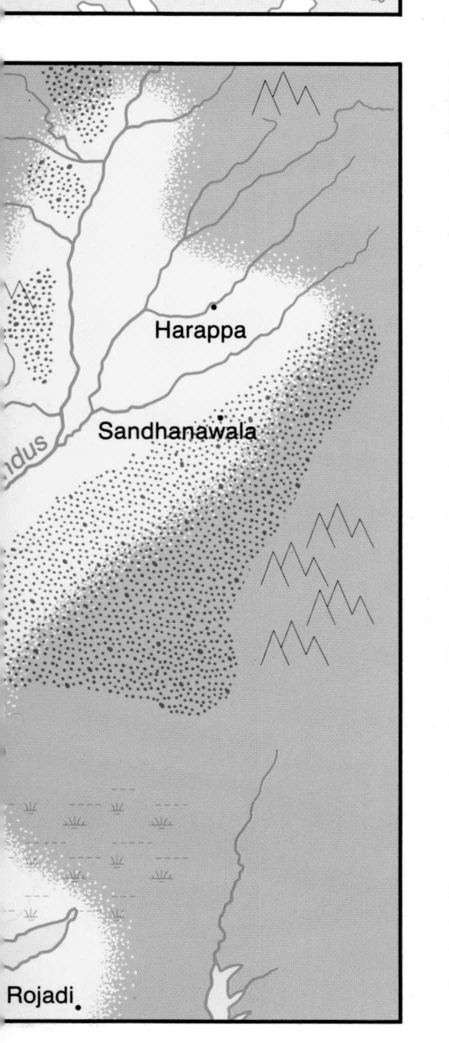
FLEUVE
JAUNE
Harappa
Sandhanawala
Rojadi

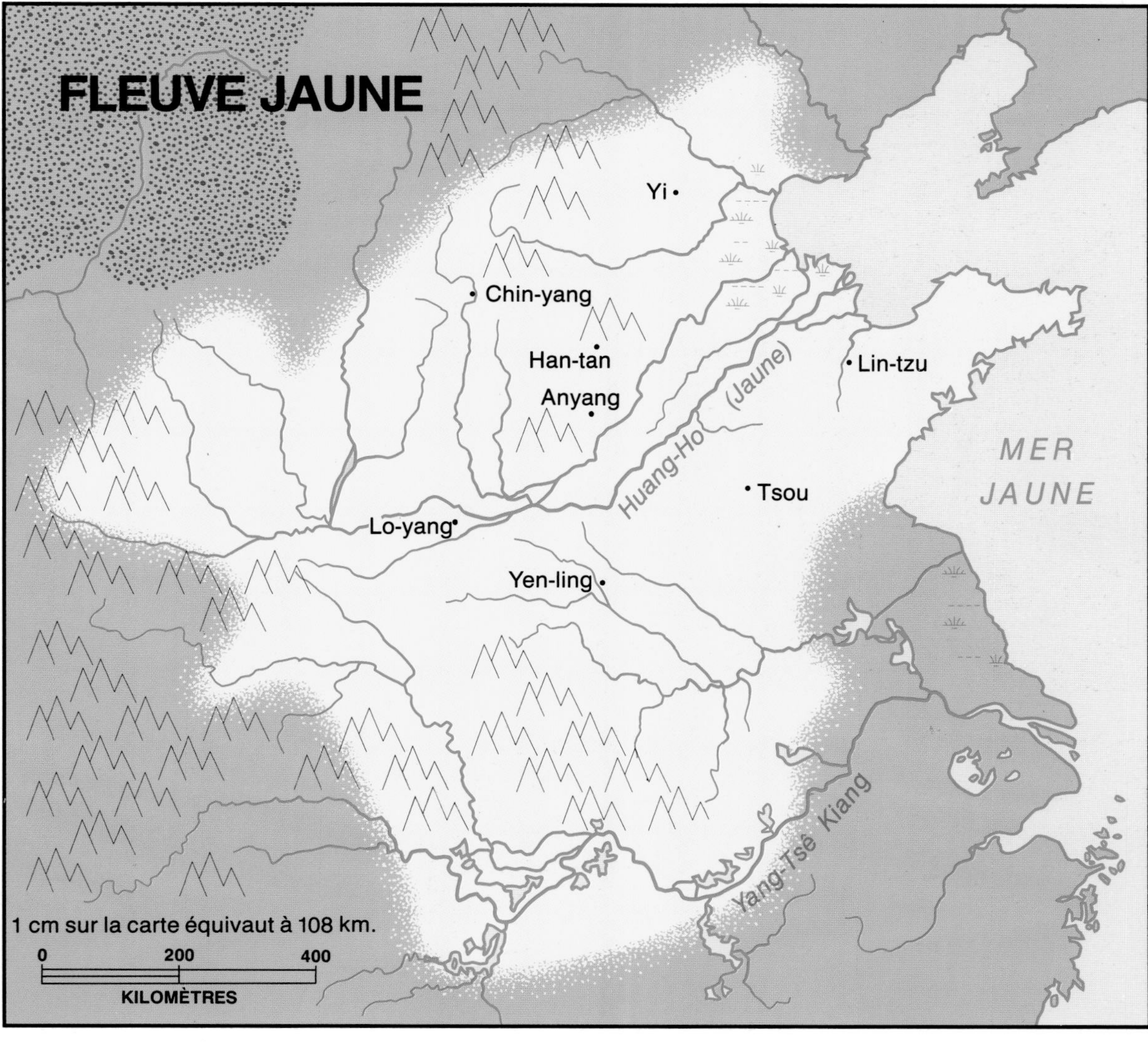
FLEUVE JAUNE
Yi
Chin-yang
Han-tan
Anyang
Lin-tzu
Huang-Ho (Jaune)
Tsou
MER
JAUNE
Lo-yang
Yen-ling
Yang-Tsé Kiang
1 cm sur la carte équivaut à 108 km.
0
200
400
KILOMÈTRES

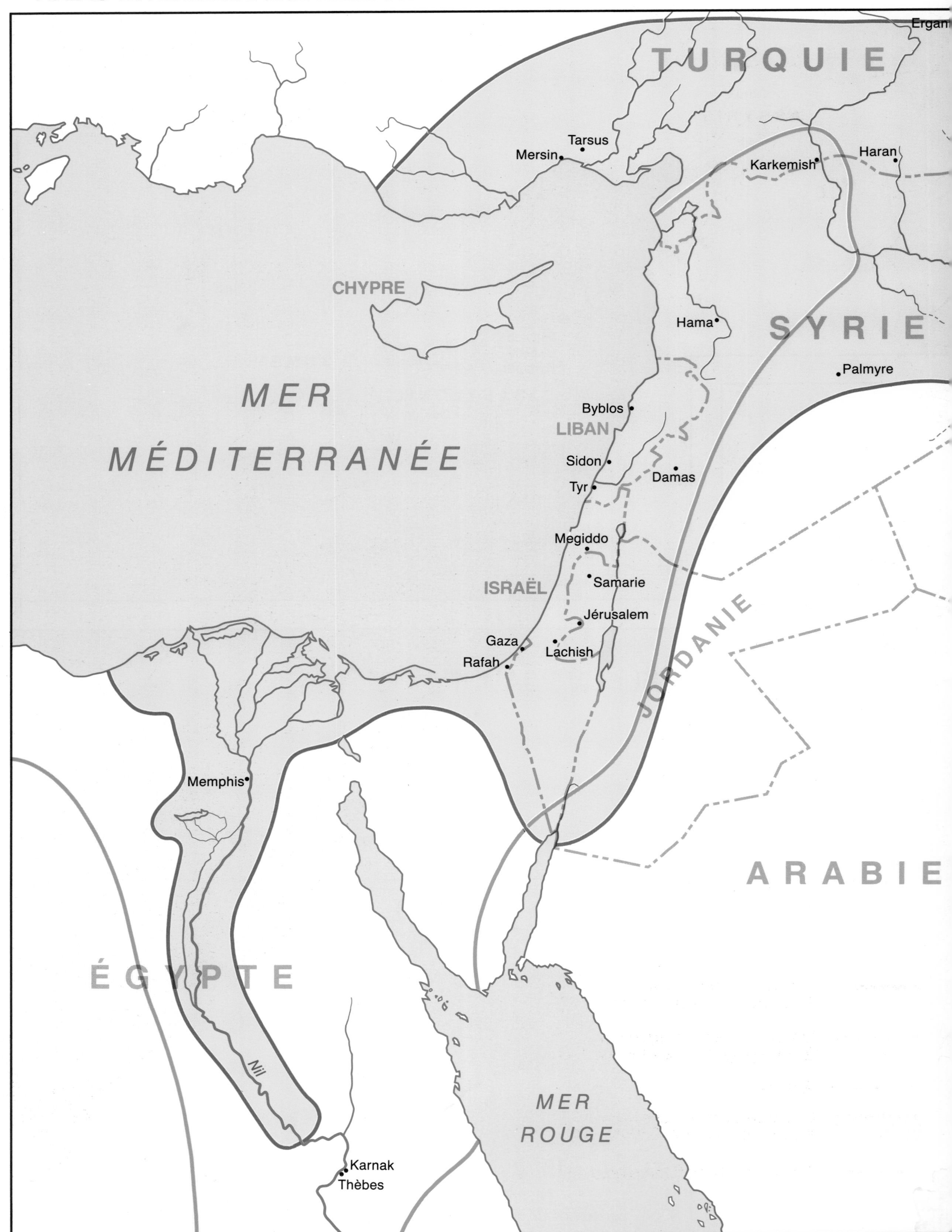
Ergani
TURQUIE
Tarsus
Mersin
Karkemish
Haran
CHYPRE
Hama
SYRIE
Palmyre
MER
MÉDITERRANÉE
Byblos
LIBAN
Sidon
Damas
Tyr
Megiddo
Samarie
ISRAËL
Jérusalem
Gaza
Rafah
Lachish
JORDANIE
Memphis
ARABIE
ÉGYPTE
Nil
MER
ROUGE
Karnak
Thèbes

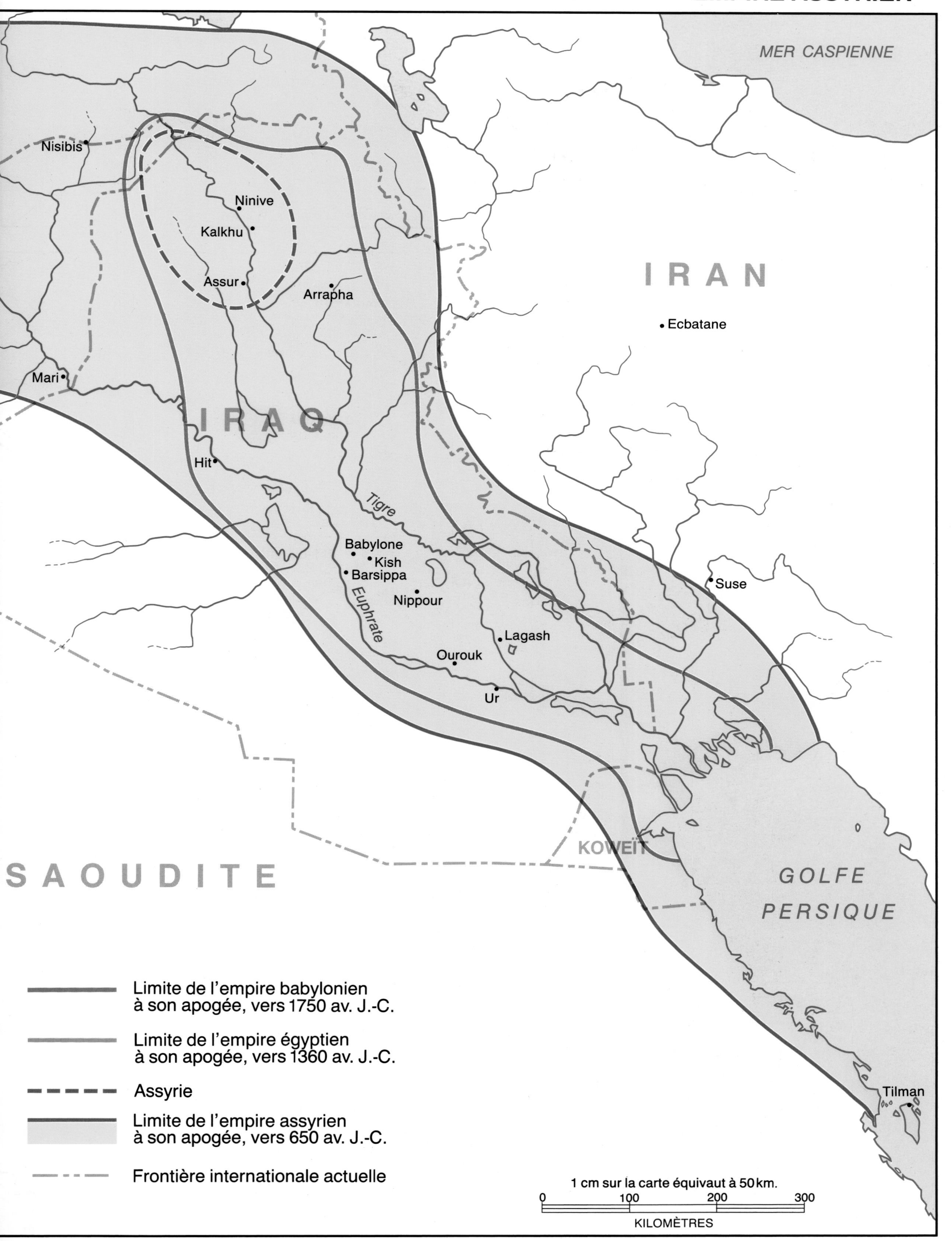
MER CASPIENNE
IRAN
Nisibis
Ninive
Kalkhu
Assur
Arrapha
Ecbatane
Mari
IRAQ
Hit
Tigre
Babylone
Kish
Barsippa
Nippour
Euphrate
Lagash
Ourouk
Ur
Suse
KOWEÏT
SAOUDITE
GOLFE PERSIQUE
Tilman
Limite de l'empire babylonien à son apogée, vers 1750 av. J.-C.
Limite de l'empire égyptien à son apogée, vers 1360 av. J.-C.
Assyrie
Limite de l'empire assyrien à son apogée, vers 650 av. J.-C.
Frontière internationale actuelle
1 cm sur la carte équivaut à 50 km.
0
100
200
300
KILOMÈTRES

MER NOIRE
Mont Olympe
Troie
Delphes
Thèbes
Milet
Mycènes
Athènes
Sparte
Cnossos
MER MÉDITERRANÉE
CRÈTE
0
500 km
CIVILISATION MYCÉNIENNE, 1300 AV. J.-C.
HIBERNIA
Eboracum (York)
BRITANNIA
Aquae Sulis (Bath)
Londinium (Londres)
OCEANUS ATLANTICUS
GERMANIA INFERIOR
Augusta Treverorum (Trèves)
Colonia Agrippinensis (Cologne)
GERMANIA
LUGDUNENSIS
BELGICA
Lutetia (Paris)
GERMANIA SUPERIOR
Vindobona (Vienne)
Aquincum (Budapest)
RHAETIA
NORICUM
SUPERIOR
PANNONIA
INFERIOR
Lugdunum (Lyon)
ALPES POENINAE
Brigantium (La Corogne)
AQUITANIA
Burdigala (Bordeaux)
NARBONENSIS
ALPES COTTIAE
Mediolanum (Milan)
Genua
ALPES MARITIMAE
Ravenna
ILLYRICUM
TARRACONENSIS
Massalia (Marseille)
MARE ADRIATICUM
LUSITANIA
ITALIA
Olisipo (Lisbonne)
Tarraco (Tarragone)
CORSICA
Roma (Rome)
Valentia (Valence)
Neapolis (Naples)
BAETICA
SARDINIA
MARE TYRRHENUM
BALAERES
Gades (Cádiz)
Carthago Nova (Carthagène)
Abdera (Adra)
Caesarea (Cherchell)
Tingis (Tanger)
Sala (Rabat)
Siga
Utica
SICILIA
Syracuse (Siracuse)
Carthago (Carthage)
MAURITANIA
NUMIDIA
MARE IN
Leptis Magna
Berenice (Benghazi)
AFRICA
GARAMANTES
Limite de l'empire romain, à son apogée, 115 ap. J.-C.
Frontière provinciale
Routes romaines
Villes
1 cm sur la carte équivaut à 129 km.
0
200
400
600
800
1000
KILOMÈTRES

ANCIENNES CIVILISATIONS DE LA MÉDITERRANÉE

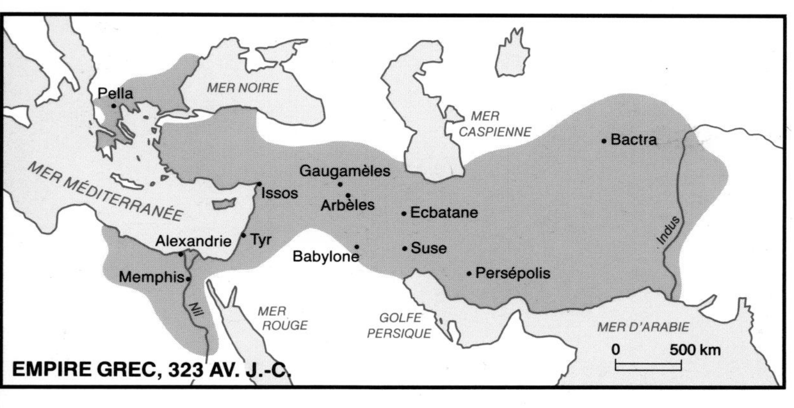

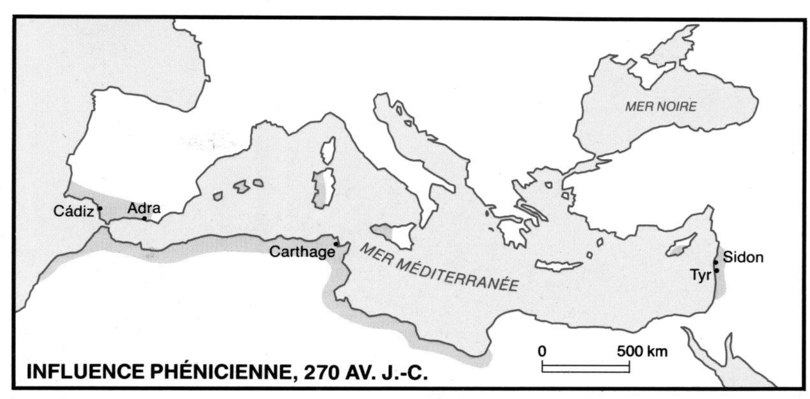

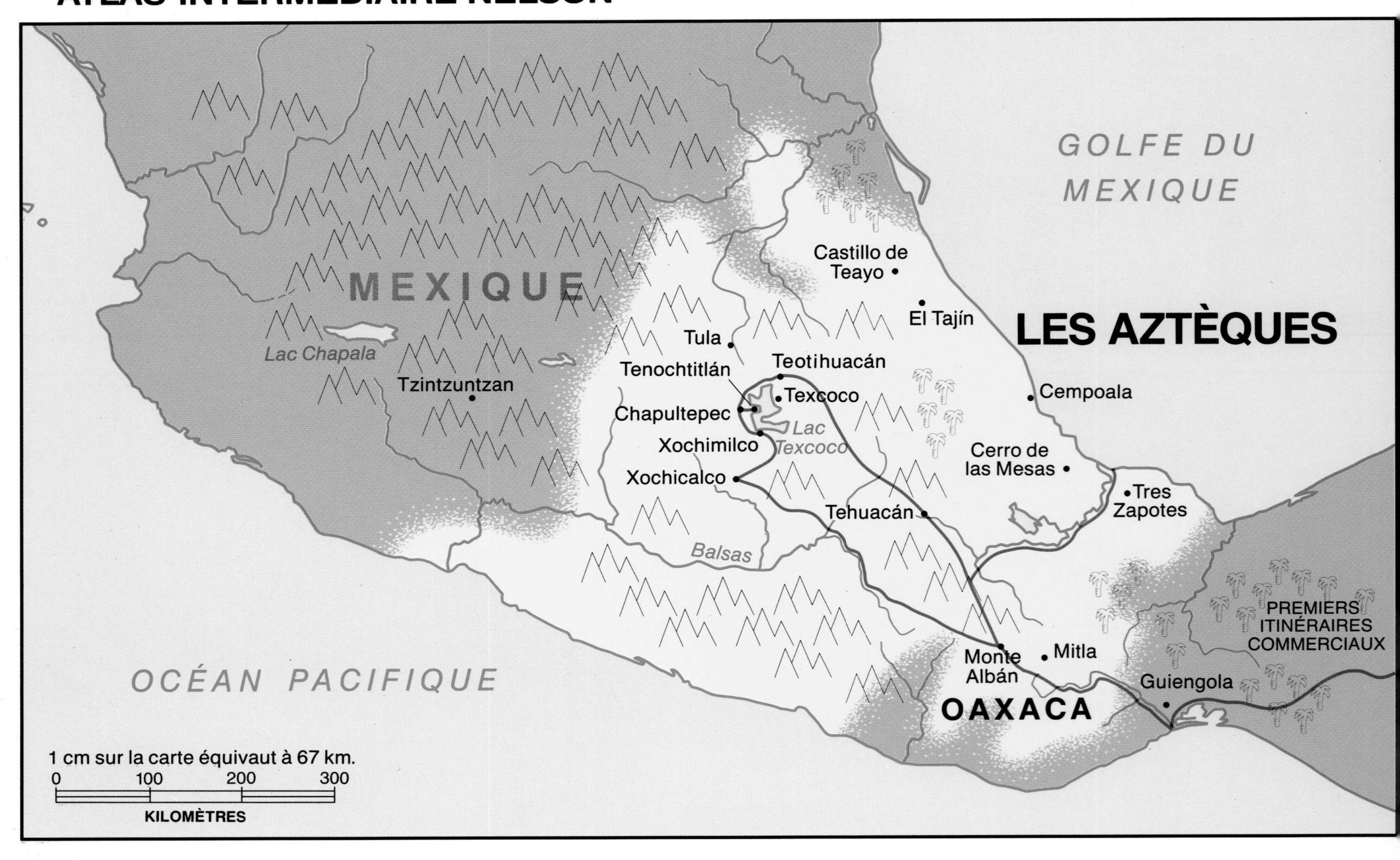
GOLFE DU MEXIQUE
MEXIQUE
Castillo de Teayo
El Tajín
LES AZTÈQUES
Tula
Lac Chapala
Teotihuacán
Tenochtitlán
Tzintzuntzan
Texcoco
Cempoala
Chapultepec
Lac Texcoco
Xochimilco
Cerro de las Mesas
Xochicalco
Tres Zapotes
Tehuacán
Balsas
PREMIERS ITINÉRAIRES COMMERCIAUX
Monte Albán
Mitla
OCÉAN PACIFIQUE
Guiengola
OAXACA
1 cm sur la carte équivaut à 67 km.
0 100 200 300
KILOMÈTRES

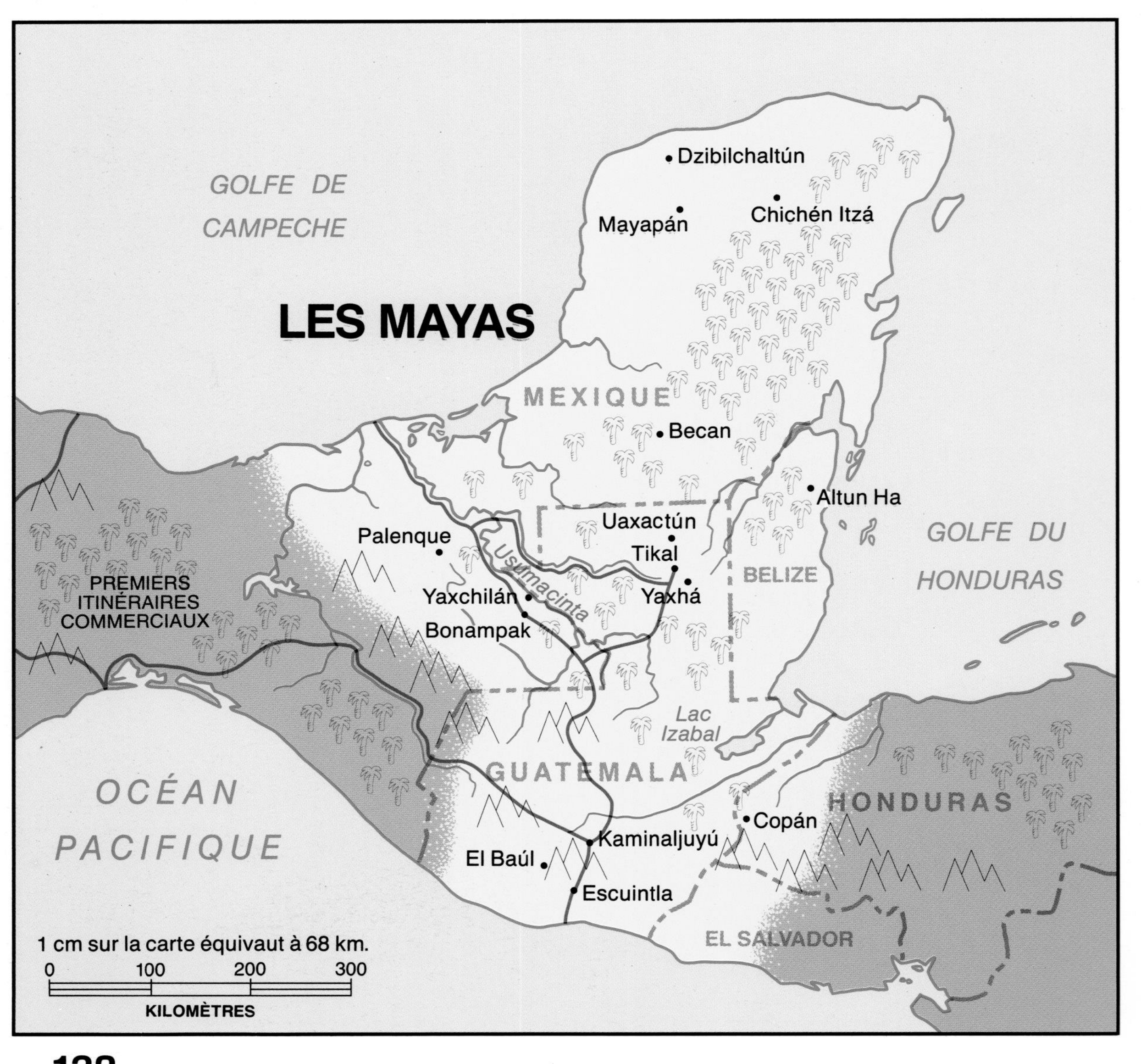
Dzibilchaltún
GOLFE DE CAMPECHE
Mayapán
Chichén Itzá
LES MAYAS
MEXIQUE
Becan
Altun Ha
Uaxactún
Palenque
Tikal
GOLFE DU HONDURAS
Usumacinta
BELIZE
PREMIERS ITINÉRAIRES COMMERCIAUX
Yaxchilán
Yaxhá
Bonampak
Lac Izabal
OCÉAN PACIFIQUE
GUATEMALA
HONDURAS
Copán
Kaminaljuyú
El Baúl
Escuintla
EL SALVADOR
1 cm sur la carte équivaut à 68 km.
0 100 200 300
KILOMÈTRES

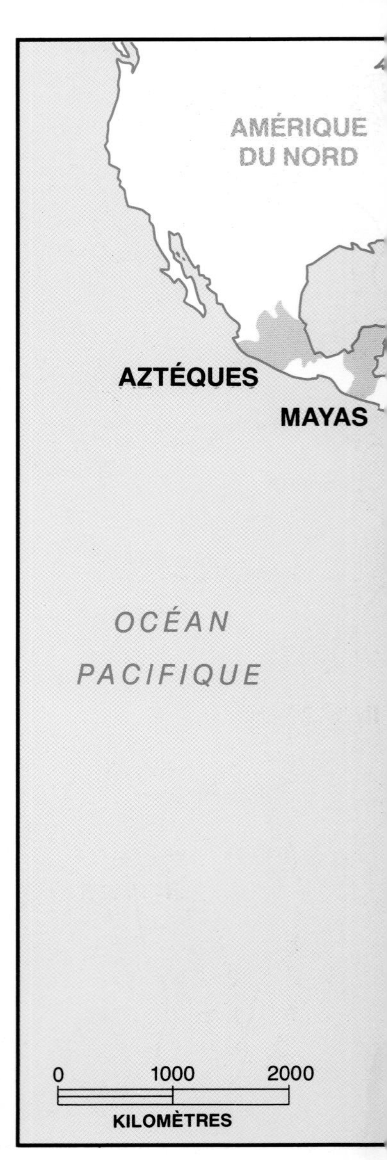
AMÉRIQUE DU NORD
AZTÈQUES
MAYAS
OCÉAN PACIFIQUE
0 1000 2000
KILOMÈTRES

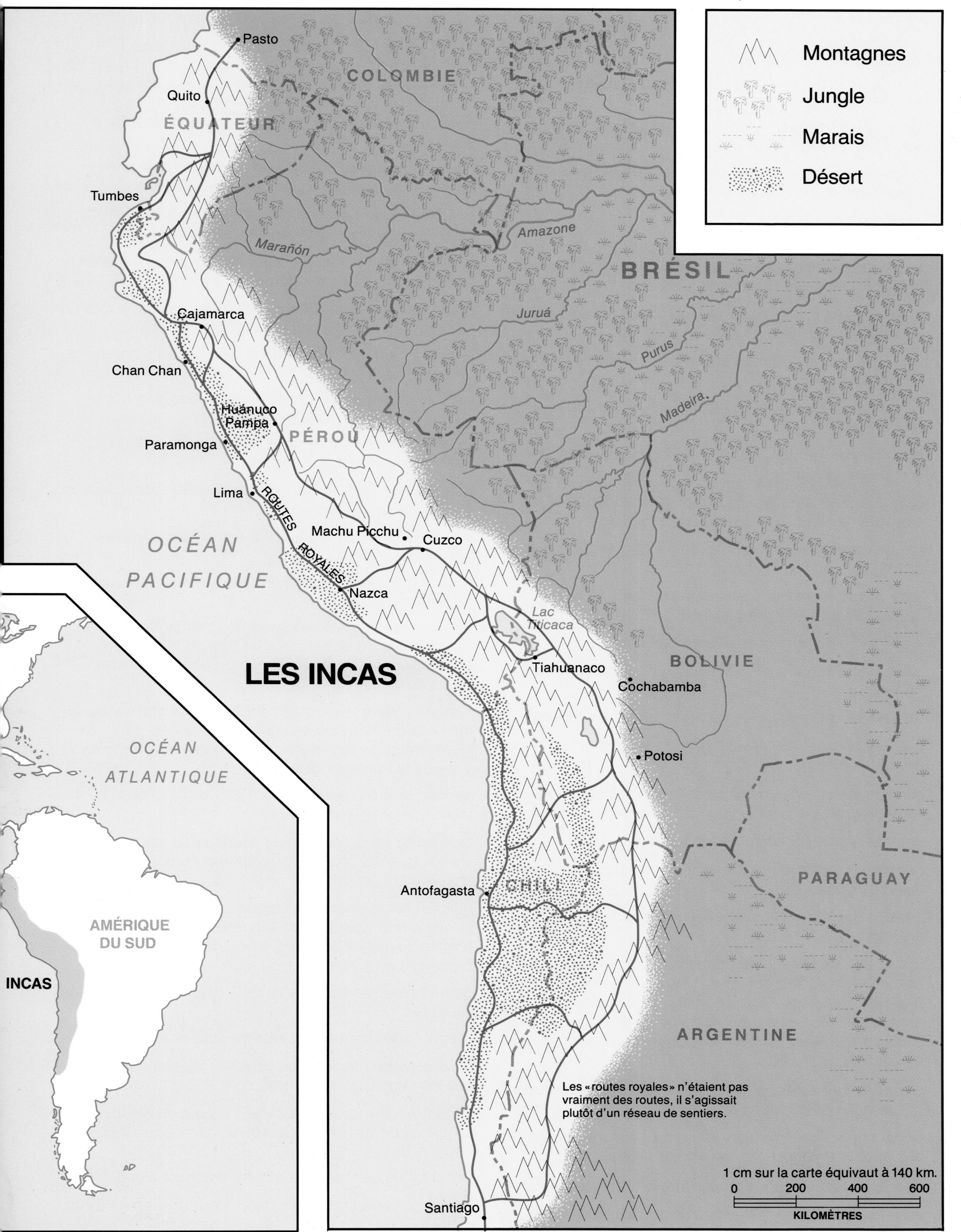
Montagnes
Jungle
Marais
Désert
Pasto
Quito
COLOMBIE
ÉQUATEUR
Tumbes
Marañón
Amazone
BRÉSIL
Juruá
Purus
Madeira
Cajamarca
Chan Chan
Huánuco Pampa
Paramonga
PÉROU
Lima
ROUTES ROYALES
Machu Picchu
Cuzco
OCÉAN PACIFIQUE
Nazca
Lac Titicaca
Tiahuanaco
BOLIVIE
Cochabamba
LES INCAS
Potosi
OCÉAN ATLANTIQUE
AMÉRIQUE DU SUD
INCAS
Antofagasta
CHILI
PARAGUAY
ARGENTINE
Les «routes royales» n'étaient pas vraiment des routes, il s'agissait plutôt d'un réseau de sentiers.
1 cm sur la carte équivaut à 140 km.
0
200
400
600
KILOMÈTRES
Santiago

GLOSSAIRE

affluent: ruisseau ou rivière qui se jette dans un cours d'eau plus grand.

altitude: élévation au-dessus du niveau de la mer, généralement donnée en mètres sur une carte.

archipel: groupe d'îles.

badlands: territoire desséché où l'érosion donne des formes bizarres aux rochers, comme dans le sud-ouest de la Saskatchewan et dans le sud-est de l'Alberta.

baie: partie d'un lac, d'une mer ou d'un océan qui s'étend à l'intérieur des terres.

barrage: énorme barrière érigée pour retenir l'eau d'une rivière ou d'un fleuve.

bassin: une dépression sur la surface du sol ou sur le fond marin.

bassin hydrographique: territoire drainé par un cours d'eau et ses affluents.

boréal: qui se situe dans une région du nord où se trouvent de nombreuses forêts de conifères.

canal: étroite voie d'eau creusée par l'homme et servant à l'irrigation ou à la navigation.

cañon: vallée profonde à versants raides au fond de laquelle se trouve un cours d'eau.

cap: pointe de terre qui s'avance dans l'eau.

cercle arctique: parallèle situé à 66,5° au nord de l'équateur.

chaîne: longue succession de montagnes et de plateaux.

chenal: passage ouvert et navigable entre deux grandes étendues d'eau.

climat: phénomènes météorologiques (pluie, humidité et vent) propres à une région pendant plusieurs années.

col: passage étroit entre les montagnes.

cordillère: région où se trouvent de nombreuses chaînes de montagnes.

crête: relief allongé et surélevé par rapport au relief environnant.

cyclone: tempête avec vents forts et pluies abondantes. Les vents tourbillonnent autour d'une zone de basse pression. Dans l'hémisphère Sud, les vents tournent dans le sens des aiguilles d'une montre. Dans l'hémisphère Nord, ils tournent dans le sens contraire aux aiguilles d'une montre.

degré: unité de mesure de distance sur la Terre. Un degré (1°) de latitude équivaut à environ 110 km.

delta: dépôt de forme triangulaire où s'accumulent les alluvions à l'embouchure de certains fleuves.

dépôt: matériau déposé par les forces naturelles.

désert: région où il y a très peu de précipitations. Les plantes et les animaux du désert doivent s'adapter à la sécheresse.

détroit: étroit bras de mer qui relie une île et la terre ferme ou qui relie deux grandes masses d'eau.

échelle: rapport entre la distance représentée sur une carte et la distance réelle sur la surface de la Terre.

élévation: hauteur du sol au-dessus ou sous le niveau de la mer, habituellement mesurée en mètres.

équateur: ligne imaginaire de latitude 0° qui fait le tour de la Terre, à mi-chemin entre les pôles Nord et Sud.

érosion: usure du relief causée par les forces naturelles comme le vent et l'eau.

estuaire: embouchure largement ouverte d'un cours d'eau où se fait sentir le mouvement des marées.

faille: cassure dans l'écorce terrestre, les deux versants sont soit surélevés ou abaissés.

fjord: longue baie étroite dont les versants escarpés sont érodés par un glacier.

fleuve: large cours d'eau qui a des affluents et qui se jette dans la mer.

flottage: grand radeau de grumes qui sert au transport du bois par eau.

forêt de montagnes: versants des montagnes sous la ligne supérieure de la forêt. Ces régions humides et froides sont recouvertes de nombreuses et grandes forêts de conifères.

fuseau horaire: région dont tous les endroits utilisent la même heure normale. La ligne internationale de changement de date se trouve au début et à la fin des 24 fuseaux horaires du monde.

geyser: source chaude faisant jaillir de l'eau et de la vapeur par intermittence.

gisement: sol qui contient une ressource naturelle en grande quantité, comme un gisement de gaz naturel ou un gisement pétrolifère.

glacier: grand champ de glace qui se déplace lentement le long d'une montagne ou d'une vallée. La glace est formée de neige compacte. Un glacier peut aussi recouvrir une surface terrestre.

golfe: baie très vaste; partie de l'océan qui pénètre dans les terres.

gorge: vallée étroite et encaissée aux versants escarpés.

hautes-terres: région plus élevée et plus montagneuse que les régions avoisinantes.

hémisphère: moitié de la Terre. On peut diviser la terre en hémisphères Nord et Sud ou en hémisphères Ouest et Est.

île: étendue de terre entièrement entourée d'eau.

isthme: un étroit bras de terre entre deux masses d'eau et qui relie deux grandes étendues de terre.

lac: masse d'eau douce entièrement entourée de terre.

lagune: petit lac ou étang séparé d'une vaste masse d'eau par des bancs de sable.

latitude: lignes imaginaires qui entourent la Terre de l'est à l'ouest et qui servent à mesurer les distances au nord et au sud de l'équateur. La distance entre ces lignes est calculée en degrés (°).

légende: liste de signes et de symboles utilisés sur une carte et leur signification.

ligne internationale de changement de date: parallèle qui est situé à 180° à l'est et à l'ouest du méridien de Greenwich (0°). Les endroits situés à l'ouest de la ligne de changement de date sont en avance d'une journée sur les endroits situés à l'est.

longitude: lignes imaginaires qui entourent la Terre du nord au sud en traversant les pôles Nord et Sud. La distance entre ces lignes est calculée en degrés (°). La longitude se mesure à l'est et à l'ouest du méridien d'origine (0°).

marais: terrain spongieux et très humide dont des parties sont parfois entièrement recouvertes d'eau.

marécage: terrain humide et bourbeux.

méandre: large courbe ou boucle dans le cours d'une rivière ou d'un fleuve.

mer: grande masse d'eau salée plus petite qu'un océan.

méridien: nom des lignes de longitude.

méridien d'origine: ligne de longitude 0° qui traverse Greenwich (Angleterre).

montagne: partie du relief plus élevée qu'une colline.

niveau de la mer: niveau de la surface de la mer, habituellement à mi-chemin entre la marée haute et la marée basse.

océan: une des grandes masses d'eau salée qui entourent les continents. Ces masses s'appellent les océans Antarctique, Arctique, Atlantique, Indien et Pacifique.

ouragan: nom d'un cyclone tropical qui se forme au-dessus de l'océan Atlantique.

pampa: vaste prairie en Amérique du Sud.

parallèle: nom des lignes de latitude.

péninsule: étendue de terre entourée d'eau sur trois côtés.

pergélisol (permafrost): sol qui ne dégèle pas complètement pendant l'été.

plaine: grande étendue de terre plate.

plateau: étendue surélevée de terre plate.

prairie: vaste étendue de terre plate ou légèrement ondulée couverte de plantes herbacées et où poussent peu ou pas d'arbres.

précipitation: pluie, neige, grêle, etc. qui tombe sur une région. On mesure les précipitations en centimètres d'eau.

raz-de-marée: vague très haute dans l'océan causée par un tremblement de terre. On l'appelle aussi tsunami.

récif de corail: rocher de corail et de calcaire constitué du squelette de millions de minuscules animaux marins.

relief: inégalités de la surface d'une région.

réservoir: bassin où l'eau reste et s'accumule.

ressource naturelle: matière qu'on trouve dans la nature et qui sert aux humains. L'eau est une ressource naturelle.

rive: territoire qui longe un lac, une rivière, etc.

rivière: large cours d'eau qui traverse les terres et se jette dans un autre cours d'eau, un lac ou un fleuve.

roches ignées: roches qui se forment lorsqu'une matière en fusion, comme la lave d'un volcan, se refroidit et durcit.

roches métamorphiques: roches résultant de la transformation des roches ignées ou sédimentaires sous l'effet de la pression ou de la chaleur.

roches sédimentaires: roches formées de couches de sédiments cimentés et durcis.

sables bitumineux: dépôts de sable mêlés à un matériau semblable au bitume. Un procédé particulier permet d'extraire le pétrole et l'huile des sables bitumineux. On trouve des sables bitumineux au nord de l'Alberta.

savane: région herbacée tropicale ou subtropicale avec des arbres isolés.

sécheresse: période de temps sec pendant laquelle les récoltes souffrent du manque de précipitations.

sédiment: débris de sol, de roches ou autres matériaux qui se déposent au fond de l'eau ou sur le sol sous l'effet du vent ou de la glace.

séisme: tremblement ou secousses de l'écorce terrestre.

sierra: chaîne de montagnes dont les sommets sont en dents de scie.

statistique: ensemble de données concernant des gens et des endroits.

steppe: grande plaine sans arbres dans le sud-est de l'Europe ou de l'Asie.

toundra: vaste plaine sans arbres dans la région arctique.

tropique du Cancer: parallèle situé à 23,5° au nord de l'équateur.

tropique du Capricorne: parallèle situé à 23,5° au sud de l'équateur.

typhon: nom d'un cyclone tropical qui se forme au-dessus de l'océan Pacifique.

vallée: dépression allongée située entre des collines ou des montagnes. Également, territoire drainé par un cours d'eau important.

volcan: montagne formée par la lave (roches en fusion) et les cendres jaillissant de la Terre par une faille dans l'écorce terrestre. Les volcans sont actifs (peuvent entrer en éruption) ou éteints.

INDEX

Cet index contient les toponymes (noms de lieux) qui figurent sur les cartes régionales. Chaque nom est accompagné du nom du pays ou de la province canadienne, du numéro de la page et du numéro du carré où il se trouve. Lorsqu'une caractéristique géographique particulière dépasse les frontières politiques ou s'étend sur plus d'un carré, on la répertorie dans la région où elle est le plus facile à localiser. Les noms de cours d'eau sont en caractères italiques et les capitales en caractères gras.

Abréviations

riv. rivière
fl. fleuve
Alb. Alberta
C.-B. Colombie-Britannique
Man. Manitoba
N.-B. Nouveau-Brunswick
T.-N. Terre-Neuve
N.-É. Nouvelle-Écosse
T.N.-O. Territoires du Nord-Ouest
Ont. Ontario
Î.P.-É. Île-du-Prince-Édouard
Qué. Québec
Sask. Saskatchewan
Yn Territoire du Yukon
R.F.A. République fédérale d'Allemagne (Allemagne de l'Ouest)
R.D.A. République démocratique allemande (Allemagne de l'Est)
R.P.D. République populaire démocratique
R.S.S. République socialiste soviétique
R.-U. Royaume-Uni
É.-U. États-Unis
U.R.S.S. Union des républiques socialistes soviétiques

A

B

I

J

K

L

M

N

O

P

Q

R

S

CRÉDITS

Nous avons fait tous les efforts possibles pour identifier et créditer les documents de référence. Toute erreur ou omission sera corrigée dans les prochaines éditions pourvu qu'on fasse parvenir à l'éditeur un avis écrit à cet effet. Les crédits pour les pages doubles sont énumérés dans le sens des aiguilles d'une montre en partant du bas, à moins d'avis contraire.

p. 4: en haut à gauche, en haut à droite–Kent Smith. **p. 5:** en haut au centre–Suzanne Gauthier. **pp. 8-9:** J. Jacquemain, Miller Comstock Inc.; R. Vroom, Miller Comstock Inc.; E. Otto, Miller Comstock Inc. **pp. 20-21:** Image Finders, The Stockmarket Inc.; Four By Five; Ministère de l'Agriculture et de l'Alimentation de la Colombie-Britannique, Service des renseignements; Ted Russell, The Image Bank; Darren Sweet; Darren Sweet; Grant Heilman, Miller Comstock Inc.; Ministère de l'Agriculture et de l'Alimentation de l'Ontario. **pp. 22-23:** Abitibi-Price inc. (toutes les photos) **pp. 26-27:** Service des ressources naturelles; Noranda inc. **pp. 28-29:** Pétroles Esso Canada; Pétroles Esso Canada; Pétroles Esso Canada; Pétroles Esso Canada; Denis Thibodeau, Marystown Shipyard Ltd. **pp. 30-31:** Via Rail; J. Jacquemain, Miller Comstock Inc.; W. Griebeling, Miller Comstock Inc.; Service des transports et des communications; CN ; Darren Sweet; Service des transports et des communications. **pp. 32-53:** Images du satellite LANDSAT, courtoisie du Centre canadien de télédétection, Énergie, Mines et Ressources, Canada. **pp.120-121:** rangée du haut, de g. à dr.–Earth Satellite Corporation; George Hunter, Miller Comstock Inc.; D./J. Heaton, Miller Comstock Inc.; Earth Satellite Corporation. rangée du centre, de g. à dr. - © The Stock House/Ma Po Shum; Earth Satellite Corporation; Office national du Tourisme de Corée; Consulat général de la république de Corée. rangée du bas, de g. à dr.–Earth Satellite Corporation; K. Straiton, Miller Comstock Inc.; Four By Five; Earth Satellite Corporation; conception–Sharon Foster.

L'auteur remercie les cartographes Jane Davie, Chris Grounds et Hedy Later pour leur aide dans la production de ce volume.

Maquette des couvertures: Sharon Foster
Éditeur: Deborah Lonergan

Traduction: Les Éditions de la Chenelière inc. (Danielle Bleau)

123456789 EB 765432109

Séparation de couleurs et film par Rainbow Graphic Arts Co., Ltd.
Imprimé et relié à Hong-Kong par Everbest Printing Co., Ltd.